徳間文庫

ＳＦ読書会

山田正紀

徳間書店

目次

編集協力（脚注）／牧眞司

まえがき

恩田　陸

いったいどういうきっかけでこの読書会が始まったのかは覚えていないけれど、「えらいことになった」と蒼ざめたことは覚えている。

小説家になって嬉しかったのは、昔から愛読していた作家に会えることだが、まさか敬愛していた作家と読書会をするなんて、恐れ多い上におのれの浅薄さが露呈するのが怖くて、最初の頃はびくびくしていた。しかも、論客の多いＳＦをメインに読むというのだから、恐怖は二乗する。

それにも増して恐ろしかったのは、読み返す本読み返す本、内容を片っ端から忘れていたどころか、かつて読んだ時には全く内容を理解していなかったと思い知らされたことである。

「こんな話だったのか」というフレーズを何度この読書会で発していることか。

「とても難しいという印象だけで中身はすっかり忘れていた」というフレーズも同右。

嗚呼。やっぱり私は読書家でもＳＦ者でもなかったのでした。どの面下げてＳＦ書いているなんて言えましょうか。

けれど、青春期に読んだ本を読み返すのは興味深く、非常に勉強になった。ここに登場した本はどれもやはり面白く、改めて名作の寿命の長さに感動した。

この読書会、司会をしてくださる皆様やゲストがたいへん豪華であった。

日下さん、牧さん、三村さん、笠井さん、何を聞いてもすぐに教えてくれる博覧強記の方ばかりで、こちらは「へええ」「はああ」「そうなんですかあ」と口を開けて聞いているだけという情けない状態であったが、とても面白かった。

そして、萩尾望都さんにお会いできた時は感無量で、その頭の柔らかさ、フットワークのよいしなやかさに触れて、いつしか偏狭になっている自分に気付いて打ちのめされた。

これ以外にも手塚治虫『火の鳥』、ブラッドベリ、夢野久作『ドグラ・マグラ』、光瀬龍『百億の昼と千億の夜』などが候補にあがっていたけれど、結果としてこのようなラインナップになった。

それにしても、「読書会」と銘打ちつつ、いつも単なる怒濤(どとう)の飲み会になっていたのが不思議である(そうでもないか)。

笠井さんに初めてお目に掛かった時も一時間くらいでへろへろになっていたし、笠井さんのお宅に伺った時も、テーマが私の本だっただけにこそばゆくてたちまち悪酔い。

おつきあいいただいた皆様、いつも迷惑を掛けた担当編集者のKさん、どうもありがとうございました。

そしてもちろん、いつも大らかに若輩者の話を受け止め、私のタメ口を楽しそうに聞いてくださった山田正紀さん、本当にお疲れさまでした。二・二六事件の資料、いつ渡そうかと思っていたのですが、『マヂック・オペラ』が出てしまいましたね……。

それでは、私が見当違いのことを言いつつも、ゲストと山田さんに教えを乞うさまをお楽しみいただければ幸いである。ここにあがっている本を読んだことのある人も、読んでいない人も楽しめると思う。できればこの機会に再読、あるいは初読してみるというのはいかがだろうか。

半村良　『石の血脈』『岬一郎の抵抗』

司会・構成／日下三蔵&ＳＦＪ編集部

集英社文庫

集英社文庫

初出　SF Japan vol.05 2002 SPRING

石の血脈

建築家・隅田の妻が失踪した。そして、彼の周囲には、謎めいた人物たちが暗躍しはじめていた。アトランティス伝説、クロノスの壺、巨石信仰、狼男伝説、吸血鬼伝説。秘密グループが行う性の狂宴。世界各地に残る伝承には、人間の根源的欲求ともいうべき、「不死」を実現する鍵が潜んでいるというのだが……。壮大なスケールで描く、大河ＳＦ伝奇ロマン。（編集部）

岬一郎の抵抗

微弱な超能力を持つ岬一郎は、目立たない人生を送っていたが、ふとしたきっかけで能力を暴発させ、人を殺してしまう。彼の能力は日増しに高くなってゆく。ある日、歩けなかった子供の足を治し、それがテレビで報道され、遠くからも不治の病の人々が訪ねてくるようになった。下町の隣人たちは、「現代の聖人」としてもてはやすが、彼を脅威と見なす体制側はマスコミ報道によって世論を操作し、じわじわと岬一郎に圧力をかけていった……。日本ＳＦ大賞受賞作。（編集部）

●半村作品との出会い

編集部（以下　編）　さて、はじめさせていただきます。この企画は、古今東西の名作エンターテインメントの中から、山田さんと恩田さんに選んでいただいた作品について、どこが面白いのか、なぜ面白いのか、ご自分がこのテーマで執筆するとしたらどんなものになるか、といったことを話し合っていただくというものです。テーマを検討していた時期に、半村良先生の訃報が飛びこんで参りました。そこで、連載の第一回は、本年（二〇〇二年）三月お亡くなりになりました、半村良さんの追悼の意味も込めて、『石の血脈』『岬一郎の抵抗』という二大作品を軸に、お二人に語っていただきたいと思います。今回の司会進行は、日下三蔵さんにお願いいいたします。

半村良
小説家（一九三三—二〇〇二）。第二回SFコンテスト入選作「収穫」が「SFマガジン」に掲載されて、六三年にデビュー。七一年の第一長篇『石の血脈』で脚光を浴びて以降、精力的な創作活動を展開する。伝奇SF『産霊山秘録』で泉鏡花文学賞を、風俗小説『雨やどり』で直木賞を、超能力SF『岬一郎の抵抗』で日本SF大賞を、それぞれ受賞。

日下　はい。よろしくお願いします。では、いつごろから半村作品を読みはじめたか、というところから、お話をうかがいたいと思います。恩田さんはいかがですか。

恩田　『戦国自衛隊』が映画になりましたよね。そのとき、半村さんのお名前を初めて認識したんだと思います。実際に読んだのはそのあと、中学の終わりか高校に入るくらいあたりで、『産霊山秘録』から入って、順番は気にせず、手当たり次第に読んでいきました。

日下　その時期ですと、だいたい角川文庫ですね。

恩田　そうです。あと、大学のときに、バイトしていた飲み屋のお客に『妖星伝』を薦められて、借りて読んだっていう記憶があります。

日下　おー、飲み屋のお客が『妖星伝』を薦める。いいお客さんですねえ（笑）。

恩田　高田馬場のさかえ通りの奥にある店でバイトしてたんです、ずっと。そこの常連さん――早稲田のOGの人だったんですけど――が、「これは傑作よ！　読みなさいあなた！」とか

『戦国自衛隊』
一九七一年「SFマガジン」に発表、七五年単行本化された作品。演習中の自衛隊が近代兵器を携えたまま、戦国時代にタイムスリップし、歴史の流れのなかで役割を果たすこととなる。一九七九年に映画化され、二〇〇五年にも『戦国自衛隊1549』としてリメイクされている。初刊は早川書房。現在は『日本SF傑作選6　半村良　わがふるさとは黄泉の国／戦国自衛隊』（ハヤカワ文庫JA）に収録。『戦国自衛隊』単体での電子書籍もあり。

『産霊山秘録』
一九七二年「SFマガジン」で連載、翌年単行本化された作品。日本史の裏面に隠れた超能力者の血統「ヒ一族」の活躍と運命を、織田信長の時代から現代にいたる長大なタイムスパンで描いた伝奇SF。初刊は早川書房。のちにハヤカワ文庫、ハルキ文庫、集英社文庫に収録されたが、いずれも現在は品切れ。電子書籍で入手可能。

いって、ある晩、あの黒い背表紙の文庫を持ってきてくれたんですね。だから私は、やっぱり『妖星伝』のインパクトが強いですね。『産霊山秘録』も面白かったんですけど。あと、当時は『雨やどり』を書いてる人っていうのと、まったく一致してなくて、学生時代はそっちのほうは読んでなかったんですね。だから今回初めて、人情もの系を読んだんですけど、そっちにもハマっちゃいました。

日下　では、山田さんは。

山田　ぼくは『石の血脈』を学生時代に、単行本で読んだのが最初ですかね。

日下　最初のハードカバー版ですか？

山田　そうです。こんな人いたかなあ、と思って買って、それで読んだのが初め。で、そのあと遡（さかのぼ）って「ＳＦマガジン」見たら、『産霊山秘録』が載ってた。だから半村さんの作家活動のほとんど最初のころから見てますね。

日下　そうですね。その前の十年間は、「ＳＦマガジン」に飛び飛びに書いてらしただけで、「ＳＦマガジン」を毎号読んで

『妖星伝』
一九七三年「小説ＣＬＵＢ」で連載がはじまり、中断を経ながらも九三年に全七巻で完結した作品。ときは吉宗の治世が終わったころ、超能力者集団「鬼道衆」の内部抗争に権力者の思惑がからみ、時空を超えた謎がしだいにあかされていく。題名の「妖星」とは、おびただしい生命が蠢き、壮絶な生存競争が繰りひろげられる地球をさす。初刊は講談社。現行本は祥伝社文庫（三冊に再編集）。合冊の電子書籍もあり。

『雨やどり』
一九七五年刊の非ＳＦ短篇集で、副題は「新宿馬鹿物語」。作家になる以前の半村良は、バーテンダーや板前、クラブ支配人など、夜の町の職業に就いていたことがあるが、その体験に基づき、しっとりと人情の機微を描いている。初刊は河出書房新社。現行本は集英社文庫。電子書籍もあり。

いる人しか知らないという感じですね。

山田　そうですね。

日下　本格的なデビューは、一九七一年の『石の血脈』ということになりますが、山田さんのデビューも、わりとすぐあとですよね。

山田　その三年後です。

日下　半村さんは六二年の第二回ＳＦコンテスト出身。だから、小松左京さんと同期デビューなんですが、十年ちかく単行本を出してなかった。活躍をはじめられるのは、ほとんど田中光二さんや山田さんが出てくる直前でした。

山田　そうですね。ただ最初から大物感は強かったけどね、すごく。

日下　そうだったんですか。

山田　うん。もう、なんかぜんぜん力が違うって感じがしてましたけどね。

日下　七三年に、ノン・ノベルが創刊されて『黄金伝説』が出ます。いわゆる《伝説》シリーズの第一作ですね。

田中光二
小説家（一九四一―　）。七一年、同人誌「宇宙塵」に発表した「幻覚の地平線」が、「ＳＦマガジン」に転載されてデビュー。アクションＳＦを得意とし、冒険小説、架空戦記も数多く手がけている。『黄金の罠』で吉川英治文学新人賞を、『血と黄金』で角川小説賞を、それぞれ受賞。そのほかの代表作に『異星の人』『わが赴くは蒼き大地』〈アッシュ〉シリーズなどがある。

山田　うん。『黄金伝説』はぼくはいま一つピンとこなかったんだけど、その次の『英雄伝説』は、ああすごいな、と思った。主人公が、電気カミソリで髭（ひげ）を剃（そ）る感触がイヤで、カミソリをいつも自分で持ってる、っていう描写があったんです。小説っていうのはこういうものかなって、そのとき思った。

恩田　なるほど。

山田　そういうのを大人の描写だと感じて、すごいなって思いましたね。で、おそらく半村さんご自身のことだろうな、と。電気カミソリの感触がイヤだという感覚が。そういう細かいディテールがすごくクリアで、ああ、小説書くっていうのはこういうことなんだな、と思ったんですよね。……と思っただけで、自分では一向に書かないんだけど（笑）。

日下　半村さんは、そういうディテールの描写を、読者にお土産を持たせる、というような言い方をされてらっしゃいましたね。

山田　そうですね。来てもらったからには、お土産を持って帰ってもらう、みたいな。そういう言い方をよくなさってました

《伝説》シリーズ
半村良作品のなかで、『○○伝説』と題された長篇を総称してそう呼ぶが、各作品のあいだに関連はない。ほとんどが、現代の日常に開幕しながら、しだいに社会の裏面や歴史の闇にひそむ異境や謎の種族、超能力に接近していくという構成をとっている。

よね。

●作家としての生き方

日下　山田さんのデビューは、半村さんの『亜空間要塞』とか『闇の中の系図』が出たころですね。山田さんの第二長篇『弥勒戦争』を、半村さんが褒めてらっしゃいましたが。

山田　『弥勒戦争』を書いたときに、一度事務所に呼んでいただいたことがありました。まあ、いろいろなことを教えてもらいましたけどね。でも……ほとんど身についてないなあ（笑）。半村さんはわりと古いタイプの作家に憧れてたところがあったみたいだった。師匠・弟子みたいな、そういう感じがお好きだったんだと思うんですよ。いま思えば、ぼくに弟子のような存在になってほしかったんじゃないのかな。

恩田　へえー。

山田　ただぼくはこういう人間なんで（笑）。そういうの、苦手だったんですよ。

『亜空間要塞』
一九七三年「SFマガジン」で連載、翌年に単行本化された作品。四人のSFマニアがひょんなきっかけで、メリット、アシモフ、バラードなどのSF作品が具現化した亜空間に迷いこみ、奇怪な冒険を強いられる。続篇に『亜空間要塞の逆襲』がある。初刊は早川書房。のちにハヤカワ文庫、角川文庫、ハルキ文庫に収録されたが、いずれも現在は品切れ。電子書籍で入手可能。

『闇の中の系図』
一九七四年「野性時代」に掲載され、同年単行本化された作品。《嘘部》シリーズの第一作にあたる。学歴も頼る者もいない主人公は、嘘をつくことだけには長けていた。その才能を見こまれてスカウトされ、国際的陰謀に巻きこまれていく。初刊は角川書店。のちに角川文庫、河出文庫に収録されたが、いずれも現在は品切れ。電子書籍で入手可能。

恩田　半村さんの出身校の両国高校は、久保田万太郎とかが先輩にいるんですよね。半村さんご自身もわりと文学志向な感じの方だったようにお見受けしますが。

日下　そうですね。中学時代は文学少年だったらしいです。

山田　昔の文士に憧れてたわけですよね。ぼくがいちばん最初に教えられたことがね、とにかくジーパンを穿くなって言われたんですよ。人前に出るときには。

恩田　え？

山田　作家なのにみっともないからって言われて。そうかな、とも思ったんだけど、でも穿いた。余計なお世話だと思って（笑）。

恩田　じゃあ、わりと、形から入る方で？

山田　はい、そうだと思います。そういう方ですから、要するに、ぼくのことが、あまりにも素人っぽくて頼りないって見えたんじゃないですか。編集者とのつきあい方についても言われましたね。

恩田　え、どのように？

『弥勒戦争』
一九七五年に書き下ろしで発表された山田正紀作品。朝鮮戦争当時の歪んだ世相のなか、特殊な能力を持ちながらも滅びを宿命とする存在「独覚」の青年が、歴史と運命に翻弄されていくさまを描く。初刊は早川書房。現行本はハルキ文庫。電子書籍もあり。

久保田万太郎
小説家・劇作家（一八八九―一九六三）。大学在学中「三田文学」に小説「朝顔」、戯曲「遊戯」を発表して注目を集める。以降、東京下町の風情を描いた作品を発表しつづけた。三七年に文学座を創立し、演出も手がけた。

山田　つきあう編集者を選べっていうことですね。その選び方も教えられた。だけどまあ、なかなか駆け出しにできることではなかったですよ。どうも形から入るというのが苦手で。とにかく、不肖の弟子でした。一回呼ばれて、ああ、こいつはものにならないと思われたのでしょう。一回で破門された（笑）。

日下　でも、かなりあとの話ですが、八六年の山田さんの作品『魔空の迷宮』は、あとがきによれば、半村さんのアドバイスがきっかけだったと……。

山田　そうそう。「誰にも見せなくてもいいから、ポルノ書けば、小説の腕があがる」って言われたんだ。そのときぼくは、まだ二十五、六。ポルノ書けって言われても、なかなか、ね。『魔空の迷宮』で試みるまで、十年以上かかってますよ。

恩田　へえ。

山田　いまでこそ作家っていう職業に執着持ってるけども、当時は――恩田さんもそうだと思うけど――作家になれて嬉しいなとは思うけども、この先どうなるかぜんぜんわかんなかった。それに、半村さんとぼくとじゃ、あまりに彼我（ひが）の違いがありす

『魔空の迷宮』
一九八六年刊の山田正紀作品。失踪した銀行員の調査に乗りだした主人公は、金融業界や都市開発プロジェクトが絡んだ謎を知ることになる。官能的な女たちが登場する伝奇ロマン。初刊は中央公論社Cノベルズ。のちに中公文庫に収録されたが、現在は品切れ。

ぎるって感じがするから、自分が作家としてやってけると思わないじゃないですか。

恩田 ええ。続けていけるとは、とうてい思えなかった。

日下 小説の書き方っていうか、小説家としての生き方、みたいな感じですよね。半村さんはもうひとつ、「出版社に借金をしろ」って、よくおっしゃってたらしいですね。

恩田 え？　なんで？　どうしてですか。

山田 借金すると、否応なしに書かなきゃいけないから、そうすれば君は作家になれるって。

恩田 うわー、すごい話ですねえ。

山田 まあ、いまから考えると、作家として生きようと思ったら、もっとちゃんとしなきゃ駄目だよっておっしゃりたかったんだと思うよ。でもそれは無理だよね。二十代の奴にそういうこと言ったって。ただ、おそらく、半村さんは含羞（がんしゅう）の人っていうか、照れ屋だから、作家としてこう生きろっていうのは、ストレートに言えなかったんだと思う。だから間接的に言ったんだろうけど、でも相手がぼくだったのが、間違いだった（笑）。そういう粋（いき）なことが通じる相手じゃなかったから。あ、そうだ。それと、その時期にぼくの結婚の話がすすんでたんです。たまたま、どこかで半村さんにお会いして、その話をしたら、結婚しちゃいけないって言われた。

恩田 そ、そんな（笑）。

山田　結婚したい相手がぼくの場合年上だったんですが、そういう年増遊びはしちゃいけないって。別に、遊んでるわけじゃないのにねえ（笑）。

恩田　結婚するんですからねえ。

山田　そう。要するにね、女の人と一人つきあえば、五人の女の人を書き分けられるっていうんですよ。だけど、結婚しちゃったらもう書く女性は奥さんになっちゃうから駄目だと。でもさ、ぼくはなにも女遊びしてるわけじゃないんだから、話がぜんぜん違うんだよね（笑）。もう、すべてが作家としての生き方っていうふうにいっちゃうんだからなあ。

恩田　自分でルール作りをして、ということですね。

山田　そう。自分の中にちゃんとした文士のイメージがあって、それにのっとって生きろ、っていう感じの人でしたけどね。

恩田　そういうことだったんですね。でも私、今回も、やっぱりわからなかった。半村良さんって、昔から、とらえどころのない人だなあって思って。ノンジャンルっていうか、そういう問題でもなくて、あまりにも大きく茫洋（ぼうよう）としてるというか……。

山田　そう。あと、もともとコピーライターやってた方だから、自分のやってることに対して、意識的だった。さっき出た、「お土産を持たせる」っていう言い方をしたりとか、「留守のところを探す」とか、そういう、キャッチフレーズを自分でつくるのがお上手な方ですね。自分の作家としてのイメージを、セルフプロモートしていった。そこらへんも、すごい才能の人だった。

恩田 いまで言えば、マーケティング的ですね。

山田 そうそう。

日下 そのあたりは、都筑道夫さんと似てる感じがします。型を見極めるのが巧(うま)いというか。このジャンルの本質はこうだっていうのを、すごく的確に把握してらっしゃるっていうイメージが強かったですね。お話ししてても。

山田 都筑さんはジャンルへのリスペクトがお強い人だけど、半村さんは、ジャンルの中でやってないこと、できてないこと、いままで誰もやってないことを探すのがお上手ですよね。

恩田 そうですよね。あと、どれかの本の解説にあったんですが、作家になるともう日常はなくなってしまうので、なるべく日常をいっぱい経験して、引き出しをつくっておいてから作家活動に入った、と。かなり計画的にされていたという話ですね。

山田 そういうことにとても自覚的な人だった。ご自分のイメージをとても大切になさる人だった。

恩田 あ、そうなんですか。

都筑道夫
小説家・翻訳家(一九二九―二〇〇三)。早川書房で編集者として活躍後、五九年に退社し、本格的な作家活動を開始。本格推理、捕物帖、怪奇小説、時代小説、SF、ヒロイック・ファンタジーなど作風はきわめて幅広く、星新一に次ぐショートショートの書き手としても知られる。自伝的エッセイ『推理作家の出来るまで』で日本推理作家協会賞を受賞。

山田　そう思います。ご自身の伝説をつくるのが上手な人だった。

日下　半村さんのキャッチだとそれを、「仕込み」って言い方をされてましたね。

山田　うん。そうですね。その言い方なんかもキャッチーでとても巧い。すごい才能ですよ。ある意味、韜晦（とうかい）の人だったような気がします。

恩田　そうだったんですか。

山田　でもそういうふうに、自分で自分の伝説をつくる作家という意味では、最後の人かもしれないね。

日下　《伝説》シリーズですか（笑）。

山田　うん。「嘘部（うそべ）」だしね。半村さんの実像ってのは、結局、ほとんど知られてないんじゃないかな。

恩田　うん。作品を読んでも、ぜんぜんわからない。

山田　わからないでしょ？　ものすごく巧いから。ただ、どんなに人情小説書いてても、どこかしら、醒めた視点を感じませんか？

「嘘部」
『闇の中の系図』『闇の中の黄金』『闇の中の哄笑』からなるシリーズ。古代より嘘を操る技術を発達させた「嘘部」一族の活躍を描く。各作品とも電子書籍で入手可能。

川口松太郎
小説家・劇作家（一八九九―一九八五）。久保田万太郎に師事して作家活動をはじめる。三五年、「風流深

恩田　そうですね。作者への感情移入をさせてくれませんね。やっぱりわかんなかったっていう印象です（笑）。
今回、読み返して。前からわかんないけど、やっぱりわかんな

山田　川口松太郎のファンでいらしたから、もちろん人情小説は好きだったと思いますよ。でもさ、ぼくたちだって、ヒーローが出てくる小説書いたりするけど、でも、作家の実像はぜんぜん違うじゃないですか。

恩田　確かにそうですね。今回、半村さんの人情短篇を読んで、なんていうかなあ、山口瞳さんとか、青木雨彦さんとか、あのへんの感触を思い出しました。ちょっと前の小説ってみんなこういう感じだったよな、っていう、懐かしい感じ。

山田　わりと軽妙な小説というね。

恩田　そうです。中間小説としか言いようがないような。でも、いま、こういう作品ってないですよね。すごく面白い。

山田　書き手もなかなかいないし。

編　今後、半村さん的な中間小説の書き手が出てくるのは難しいですか？

川唄」「鶴八鶴次郎」「明治一代女」で第一回直木賞を受賞。代表作『愛染かつら』は、映画化・TVドラマ化され広く知られるようになった。七三年には文化功労者に選ばれている。

山口瞳
小説家・エッセイスト（一九二六―九五）。サントリーでコピーライターとして活躍するかたわら、「婦人画報」に連載した『江分利満氏の優雅な生活』で、六三年に直木賞を受賞。代表作に、「週刊新潮」に三十三年ものあいだ連載しつづけた『男性自身』、菊池寛賞を受賞した『血族』などがある。

青木雨彦
コラムニスト（一九三二―九一）。新聞記者、編集者を経て、フリーとして活躍。ミステリの魅力を語った『課外授業』で日本推理作家協会賞を受賞。そのほかの代表作に『事件記者日記』『男の仕事場』などがある。

山田　重松清さんとか、もしかしたら近いんじゃないですか？　純文学とジャンル小説の中間、そういう意味での中間小説ですよね。べつに、中間小説っていうジャンルがあるわけじゃなくて、ジャンルにはまりきらないもの……。

日下　面白い普通小説。

山田　そうだね。面白い普通小説だね。

日下　普通小説がいちばん難しいですよね。

恩田　うん。いま、思いつかないですよね。それこそ恋愛小説にいくか、犯罪小説にいくか、みたいな。

編　重松清さんとか、あと奥田英朗さんとかが、そういう感じでしょうか。

山田　そう。奥田さん、そっちのほうへ向かってますよね。

●『石の血脈』のすごさ

編　今回、半村さんのどの作品をお題にするかということですが、恩田さんが選ばれたんですよね。

重松清
小説家（一九六三―　）。編集者を経てフリーライターとなり、九一年『ビフォア・ラン』で作家デビュー。いじめや不登校、家族崩壊などの社会問題を題材とした作品で知られる。『ナイフ』で坪田譲治文学賞、『エイジ』で山本周五郎賞、『ビタミンＦ』で直木賞を、『十字架』で吉川英治文学賞、『ゼツメツ少年』で毎日出版文化賞を、それぞれ受賞。

奥田英朗
小説家（一九五九―　）。雑誌編集者、プランナー、コピーライターを経て、九七年、『ウランバーナの森』で作家デビュー。『邪魔』で大藪春彦賞を、『空中ブランコ』で直木賞を、『家日和』で柴田錬三郎賞を、『オリンピックの身代金』で吉川英治文学賞を、それぞれ受賞。

恩田 はい。すいません（笑）。『石の血脈』は最初の長篇として。『岬一郎の抵抗』は、とくに今日(こんにち)性を感じるという点で選ばせていただきました。

日下 じゃあ『石の血脈』からいきましょうか。『石の血脈』は七一年に発表された処女長篇。実質的なデビュー作です。ご本人が言われてたのは、入れられるものは全部入れようと思ったっていうことですね。千枚弱なんですけども、めちゃくちゃネタが入ってるんですよ、これ。

恩田 うん、そうですねえ。

日下 こんなに入れて収拾つくのかなあ、と思うんですけれども、すべて無駄なく、処理しきってちゃんと終わるんですよ。当時のSFでもなかったタイプの作品ですね。

編 小説として千枚超える――まあ、最近は長い作品が多いですけど、五百枚の長篇と千枚超える長篇と、書き方は違いますか。

山田 恩田さん、どう思われますか？

恩田 私はあんまり……書いてみないとわからないから。でも違うんじゃないかな、って気がしなくもないですけども。

日下 山田さんはどうですか。

山田 違うんじゃないかなあ（笑）。

恩田 たぶん書き方の方針が違ってくるんじゃないかなっていう気が。

山田　そうそうそう。

編　『石の血脈』は、たしか南山宏さん（当時の「SFマガジン」編集長）から千枚書いていいよ、って言われて書いたらしいですね。

恩田　なるほど。

山田　千枚書こうと思えば、すべて入れられるかなとは思いますよね。

恩田　どこまで書きこむか、っていう方針が違うんじゃないかっていう感じですよね。たぶん、同じネタでも、五百枚だったら脇道に逸れずメインストーリーのみを追ってコンパクトになるところを、千枚だったらもうちょっと書き込もうかなあ、と。

山田　あと、物語のスタート地点をかなり手前に持ってくるか、それともメインストーリーに近いところへ持ってくるかっていう考え方もありますね。

日下　そういうところで調節をする――。

山田　じゃないかな、ふつう。恩田さんの『木曜組曲』は四百枚くらいだと思うけど、あの作品、千枚で書けるでしょうか

南山宏
翻訳家・超常現象研究家（一九三六―　）。本名の森優として「SFマガジン」二代目編集長として活躍し、《ハヤカワSF文庫》を立ちあげた。七四年よりフリーに。SFの翻訳に、クラーク『宇宙のランデヴー』『太陽系オデッセイ』、バラード『ハロー、アメリカ』などがある。

『木曜組曲』
一九九八年～翌年「問題小説」で連載、九九年単行本化された恩田陸作品。耽美小説の巨匠、重松時子が薬物死を遂げてから四年後の命日に、親交のあった女性編集者や親族の娘たちが集まる。そのなかのひとりが「あたしが時子姉さんを殺した」と口走ったことから、告発と告白が入り乱れる心理戦が展開されていく。二〇〇二年に映画化。現行本は徳間文庫。電子書籍もあり。

ね？

恩田 ねーっとりと細かいとこまで書いて書いて書きこんで、そういう心理小説みたいにすれば、いけるかもしれません。

山田 『木曜組曲』のネタで千枚書こうと思ったら、あの女流作家の重松時子が生きてるところから書くか――。

恩田 それか、カットバックで。

山田 なるほど。カットバックという手はありますね。もしくは葬式の場面からはじめる、とかね。やっぱり書く場所っていうか地点ですよね。

恩田 そうですね、うん。

日下 『石の血脈』って、千枚以下では書きづらい小説ですよね。五百枚で、これを書けっていうのは……。

恩田 それはちょっと、無理ですねえ。

日下 最初に『石の血脈』を読んだときの印象はどうでした？

山田 とにかくイントロが強烈。泥棒が工場で銅線を盗もうとするところからはじめる。あの作り方はすごいな、と思いましたね。ああ、小説ってこうなんだ、と思って。

恩田 あそこは、いい感じですよね。

山田 小説ってのはこういうふうに、思いもかけないイントロで人をつかんで、それで持っていくのがいいんだなって。あれはすごく勉強になった。

恩田　私はですね、今回『石の血脈』読み返して、すごく知っている感じ……デジャビュを感じたんですよ。いま我々が読んでるエンターテインメント小説は、これがお手本、最初がこの作品だったんだなあって思うんです。

山田　それまでは、誰かの日常がはじまると、日常の延長がずっと続いて、で、事件がその日常の中で起きるんだけど、半村さんの場合、日常からはじまって、それが突然どこかで異世界のほうへ入っていっちゃう。これは、半村さんの発明じゃないのかな。

恩田　まあ、いわゆる伝奇というか、古代文明系とかもいろいろ組み合わせて。要するにいろんなネタを、総合的にまとめて、エンタメにする、っていうのは、このへんが最初だったのかなあ、と。

山田　恩田さんは『石の血脈』なんか、影響受けてたりしますか？

恩田　いやあ、細かいところは忘れてましたからね。でも、まあどこかで受けてるとは思います。お話の作り方、いまのエンターテインメント小説ってほとんどこういう作り方じゃないですか。その、意外な場面からはじまって、関係なさそうないろいろな話と、よく知っている蘊蓄（うんちく）みたいなのがつながって、実はこういう見方もできました、みたいな。

山田　あと、三人ぐらいの登場人物がいて、ぜんぜん関係ないところから話がはじまって、それがいつのまにか重なってくるみたいなものも、『石の血脈』が初めて……、あれ？

『戒厳令の夜』とどっちが先なんだ？

日下 『戒厳令の夜』が後です。

山田 そうか、じゃあ五木寛之さんのほうが、半村さんに影響を受けたのかもしれないね。

編 いまでいうオーパーツとか、オカルト的なものを、ああいう形で小説に、しかも大人向けの小説にしたのって、なかったわけじゃないですか。それ自体は新鮮でした？

山田 ものすごく新鮮でした。吸血鬼とか、狼男とか、こういうふうに扱うのかっていう。初めてじゃないかな。もしかしたらあそこから、本当に、日本のエンターテインメントSFがはじまったのかもしれないね。それまで、吸血鬼とかそういうものは、もう終わっちゃったものだって、小説界では思ってたから。

恩田 あと、病気ネタっていうのもね。

山田 そうだね。

恩田 すごく、今日的ですよね。いまはしょっちゅうウイルスとか遺伝子とか出てきますけど。強烈な力業（ちからわざ）で、全部説明し

『戒厳令の夜』
一九七六年刊の五木寛之作品。主人公は福岡の酒場で、占領下のパリでナチスに略奪されて以来ゆくえ知れずだった名画に遭遇する。幻の絵画コレクションを追いはじめた彼は、戦後の炭鉱国有化案をめぐる国家権力の暗躍と関係があることを知る。八〇年に映画化。初刊は新潮社で、その後文庫化され、また『五木寛之小説全集』にも収められたが、現在はいずれも品切れ。電子書籍で入手可能。

五木寛之
小説家・エッセイスト（一九三二― ）。五七年に大学中退後、小説家・放送作家・作詞家として幅広い活動を展開。六六年に「さらば、モスクワ愚連隊」で小説現代新人賞を受賞。『蒼ざめた馬を見よ』で直木賞を、『青春の門・筑豊編』で吉川英治文学賞を、『親鸞』で毎日出版文化賞特別賞を、それぞれ受賞。リチャード・バック『かもめのジョナサン』の翻訳でも知られる。

ちゃう。

編　初刊本の帯には、「ネオ伝奇ロマン」とあったんですよね。

日下　「伝奇」っていう言葉は、要するに手垢（てあか）のついた言葉だったんですよ。古い時代小説のことを「伝奇小説」と言った。

山田　小説界で、「伝奇」っていうのは、新作に対して使われることはなかったんだよね。

恩田　「空想科学小説」みたいなもの？

日下　いや、それよりも、もっと死んでた言葉だったんですよ。

山田　恩田さんは、伝奇ロマンみたいなものをお書きになる気は？

恩田　もうちょっと。お婆さんになったら書こうと思って。ネタをいっぱい持ってないとつまんないじゃないですか。だから難しいです。

山田　ネタはいっぱいお持ちじゃないですか。

恩田　ちゃんと蘊蓄がないと寂しいですから。きらびやかな感じを出すには、もう少し年季を積まないと、と思ってるんですけど。

山田　たとえば、『石の血脈』のネタで書くとしたら、どういうふうに？

恩田　赤い酒場のママのマキ、たぶんあの人が、一人称で、関係してきた男性と、自分の愛した男がどうなったか、といった感じで書くのかなあって思います。うん、私が書くとしたら、たぶん彼女が主人公でしょうね。女の人が書くと、どうしても「私」の物語になっていうので。でもその「私」から見て、たとえば本当は好きだったその男が、どうして死んでいったか、とか、そういう感じで書くんじゃないですかね。

山田　あの権力構造なんかは、どう書きますか？

恩田　ちょっと醒めた目で。男の人の世界って、不死であろうがなかろうが、結局は、ちゃんと順位がつくんですよね。そのへんを、醒めた目線で書いてみたいな。

山田　不思議な魅力のある話になりそうですね。

恩田　メインストーリーは、悲恋ものとして書くことになりそうですね。どんなに愛しても結局、石になっちゃう……、という感じ。

山田　ああ、なるほど。

恩田　山田さんだったら、どうですか？

山田　そうだなあ、あの権力ヒエラルキーのどこからも相手にされないっていう、そういう悲哀を書くでしょうね。そのほうがぼくにとってはリアルだから。あの権力構造の中に入りたいとは、絶対思わないもん。あるいは、世の中はそのヒエラルキーで動いてるっていうのを遠くから感じて、でも自分は関係ないっていう、主人公の疎外感を書くかな。だから、半村さんとはかなり違っちゃうんだよね。

●女性の描き方

山田　半村さんの、女性の書き方、恩田さんはどう思いました？

恩田　水商売の女性を書かせると、無茶苦茶巧い。

山田　巧いよね。

恩田　今回初めて『雨やどり』を読んだんですけど、とにかく店の中の観察とか、商売やってる女の人とかがすごく巧い。いちばん印象に残ってるのが、店の中に本気でホステスを口説いている奴がいると、そこだけ暗く沈んで見えるっていう描写。痺れましたね。夜のお店なんて虚構のかたまりで、お客も嘘ついていて、いろいろ違う自分になったりするんだけれども、本気だとそこだけ沈んで見えて、お客さんの数が減ったように感じるっていう。

山田　本当に細かい描写が巧いよね。本当にそういうお店にお金と時間を使わないと、わからないことなんだろうけどね。ただ、徹頭徹尾、半村さんの小説って、男の小説だよね。それは今回読み直して、ものすごく感じた。男から見た社会。構造やら、すべてがね。こういう、喰うか喰われるかっていう社会で生きなきゃいけない男ってのは辛いな、とは思ったけどね。

恩田　でも、当時の日本ＳＦに出てくる女の人ってみんなこんな感じですよね。日本ＳＦ

自体、高度成長期の男の小説。半村さんの場合、庶民は社会の奴隷である、というのが大前提としてわりとがっちりあって、じゃあどうすればいいの、みたいな話ですね。

編　昭和って、黒幕みたいなものが生き生きしてたような気がするんですよね。謎の黒幕、政界の黒幕……。

恩田　権力構造があって、一部の人がおいしい思いをしていて、ひと握りの人がピラミッドの頂点にいる、という感じ。

山田　本当はいま、黒幕なんていないと思うんだけど。いたとしたら自分たちが道化で、黒幕を演じているということをわかってるほどの人でないと、黒幕になれないんじゃないかな。あ、思い出した。そのころ言われたんだ、半村さんに。「君の書く黒幕って、なんか町内会の会長みたいだ」って（笑）。たしかに、そうなんだろうなって、思ったんだけど、でも黒幕なんていないんじゃないかなって思ってた。半村さんの見てる世界と、自分の見てる世界は、どうも違うなって。

恩田　ははあ。

山田　そういう意味では、半村さんの小説の男女の関係……あれ恋愛じゃないよ。美しい女の人を自由にして、それで自分の力を誇示する。要するに権力の一環だから、その意味じゃものすごくわかりやすい。

●書かない巧さ

編　半村さんの小説、巧いと思うんですけど、構成的な意味では、すごく巧い小説ではないですよね。

山田　伏線がどうのこうのっていうのは、あんまり関係ない作家ですよね。伏線なんかほとんどない。最初からストレートに押していく作家。たとえば、ぼくや恩田さんが、どこかの小説塾の講師だったとしますよ。そしたら、半村さんみたいな書き方勧めますかね？

恩田　できない……あれは。

山田　できないよね。生徒に、とにかく書きたいことがあったら、どんどん、伏線も何もいらないから書きなさいっていうふうには、ちょっとできないんじゃないかなあ。

編　そうなんだけど、半村さんは小説が巧いっていうイメージがやっぱりありますよね。

恩田　うん。巧いです。

山田　構築力、構成力という点では弱いんだけど、巧いと思ってしまう。うん、やっぱり人間の造形力かなあ。

日下　半村さんの小説が、構成的に弱いという印象があるのは、たぶん、話が終わってないからだと思うんですよ。『英雄伝説』だって、そのあと本当は続いているはずなのに、彼が寝るところで終わっちゃう。主人公がストーリーからドロップアウトして終わっちゃうんですよね。そういう意味では、小説として、閉じてない。ただし、閉じなくてもいいような作り方を最初からしてるという感じですね。

恩田　そういう、説明しない部分、書かずにすませたところが、ものすごくいい。

山田　目に見えないものが奥にある。それを暗示させるのが巧いっていうのかな。

恩田　ええ。書かなくても、その一行あれば、それでいい。それぐらいに、背景の話がバアッと見えてくる。

日下　実際、お二人が執筆している中で、どうですか？　これ以上書いたらしつこくなるとか、ここで止めるほうがカッコイイんだ、みたいなことって考えますか。

山田　それは、日々、迷ってますねえ。

恩田　迷いますねえ。しかも、ここ最近、何から何まで説明するっていう傾向にあるじゃないですか。とくにスティーヴン・キングの翻訳以降。

山田　都筑道夫さんがエッセイで、しつこいぐらい書かないと、いまの読者はわからないから、すべて書いたほうがいいって。ぼくもそうだな、と思うんだよね。

恩田　有名な話ですけど、映画『氷の微笑』が公開されたときに、ラストの意味がわからない人、多かったらしいですね。最後にアイスピックが下に落ちていても、誰が犯人か、わからない。そうか、これでもわからないのかって、ちょっとショックでした。あんまり説明したくないとは思うんですが、それを考えると……。どこまで書くかっていうのは、結局ずうっとわかんないと思います、私は。

山田　ぼくはいま、全部書いちゃうなあ。読者はわかってくれないもんだっていうふうに、思い決めちゃってるから。

恩田　そうですかあ。

山田　読者は、わかってくれてると思える？

恩田　いや、何割かの人はわかってくれてるとは思うんですけど、甘いですかねえ。

山田　いやあ、わかんないけど。読者は馬鹿じゃないけど、親切でもないんだよね。わかんないから何だろうって考えるほどの時間もないしね。

日下　さすがに半村さんほど、ストーリーの最後を書かないで終わるのは、勇気があると思うのですが。

恩田　あれはわざとなんですか？

日下　よくわからないんですけど、『石の血脈』は綺麗に終わってるほうですよね。

『氷の微笑』　一九九二年のアメリカ映画。アイスピック殺人事件をめぐるスリラー。監督はポール・ヴァーホーヴェン。マイケル・ダグラスが刑事役を、シャロン・ストーンが美しい容疑者役を演じた。

恩田　ええ、きちんと終わってますよね。あ、私もよく言われたんだ。恩田作品はさわりの部分しかないじゃないかって(笑)。

編　山田さん、「いまは全部書く」とのことですが、どの段階で、心境の変化が？

山田　『虚栄の都市』っていう小説を書いたんです。正体不明のテロリストが東京を襲って、結局都市機能がガタガタになるっていう話なんだけど。それがね、テロリストの正体がわかんないのが、気持ち悪いっていう人がいっぱいいたの。それでショック受けちゃった。テロリストの正体がわかんないから、結局、自衛隊の治安維持が解けなくなっちゃって、日本が平和でなくなるっていう小説なのに。

日下　わかんないから面白いんですよね。

山田　そう。わかんないから面白いと思って書いたのに。しかも、編集者に多く言われたんだよね。物事がわかんない世の中なのに、小説はわかんなきゃ駄目なのかなっていう。だから、それ以来、かな。

『虚栄の都市』
一九八二年刊の山田正紀作品。東京を襲う都市ゲリラの連続破壊活動に対して、警察の対応は後手後手にまわってしまい、やがて自衛隊の出動が検討される。初刊は祥伝社ノン・ノベル。のちに『三人の「馬」』と改題のうえ祥伝社文庫に収められたが、現在は品切れ。電子書籍で入手可能。

恩田　うーん。だから、ちゃんと、書く……と。
山田　そう。ちゃんと書く。こいつのせいなんです、こいつが悪いんですよって。
日下　でもまあ、そういうわかりやすさを求める人ばかりでもないですからねえ。
山田　ぼくの悪い癖かなあ。すぐ思い決めちゃうんだよね。反省します（笑）。

●空前絶後の傑作『岬一郎の抵抗』

編　半村さんにとって、読者ってなんだったんでしょうか？
恩田　そのへんがよくわかんないんですよね。とにかく、正体を見せない人だった、っていうのが私の結論なんですけど（笑）。読者を信用してたのか、信用してなかったのかもわからないし、世間を信用してたのかしてなかったのかもわからない。
山田　自己韜晦の人だってことは間違いないね。自分をできるだけさらけ出さないっていうか。
恩田　そのへんの二面性がすごい。すべてにおいてアンビヴァレントというか。それこそ権力欲と、それに対する嫌悪みたいなものもあったし、文学者に対する憧れがある一方で、でもそれに対する嫌悪もある。
山田　あと、女性もそうだよね。女性に対する憧れと、女性嫌悪と、ものすごく女性をあげておいて叩き落とす、みたいな、そういう書き方もすごく多いし。かなり荒涼とした精神風土で書いてたんじゃないかっていう気が、若干……。あの、荒涼としたっていうのは、寂しいとかそういうことじゃなくて、もっとこう、世間を嘲笑(あざわら)うぐらいの気持ち、という意味ね。

日下 今回のもうひとつのテキストは、『岬一郎の抵抗』ですが、この作品は、そういう意味での半村さんのシビアな面も、かなり出てますよね。

恩田 最後の一行が、すごい。それこそ烙印(らくいん)のように、ばぁん、と結論が書いてある。その前の野口の台詞(せりふ)で終わってもよかったんですよね。たぶん私が書いたとしたら、あの台詞、彼が振り返って「ばかやろうぅ……」って言ったところで終わると思うんです。

山田 あと、町内の動きが延々と書いてあって、そこが本当に巧いんだよね。

恩田 巧い。いかにもいそうな爺さんとか。で、いかにもありそうな、孫娘が自慢で、お師匠さんに推薦されて、みたいなのがあって。

山田 大学に入るのに、ちょっとツテがあって。

恩田 そうそう。で、舞いあがっちゃうっていう。新田のお婆さんとか、長島の爺さんとか。いるよな、見たことあるよな、この人たち。

山田 とにかく爺さん婆さん書かせれば、ものすごく巧い。新田のお婆さんなんてさ、ぼくの学生時代の下宿先のお婆さん、そのまんま。あと、酒屋の親父が客をからかったりとか。

恩田　悪態のつき方とか、気の遣い方とか。

山田　うんうん。それを延々と書いて、最後にああいう破局を迎える。その……、でもこれは人情小説といえるのかな?

日下　いや、まあ、人情ものだと思いますよ。結局ですね、半村さんのやりたかったことは、たぶん『岬一郎の抵抗』に集約されるんですよ。

山田　ああ、そうなんだよね。

日下　半村さんは実は、最初の短篇集のあとがきで、人情噺(ばなし)とSFを、ひとつの話でやりたい、ということを書いてるんですよ。で、『石の血脈』を出したときに、『石の血脈』と『産霊山秘録』と『岬一郎の抵抗』で三部作だっていうことを、すでに七〇年代に言ってるんですね。

山田　タイトルも予告してたんだよね。

日下　そうです。最初期から予告されてたタイトルなんですよ。ただ、発表されたのはそれからほぼ二十年後。その間に、人情ものとSFとの、匙(さじ)加減をはかってたんでしょうね。

最初の短篇集
《ハヤカワ・SF・シリーズ》の一冊として出版された『およね平吉時穴道行』のこと。一九七一年刊。「SFマガジン」に発表された作品を中心に十三篇を収録。ハヤカワ文庫JA版、角川文庫版(収録作品に異同あり)もあるが、いずれも現在は品切れ。電子書籍で入手可能。

恩田　いろいろ試していたと。

日下　ええ。で、ＳＦじゃない人情ものも書いてみて、いろいろやって、で、結局、ＳＦと人情ものをひとつの器で混ぜるとどうなるかっていうのを、最後に大実験したのが『岬一郎の抵抗』だと思うんですね。

恩田　ふうん。やっぱり傑作ですよねえ。『岬一郎の抵抗』は。

山田　うん、この巧さっていうのは、本当にすごいよね。

恩田　半径十メートル以内の話と、国家権力の話と。下町に本物の超能力者が現れたら、どうなるか？　起こりうるであろうあらゆることを、ちゃんとぜんぶ想像している。

日下　詳細なシミュレーション。

恩田　ええ。超日常的なんだけど、人情ものの合間に、岬一郎の観念的な台詞が挟まるっていう、落差がすごい。で、彼ばっかりがどんどん進化していって、ギャップがどんどん大きくなっていく。いやあ、すごい話だなあ。

山田　おそらく『岬一郎の抵抗』はこれからも、こういうもの書ける人って出てこないよね。ワン・アンド・オンリー。

恩田　信じられない話です。

山田　そうそう。でも、この小説でも女性は、あまりよく書かれてないよね。

恩田　ええ。みんな薄情。

山田　水商売の人は書き方は巧いんだけど、この薄情さが、結論なのかなあ、半村さんの女性観の。

編　さっきは『石の血脈』はどう書きますか、っていうふうにお訊きしましたけど、これはどう書きますかって訊けない……これはこうしか書けないですよね。

恩田　うーん。こんなすごいの書くの、半村さんしかいない。

山田　町内会の人を巧く書くっていう自信がないと、とっても書けない。

恩田　その自信がないと、成立しない話ですよね。

山田　下町なんか、いまの読者はほとんど誰も経験してないんだけど、でも、ああ、こういう人いるなって思わせる、架空のリアリティ。すごいよねえ。

編　『石の血脈』から《伝説》シリーズに関しては、影響を受けたような作品がたくさん出ましたけど……。

山田　『岬一郎の抵抗』は、そういう意味じゃ、後に影響を残してないかもしれない。

恩田　って言うか、書けないですよ。

山田　書けないね。空前絶後。

日下　『石の血脈』から『岬一郎の抵抗』まで十七年かかってる。いま、町内会の人々を巧く書ける腕がないと挑戦できないっていうお話がありましたけれど、半村さんでも、そこまでいくのに十七年かかったということですね。

編　日本のエンターテインメントに果たした半村さんの役割って、やっぱり大きいんでしょうね。

恩田　うん。今回『石の血脈』読んで、結局みんな、これをやっているんだなって思いました。

日下　あの時代のSF……とくに半村良、平井和正っていう二人が、日本のエンターテインメント全体に与えた影響は、すごく大きいですね。

山田　平井さんと半村さんがその後の日本のエンターテインメントに与えた影響にははかり知れないものがある。あんまりみんな言わないけど、でも本当は、のちの小説にすごい影響を与えている。

恩田　ですねえ。

山田　結局、人間ってズルイから自分の得になることしか言わない。SF界が大隆盛だったら、皆、先を争って、半村さん、平井さんの影響がいかに強かったか、それを言うんだろうけど……ある意味、半村さんは「岬一郎」で、ほかの作家、編集者たちはあの「町内」の人たちなのかもしれない。半村さんはそ

平井和正
小説家（一九三八―二〇一五）。六二年「SFマガジン」に発表した「レオノーラ」でデビュー。同誌に短篇を発表しながら、アニメのシナリオや漫画の原作で活躍。六九年の『狼男だよ』を第一作とする《アダルト・ウルフガイ》シリーズ、七一年の『狼の紋章』からはじまる《ウルフガイ》シリーズで絶大な人気を博す。さらに《幻魔大戦》シリーズ、《真幻魔大戦》シリーズによって多くの読者を獲得した。没後に日本SF大賞功績賞を受賞。

のことをわかっていたのかもしれない。そんな気がします。

編　本日は、ありがとうございました。

司会・構成／牧眞司

I・アシモフ『鋼鉄都市』『はだかの太陽』

ハヤカワ文庫SF

ハヤカワ文庫SF

初出　SF Japan vol.06 2003 WINTER

鋼鉄都市

過密人口を抱えた未来、大規模な集合都市ニューヨークを舞台に、私服刑事、イライジャ・ベイリと、植民惑星から派遣されたロボット、R・ダニール・オリヴォーが殺人事件の捜査に乗りだす。事件が起こった「宇宙市」は、地球外に対する出島ともいうべき場所で、そこを訪問する地球人は入口で武器をあずけるようになっている。今回の殺人はあきらかに熱線銃によるものだが、同市内のすべての銃には発射の痕跡がない。また、この時代の地球人は広所恐怖症なので、宇宙市に外から侵入することはありえない。謎が謎を呼ぶ。〈牧〉

はだかの太陽

植民惑星のなかでもっともロボットが普及しているソラリア。人間ひとりに何十台もの召使いロボットが仕え、人々は互いに離れて暮らす。コミュニケーションは遠隔で行われ、他人との接触は強い心理的タブーとなっている。過度なまでに清潔で平和な世界だが、そこで歴史はじまって以来の殺人事件が起こる。カギを握るのは、殺人現場に残されていた機能不全のロボット。ただし、ロボットには殺人は不可能だ。状況的には被害者の妻が疑わしいが、動機が見あたらない。解決のため、ベイリ&オリヴォーが派遣される。〈牧〉

●アシモフとのファーストコンタクト

編 今回は、アイザック・アシモフのSFミステリの二作品、未来社会を舞台に人間とロボットの刑事がペアを組んで殺人事件を解決する『鋼鉄都市』と、その続篇の『はだかの太陽』を取りあげます。司会進行は、アシモフ作品の解説などもお書きになっているSF評論家の牧眞司さんにお願いします。

牧 よろしくお願いします。作品について触れる前に、まずお二人のアシモフ体験についてうかがいたいと思います。最初に読んだ作品は何ですか？

恩田 『ミクロの決死圏』です。実を言うと、これがSF文庫で最初に買った本なんですよ。ご多分に洩れず、まず映画を観て、それで原作も読んでみようと思ったわけです。テレビのゴ

アイザック・アシモフ
アメリカの小説家・ノンフィクション作家（一九二〇―九二）。三九年「アメージング・ストーリーズ」に「真空漂流」を発表してデビュー。《ファウンデーション》と《ロボット》の両シリーズによって、SF界に確固たる地位を確立する。その旺盛な執筆意欲はSFのみにとどまらず、ミステリ、科学解説、歴史書、ユーモア小話など多分野におよび、著作総数は五百冊近い。

『ミクロの決死圏』
一九六六年刊の作品。もともとはリチャード・フライシャー監督の映画として企画され、そのコンセプトに基づきアシモフが原作を書き下ろした。脳に障害を負った要人を救うために、顕微鏡サイズに縮小されたクルーが特殊潜航艇で血管内を行く。邦訳はハヤカワ文庫SF（現在は品切れ）。

ールデン洋画劇場でした。小学校三、四年のころかなあ。ラッキーなことに、『ミクロの決死圏』は映画も小説もよくできているんです。映画に感激して、原作を読むとガッカリすることがよくあるじゃないですか。この作品はそうじゃなかった。そのあと、福島正実さんが編んだ『SF入門』を読み、SFにはどういうものがあるのかという基礎知識を仕入れたのですが、そこで、いきなり《ファウンデーション》シリーズにぶつかって挫折してしまった。難しかったんですね。

牧 小学生で《ファウンデーション》を読んだわけですか？

恩田 小学校六年生……それとも中学生になっていたかな。それ以来、今日に至るまで《ファウンデーション》は読んでいません。でも、おなじころに、講談社文庫の福島正実さんのアンソロジーで、ロボットものの短篇「うそつき」を読んでいます。

牧 あのコワい話ですね。ロボット工学の権威スーザン・キャルヴィンが、読心力を持つロボットを追いつめて……。

恩田 そうです。

山田 しかし、中学生になるかならないかで、そこらへんの作

福島正実
小説家・翻訳家・評論家・編集者（一九二九―七六）。五九年末より「SFマガジン」初代編集長として活躍。日本SF界の勃興に多大な貢献を果たした。六九年にフリーとなり、創作・翻訳・アンソロジー編纂などで活躍。代表作に、短篇集『SFの夜』『ロマンチスト』『分茶離迦』、SF揺籃期の回想録『未踏の時代』、入門書『SFの世界』『SFの眼』などがある。

《ファウンデーション》
一九四二年「アスタウンディング」に発表した短篇「ファウンデーション」を皮切りに、長年にわたって書きつづけられた宇宙未来史シリーズ。日本では《銀河帝国興亡史》とも呼ばれる。栄華の頂点を極めた銀河帝国がやがて没落することを予想した天才数学者が、新帝国の核とすべくふたつのファウンデーションを銀河系の両端に設置する。二〇二一年、デイヴィッド・S・ゴイヤー製作・脚本により実写ドラマ化。邦訳はハ

品を読むというのはたいしたものだなあ。

恩田　背伸びしたい年ごろなんですよ。当時、クラスの本好きのなかでもトンガった男の子がSFを読んでいて、こっちはそれに対抗しようと……（笑）。「うそつき」のあとに、創元文庫の短篇集『わたしはロボット』を読み、続けてロボットものはすべて読みました。それからは、ミステリのほうに行ってしまったんで、アシモフというと真っ先に『黒後家蜘蛛の会』が浮かんできます。このシリーズは大好きで、何度となく繰り返し読んでいますね。

山田　『黒後家蜘蛛の会』は何冊ありましたっけ？

恩田　五冊です。このシリーズ、ほんとに楽しいですよ。ほとんどこじつけなんだけれど……。

牧　恩田さんが『黒後家蜘蛛の会』をお読みになったのは、中学生のころ？

恩田　中学から高校にかけてですね。まずクリスティにハマって、その流れでいろいろなミステリを読みはじめ、それで『黒後家蜘蛛の会』に辿（たど）りついたんです。ですから、ロボットものの

ヤカワ文庫SF（岡部宏之訳、現在は品切れだが電子書籍で入手可能）。また、創元SF文庫から『銀河帝国の興亡』の題名で鍛治靖子訳が刊行中。

『わたしはロボット』
一九五〇年に刊行された連作短篇集。《ロボット》シリーズの単行本としては第一冊目にあたる。邦訳は『わたしはロボット』の題名で創元SF文庫に収められているほか、『われはロボット〔決定版〕』のハヤカワ文庫SF版、『アイ・ロボット』の角川文庫版があるが、いずれも現在は品切れ。ハヤカワ文庫SF版が電子書籍で入手可能。

『黒後家蜘蛛の会』
連作ミステリ。一九七四年に第一冊が出版され、九〇年までに五冊を数えた。化学者、数学者、弁護士、画家、作家、暗号専門家の六人からなる「黒後家蜘蛛の会」に、給仕一名を加えたメンバーが月一回の晩餐会を催していた。それぞれが素人探偵

はずっとご無沙汰で、『鋼鉄都市』も『はだかの太陽』も今回久しぶりに再読しました。

牧 山田さんは、アシモフでは何を最初にお読みになりましたか？

山田 たぶん「夜来たる」が最初だと思います。なんで読んだのかなあ？

牧 「SFマガジン」でしょうか？

山田 いや、違うな。なにかのアンソロジーですね。そのあと、早川書房の新書で出ていたアシモフの科学啓蒙書を何冊か読みました。それくらいかな……。《ファウンデーション》も読んでいないし、『鋼鉄都市』『はだかの太陽』も今回はじめて読みました。というのも、科学啓蒙書を読んで、「こんな頭のいい人の書く小説は面白くないだろう」と思ったんですよ。アシモフのように合理的で実質的な考えをする人は、ぼくと関係ないと思ったのね。それが高校生くらいのころですね。そのあと、ぼくはニューウェーヴに興味が行ってしまったから、なおさらアシモフなんて読めるかと（笑）。

として推理を披露するという趣向。邦訳は創元推理文庫。

「夜来たる」
一九四一年に「アスタウンディング」に発表された、アシモフ初期の代表作。六つの太陽を持つ惑星に二千年に一度の夜が訪れたとき、人々はどんな反応をするのか。邦訳は、ハヤカワ文庫SFの同題短篇集に収録。現在品切れだが、電子書籍で入手可能。九〇年には、ロバート・シルヴァーバーグとの共作というかたちで長篇化されている（邦訳は創元SF文庫、現在は品切れ）。

牧 アシモフは筋金入りのオールドウェーヴですからね。

山田 そう。パルプ雑誌から出てきたツマらないSFだと思っていた。あのころ、アシモフとハーラン・エリスンとの絡みが紹介されていたでしょ。いかにももののわかりが良さそうなおっさんが、過激な若者をなだめているわけですよ。それを読んで、ああ、こういう人は嫌いだな、と（笑）。ニューウェーヴ派にとって、アシモフは仮想敵だったんです。

牧 じゃあ、山田さんはアシモフをほとんど読んでいらっしゃらない。

山田 それでもロボットものの短篇は読んでいますね。SFの必須科目という感じでしたからね。たしかに読めば面白いんだけど、もっと面白いものはいっぱいあるものだから、それ以上アシモフを読む気にはならなかった。ただ『鋼鉄都市』と『はだかの太陽』と『黒後家蜘蛛の会』だけは、いつか読まなければいけないと思っていましたね。で、今回がそのいい機会となったわけ（笑）。これがなければ一生読まなかったかもしれない。

ハーラン・エリスン アメリカの小説家（一九三四―二〇一八）。五六年にSF雑誌でデビュー。SF以外にも、不良少年もの、TVドラマのシナリオなどでも活躍。邦訳に、SF短篇集『世界の中心で愛を叫んだけもの』『死の鳥』『ヒトラーの描いた薔薇』、ノンジャンル短篇集『愛なんてセックスの書き間違い』がある。喧嘩っ早く過激な言動でも知られ、カリスマ的な人気を有した。作風はまるで違うが、アシモフと仲が良かった。

●『はだかの太陽』は強烈なバカミスだ

牧　では、読書会の本篇ということで、それぞれの作品についての印象を語っていただきましょう。恩田さんは、久しぶりに読み返されたということなんですが、初読のときと印象は変わりましたか？

恩田　すごく久しぶりなんで……。『はだかの太陽』はラストの一行しか覚えておらず、こんなに完璧に忘れられるものかと、我ながら感心してしまいました（笑）。『鋼鉄都市』は面白かったという気持ちが強く残っていて、今回再読したら、やっぱり面白かった。って、それじゃ読書会にならない（笑）。初読のときの印象は、カッチリできているなということ、ヴィジュアル的であったということ。再読してみて、やはりおなじ印象を受けました。

牧　『鋼鉄都市』はいろいろな要素があわさっていますよね。未来の過密都市というSFの設定、ミステリとしての謎解き、キャラクターの面白さ。

恩田　いちばん印象に残ったのは設定ですね。閉ざされた都市、「剝きだしの空が怖い」という人々の心理……。

山田　ところで、今回の二作品はミステリなので、ネタばらしはマズいよね。そうなると、ちょっと話しにくいかな。

牧 そこらへんは編集で按配(あんばい)しますから、じゃんじゃん話してください。だいたい、ネタばらしといっても、この作品のネタって……。

恩田 そう、ほとんどバカミステリですよね。とくに『はだかの太陽』のほうはすごい。電車の中で読みながら、殺人現場を想像したら、おかしくっておかしくって。吹き出しそうになって困った。だって×を××して××するって。んな、アホな（笑）。

山田 『はだかの太陽』は完全にバカミスだね。まさかロボットの××が××だとは思わないよね（笑）。

恩田 ××を振り上げて。あー、おかしい（笑）。このネタで霞流一さんが書いたら、超バカミスになるだろうな。

牧 『鋼鉄都市』も、けっこうヘンですよ。だって人間は××だけどロボットなら××って……。それで、ロボットに××を××させるんですから。

恩田 その場面を想像すると笑っちゃいますよね。なんだかロ

霞流一
小説家（一九五九―　）。九四年、『おなじ墓のムジナ』が横溝正史ミステリ大賞の佳作となってデビュー。映画会社に勤務のかたわら推理小説を執筆していたが、二〇〇一年に作家専業となる。『フォックスの死劇』と『スティームタイガーの死走』で二度のバカミステリ大賞を受賞。

ボットがカワイイ。

山田　いまのミステリだったら、すべての人間が広所恐怖症という設定だけにとどめず、もうひとつ縛りをつけますよね。そうしないと……このトリック、だいたい途中でわかるじゃない（笑）。

恩田　この作品が書かれた当時は、ＳＦでミステリをやっているということ自体が感激的であって、あまり細かいことまで問われなかったんじゃないかな。

山田　でもキチンと伏線が敷いてあるのね。冒頭の眼鏡のくだりなんて、ほんとさりげなく書いてある。

恩田　しごくまっとうな本格ミステリの作り方ですよね。

牧　いちばん大きな謎は宇宙市で起こった殺人事件なんですが、それ以外にも謎が仕掛けられている。たとえば、宇宙人（外宇宙に植民した人類の末裔（まつえい））が、なぜ人間そっくりのロボットを捜査に送りこんできたか、とか。こっちのほうはＳＦのテーマへと発展していくわけです。

山田　『鋼鉄都市』が書かれた当時は、ＳＦミステリって皆無だったのかしら？　これが世界最初のＳＦミステリといっていいのかな？

牧　『鋼鉄都市』が雑誌に連載されたのは一九五三年です。それ以前にも、超科学的な手段で謎を解明するといった類（たぐい）の作品や、暗号解読や謎解きの趣向を施したＳＦ作品はあります。たとえば、アシモフ自身のロボットものの短篇も、広義のミステリに含めることができるでしょう。しかし、いわゆる本格ミステリとSFを融合させたのは『鋼鉄都市』が嚆矢（こうし）ですね。

●SFのアイデア、ミステリのルール

恩田　『はだかの太陽』の解説で関口苑生さんが、都筑道夫さんの言葉を引用しています。「SFの興味の中心は『これから起こること』にあり、謎とき推理小説は『すでに起こったこと』が興味の中心である」。これがSFとミステリが融合しにくい理由ということですが、しかし、そのジレンマがあるからこそ名作が生まれるんでしょうね。『鋼鉄都市』がジレンマのなかで成功を収めたのは、なんといってもロボット工学の三原則のなせるところが大きいでしょう。ロボットものの短篇もそうなんですが、三原則からの演繹（えんえき）と推理がストーリーの骨子になっています。

関口苑生
文芸評論家（一九五三―　）。大学在学中から文筆活動をはじめ、冒険小説を中心とした文芸評論を発表。書評や解説も多数。著作に評論『江戸川乱歩賞と日本のミステリー』があるほか、アンソロジーも編纂。

牧　ロボット工学の三原則というのは、

第一条　ロボットは人間に危害を加えてはならない。また危険を看過することによって、人間に危害を及ぼしてはならない。

第二条　ロボットは人間に与えられた命令に服従しなければならない。ただし、第一条に反する場合はこのかぎりではない。

第三条　ロボットは第一条および第二条に反するおそれのないかぎり、自己を守らなければならない。

――というものです。SFでは空想をどんどん拡げていくことができるけれど、ミステリの場合は作者と読者のあいだに共通のルール、謎解きの前提が必要です。そうしないとフェアではない。ロボット工学の三原則というのは、SFのアイデアであると同時に、ミステリのルールでもあるんですね。

山田　でも、これは『はだかの太陽』にあったんだけど、ロボットは人間に毒を飲ませることはできないけれど、毒の入ったコップを運ぶことはできる。そんなんじゃ、ルールとして意味がないじゃない。

恩田　まるで憲法解釈みたいですね（笑）。かなり恣意的に書いているところはありますね。

山田　『鋼鉄都市』は緊密なんだけれど、『はだかの太陽』ではかなり緩くなってしまう。

『鋼鉄都市』はまぎれもない傑作だけど、『はだかの太陽』はちょっとねえ。毒を運べと言われたら、ふつうおかしいと思うよ、ロボットだって（笑）。まあ、それはともかく、みんなが思っている以上に、ＳＦとミステリの相性はいいと思うよ。小松さんの長篇なんてほとんどがミステリとしても読める。

恩田 そう思います。ＳＦ作家はミステリも書けますよね。

山田 巧いかヘタかは別にして（笑）。

恩田 ＳＦは現実と異なる設定をつくるわけじゃないですか。ミステリは謎解きの前提となる縛りをつくる。どちらもそう変わらない気がする。設定のなかでどう展開するかという点ではおなじです。

山田 これがファンタジーだと、異世界を舞台にしてそのなかで論理が通らなくてもかまわない。ぼくは異論があるのだけれど、一般にはそう了解されている。しかし、ＳＦの場合は異世界なりの論理が求められる。論理が貫かれていれば、ミステリだって成立するわけです。ということは、ＳＦは、無数の、新しいミステリの土壌となる可能性がある。

牧 たしかに。ただ、これは『鋼鉄都市』にも『はだかの太陽』にも言えることなんですが、その異世界の設定を説明するために、かなりのページ数が必要となる。謎解きに取りかかるまでの助走が長い。ここが、日常的な世界を舞台としたミステリと違う部分なんです。設定の説明と、謎解きへの興味、そのバランスをとるのがＳＦミステリの難しいところじゃないでしょうか。

山田　それがね、いまこの時代に『鋼鉄都市』や『はだかの太陽』を面白く感じる理由でもあるんだ。というのは、この二作品を読むと既視感があるわけ。まったく見知らぬ異世界じゃないんです。ロボット工学の三原則は、すでに知っている。『鋼鉄都市』の過密な未来都市も、『はだかの太陽』の少数の人間が多くのロボットにかしずかれて暮らしている異星社会も、SFを読み慣れている読者にとっては目新しいものではない。だから、説明の部分はある程度飛ばしてもいい。いきなり本題に入っていけるから面白い。

牧　なるほど。書かれた当時より、いま読むほうが面白いわけですね。

山田　早い話が『火の鳥』の設定でしょ。もちろん、アシモフよりも手塚治虫さんのほうがあとなんだけどね。そう飲みこんでしまえばバアーッと読める。ただ、これから新しいSFミステリを書くとなると、そういうわけにはいかない。しっかり設定をつくって、ちゃんと説明しなければならない。それが難し

『火の鳥』
五四年「漫画少年」に「黎明編」を発表して以来、手塚治虫がライフワークとして描きつづけてきた長篇漫画。古代から超未来までさまざまな時代・場所を舞台に、不死の存在である「火の鳥」をめぐって、欲望・愛・理想などのドラマが展開される。現行本は、朝日新聞出版、角川文庫、講談社／手塚治虫文庫全集がある。電子書籍もあり。

手塚治虫
漫画家（一九二八―八九）。大学在学中の四六年「少国民新聞」に「マアチャンの日記帳」を発表してデビュー。以来、精力的に活動をし、現代の日本漫画の基礎を築きあげ、やがて「漫画の神様」と呼ばれるように。手塚の薫陶を得た、あるいは影響を受けた漫画家は数知れない。アニメーションにも情熱を燃やし、『鉄腕アトム』『ジャングル大帝』などを制作。没後に勲三等瑞宝章、日本SF大賞特別賞を贈られた。

いところだろうね。

牧 未来都市にしても、異星の社会にしても、現代的な感覚で描こうとすると、どうしても読者に緊張を強いるようになりますからね。そのうえでミステリとなると、かなり筆力が必要でしょう。

山田 SFミステリを書くとき、読者に面倒臭さを感じさせずに設定を伝えるためにはどうすればいいかな。たとえば、シェアード・ワールドにしたらどうだろう。複数の作家が、おなじ世界、おなじ設定を使って小説を書く。これならば説明は一回ですむよね。

●人間とロボット、二人の主人公

恩田 『鋼鉄都市』『はだかの太陽』ってキャラもいいですよね。人間臭い私服刑事、イライジャ・ベイリと、その相棒で冷静沈着なロボット、R・ダニール・オリヴォー。いま、これをハリウッドで映画化したらキャストは誰だろう？ なんて考えてしまいます。

山田 要するに、人間と犬とか、地球人とエイリアンとか、そうした異種同士がタッグを組むという趣向だよね。そうした意味で、アシモフの作品は、ハリウッド映画を先取りしている。

恩田 『鋼鉄都市』って映像化されていないんですか？

牧 一九六四年にBBCのシリーズの一篇としてドラマ化されただけで、劇場映画は作られていませんね。たしかユニバーサルが映画化権を買ったはずですが、製作は動きだしていないと思います。

恩田 いまなら、つくりやすいんじゃないかな。絵になる場面も多いし。

山田 地下のドームの世界なんか、ひとつの典型的なSFイメージだよね。ただ、本を読む人にとっては『鋼鉄都市』は既視感があるけど、映像となると、やっぱり説明しなければならないだろうね。

恩田 でも、テレビのミニシリーズあたりなら、巧くつくれそうだけど。

山田 そうだよね。

牧 『ダーク・エンジェル』などより、だいぶ面白いドラマになりそうですよね。

恩田 言えてる！ 『ダーク・エンジェル』って、〝引き〟が古いんですよね。

『ダーク・エンジェル』
アメリカの連続TVドラマ。二〇〇〇年放映。企画はジェームズ・キャメロン、主演はジェシカ・アルバ。舞台は荒廃した近未来のアメリカ。十九歳の娘マックスは、遺伝子操作によって戦闘マシンとして開発されたが、研究所を脱走し、いまは正体を隠して生きている。一緒に脱走した仲間たちを探す彼女に、やがて追跡者の手が忍びよる。

（この後ひとしきりテレビドラマの話で盛り上がる）

牧　さて、『鋼鉄都市』に話を戻しましょう。ベイリとオリヴォーのコンビが、なかなか打ちとけない。そのギクシャクぶりが絶妙ですよね。

恩田　そうそう。なにかというとベイリがすぐにオリヴォーに突っかかって、ムダな推理でカラまわりするのが愉快。

山田　これがハリウッド映画だと、最後に二人の心が通じて良い友人になるところだよね。しかし、アシモフの作品ではそうはならない。

恩田　『はだかの太陽』で再会しても、互いに素っ気ない。「あ、どうも」みたいな感じ（笑）。

牧　アシモフは俗情に訴えるタイプの作家じゃないんですね。山田さんがおっしゃったように合理的で実質的な人ですから。といっても、晩年になるとそれが変わってくるんです。『はだかの太陽』の雑誌発表が一九五六年。それから実に二十七年を隔てて、第三部の『夜明けのロボット』が発表されます。この作品では、ベイリはオリヴォーと再会したとき、懐旧と親愛の

『夜明けのロボット』
一九八三年刊の作品。惑星オーロラで人間型ロボットが破壊され、その開発者であり、親地球派のリーダーである博士に嫌疑がかかる。事件解決のために、地球からイライジャ・ベイリが派遣される。邦訳はハヤカワ文庫ＳＦ（現在は品切れ）。

念に駆られて抱きしめたりしている。

恩田　ほんとに？　それはちょっと意外ですね。

牧　ただ、そこはアシモフのことですから、ただ人間とロボットの種族を超えた友愛というだけにとどまらず、壮大な人類の運命に絡んでいくんです。第四部の『ロボットと帝国』では、ベイリの遺志を継いで、オリヴォーが人類全体を見守っていく。ここで、アシモフのもうひとつの一大シリーズ《ファウンデーション》と合流することになります。《ファウンデーション》の陰の主人公はオリヴォーなんです。

『ロボットと帝国』
一九八五年刊の作品。時代はイライジャ・ベイリの死後。惑星ソラリアからすべての住民が消え失せるという事件が起き、ふたりのロボット、ダニール・オリヴォーとジスカルド・レベントロフが調査に向かう。邦訳はハヤカワ文庫ＳＦ（現在は品切れ）。

●『黒後家蜘蛛の会』大好き！

牧　ミステリ作品としての完成度としては、いかがでしょうか？　たとえば『黒後家蜘蛛の会』とくらべて、『鋼鉄都市』の出来は？

恩田　『鋼鉄都市』のほうが、立派な本格ミステリですね。『黒後家蜘蛛の会』は、蘊蓄（うんちく）とこじつけですから。でも、私は大好きなんです。

山田 チェスタトンの《ブラウン神父》シリーズみたいな感じなのかな?

恩田 いや、あんなに立派じゃないです(笑)。なかにはハッとするような作品もあるにはありますが、たいていはアシモフがタイプライターを見ているうちに、パッとネタがひらめいて「これで一本書いてやる!」みたいな……。

山田 そうか。いまぼくが、このターンテーブルを見ているうちに、いきなりアイデアが浮かんで……。

恩田 ありますよね? 「一本書けるぞ!」って感覚。この前、私が住んでいるマンションがタンクの修理でまる一日断水になったんですよ。水がまったく出ない……生活面では困るんですが、作家としては「これってミステリのネタになるな」って喜んでいる(笑)。

山田 わかるな、その感覚。このターンテーブル見て思うのは、ここで毒殺事件が起こったとして、テーブルがまわるところに引っかけられないかと……。

チェスタトンの《ブラウン神父》シリーズ
一九一一年刊の短篇集『ブラウン神父の童心』以来、五十数篇を数える推理短篇連作。探偵役のブラウン神父はカトリック司祭が本業で、綿密な捜査をおこなうのではなく、もっぱら洞察力で事件を解決する。作者G・K・チェスタトンはイギリスの小説家・評論家(一八七四―一九三六)。邦訳は創元推理文庫(全五巻)。電子書籍もあり。

恩田　『黒後家蜘蛛の会』は、全篇そのノリなんです。アシモフというのは博覧強記だから、登場人物にいろいろな知識を喋らせて間を持たせ、最後は小ネタでもっともらしく締めくくるというパターン。

山田　巨匠のお遊びというと、巧いってことかな?

恩田　……巧くないんですよ（笑）。「こんなしょうもないことに何ページもかけちゃって」って。そのウダウダ感が好きですね（笑）。

●現代社会に通じるテーマ

牧　ところでSFの場合、アイデアの陳腐化や、時代感覚のズレなどで、過去の作品が古びがちなところがあります。その点、この二作はいかがでしょう。

山田　いや、それはないね。発表されてから半世紀近く経っているのに、まったく古さを感じさせない。おそらく今後何十年経っても評価される作品だよね。『はだかの太陽』のトリックのところだけは別だけど（笑）。

恩田　あれは、古いとか新しいとかいう以前の問題ですよ（笑）。

山田　そりゃそうだ（笑）。先ほど、発表された当時より、いま読んだほうがより面白いんじゃないかという話をしましたよね。その理由として「既視感」ということを言ったんだけど、それとは別に、描かれている社会のあり方が現代に通じるということもある。

恩田 『はだかの太陽』の舞台である惑星ソラリアの状況なんて、いまのひきこもりそのままですよね。住民たちは離れて暮らしていて、立体映像でお互いを眺めるのは平気なんだけれど、生身で会うことは耐えられない。このあたりは、ケータイでつながっている現代の人間関係と重なります。

牧 ソラリアでは、結婚やセックスなんて煩わしいものでしかない。これでよく子どもが生まれるものです。まあ、人口を増やさないことが、この惑星の政策なんですが。

山田 こんな社会、嫌だなと思って読んで、ふと振り返ると「これってオレがいま暮らしている日本じゃないかよ」って。

恩田 きわめて今日的ですよね。

山田 恋人同士でもケータイで話しているほうが楽しくて、会うと気詰まりって人が多いみたいね。

牧 まさしく『はだかの太陽』の世界ですね。

恩田 「これからおまえに会いに行くぞ。生身のおまえを見てやるぞ」っていうのが脅迫になる。それだけはやめてくれえ、何もかも白状するから許してくれえ（笑）。

山田 そのあたりもバカミスだよね。

恩田 この前、山田さんの『僧正の積木唄』を読むために、ヴァン・ダインの『僧正殺人事件』を読み返したんですが、めちゃくちゃ古いんです。名探偵のファイロ・ヴァンスもぜんぜん推理していない。愕然としました。やっぱり書かれた年代が古いからかなと思ったんですが、アシモフはちゃんとしているじゃないですか。

山田　立派ですよね。ベイリもちゃんと推理しているし。

編　『僧正殺人事件』はいつごろの作品ですか？

恩田　一九二九年ですね。

山田　『鋼鉄都市』は雑誌掲載が五三年、単行本が五四年ですから、本格ミステリがいったん滅びたあとに書かれたことになります。ミステリ界では、サスペンス系の作品、文学路線の作品が全盛のころです。そんなときに、『鋼鉄都市』は、ＳＦの醍醐味、本格ミステリの面白さ、現代小説の巧さを組み合わせて出てきた。

恩田　その当時、ＳＦというジャンルは上り調子で、もっとも現代的な小説だったわけですよね。それにミステリを融合したというのは、とてもイケてる感じだったんでしょうね。

山田　そう思いますね。

『僧正の積木唄』　二〇〇二年刊の山田正紀作品。金田一耕介を主人公とした、『僧正殺人事件』の続篇という趣向。一九三〇年代の反日感情が高まりつつあるニューヨークを舞台に、ろくな捜査もないまま容疑者とされた日系人を救うべく、若き日の名探偵が立ちあがる。初刊は文藝春秋。のちに文春文庫に収録されたが、現在は品切れ。

ヴァン・ダインの『僧正殺人事件』　一九二九年刊の作品。マザー・グースの歌詞をなぞった不気味な連続殺人事件が発生する。名探偵ファイロ・ヴァンスが活躍する長篇十二作のうち、『グリーン家殺人事件』と並んでもっとも評価の高い一冊。邦訳は創元推理文庫。電子書籍もあり。作者S・S・ヴァン・ダインは、アメリカの小説家・美術評論家（一八八八―一九三九）。

恩田 『僧正殺人事件』のこともあって、昔の作品で古びてしまうものとそうじゃないものの違いを考えたんです。SFでは「この先どうなるんだろう?」という探求心を喚起させる小説が名作になる。ミステリでは「どうしてこんなことが起きたんだろう?」という好奇心を刺激するのが名作です。文学——という言葉は嫌いなんですが、要するに一般の小説の場合は、「この主人公はどうするんだろう?」と興味を惹くのが名作。そんなふうに私は解釈しています。この目的に適(かな)ったもの、しかもキチンと答えを出した作品がスタンダードになれるし、時代を経ても風化しない。『鋼鉄都市』は、いま挙げた要件を三つとも含んでいる。これはすごいことです。

●ロボット工学三原則と人間アシモフ

恩田 ロボット工学の三原則を使えば、まだまだSFミステリが書けそうですね。山田さんでしたら、どうします?

山田 う〜ん。どうするだろう? ぼくが書くなら、ロボットたちがかなり進化しているという前提で、「人間の死」の定義が揺らいでいるという設定にするかな。そうなると第一条の解釈がかなり重層的になる。

恩田 脳死は死か? 精神崩壊は個人の死なのか?

山田　……心臓停止が死なのか？　そこで混乱が生じる。

恩田　それは面白そうですね。私は、ロボットの視点から、ちょっとカリカチュアして書いたらどうだろうと考えました。「なんでこの人間はこういうことを言うのであろう？」とかね。『鋼鉄都市』にしても、オリヴォー側から語りなおしたら、まったく違う作品になるでしょう。もうひとつ考えたのは、嘘をつかないはずの複数のロボットの証言を集めて、そこから事件の全体像を推理していく、叙述トリック系ですね。

山田　ロボット工学の三原則にとどまっていると、小説にならない。人間がロボットの行動に対して、ここがおかしいと言っても、それは〝外〟から見たことでしかない。むしろロボットがどう考えているのかのほうが、小説のテーマになる。

牧　アシモフ自身、このあとロボット工学の三原則を壊していくんです。つまり……。

山田　『はだかの太陽』で、もう壊れているけどね（笑）。

牧　そういう壊れ方じゃなくて（笑）。要するに、三原則では計れない事態があるということなんです。オリヴォーのように高い能力を備えたロボットになると、どんどん大局的なものの見方をするようになる。いま一人の人間を救うことが、のちのちで複数の人間を死に至らしめることになるやもしれない。そんなときに、三原則では決定不能なんです。そこで、『ロボットと帝国』では、人間に優先する人類という視点を持ちこんだ「第零法則」が登場することになるんです。また、最晩年の短篇「キャル」は、主人の作家から小説を書くことを教えこまれたロボットが、創作意欲に目覚めていく過程でロボット工学の第一条がグラついてくるという話です。「芸術のためには殺人も辞さない」という境地ですね。たしか伊藤典夫さんだったと思いますが、ロボットというのはアシモフ自身じゃないかとおっしゃっていた。頭のいいアシモフは、人間がなぜ理性的に振る舞えないか理解できないんですね。アシモフが矛盾だらけの人間を理解していく過程が、彼のロボットSFの発展とパラレルなのかもしれません。

山田　う〜ん。そのあたりが、ぼくがかつてアシモフを仮想敵としたところなんだよな。創作を志したロボットが、『罪と罰』や『異邦人』を読んでも、きっとわけがわからないと思う。なぜこの主人公は殺人を犯したのか、見当もつかないだろうね。しかし、そんなアシモフが、晩年に文学的な境地に辿りついたのは面白いな。べつに文学のほうがSFやミステリより偉いと言っているんじゃない。アシモフのように賢い人が、文学なんてバカなものに目覚めたのかって、そのことに感動するわけです。

伊藤典夫
翻訳家・評論家（一九四二―　）。大学在学中の六二年「SFマガジン」にマシスン「男と女から生まれたもの」を訳出し、翻訳家としてデビュー。同誌に英米の新しいSFを紹介する記事を長期連載する一方、SFファン活動でも主導的役割を果たす。ヴォネガット『スローターハウス5』、クラーク『2001年宇宙の旅』など、訳書多数。

『罪と罰』
ロシアの文豪フョードル・ドストエフスキー（一八二一―八一）の代表作。一八六六年に発表された。頭脳明晰な貧学生ラスコーリニコフが、「選ばれた非凡人は、新たな世の中の成長のためなら、社会道徳を踏み外す権利を持つ」という持論を根拠に、金貸しの老婆を殺害する。邦訳は光文社古典新訳文庫（亀山郁夫訳）、岩波文庫（江川卓訳）、角川文庫（米川正夫訳）、新潮文庫（工藤精一郎訳）。いずれも電子書籍あり。

牧　アシモフ本人はともかくとして、SF読者にはロボットのようなタイプはけっこういるかも。頭はいいんだけれど、人間関係が柔軟にできない。

恩田　そうですか？　というか、人間関係のバランスがとれない哀しみに自覚的な人が、SFを読んでいると思います。

山田　『はだかの太陽』がバカなのは、そうした哀しみに触れながら、その方向へとテーマを伸ばさず、あくまで三原則にこだわっているところなんだよな。それで××××が×を××するトリックなんだからなあ（笑）。

恩田　また、すぐその話になる（笑）。

●論理の小説は歳月を乗りこえる

山田　ミステリと普通小説（文学）の違いは、ロボットと人間の違いでもあるわけ。ミステリのほうが論理にこだわる。しかし、現実の犯罪には論理なんて関係なく、人間存在に根ざして起こる。だから普通小説の立場からすると、ミステリなんて子

『異邦人』
フランスの小説家アルベール・カミュ（一九一三―六〇）の小説。一九四二年に発表された。主人公ははっきりとした動機もなく、殺人を犯してしまう。人間存在の不条理を描きつづけ、のちにノーベル文学賞を受賞することになるカミュの代表作。邦訳は新潮文庫。

どもっぽいことをやっていると思える。一方、ミステリ側からすると、論理があるんだからそれに従うのは当然なんです。ロボットが三原則を守るようなものなんだね。

恩田 論理があるからいいんですよね。

山田 普通小説とミステリの主張のどちらが正しいというのではないけれど、十年、二十年と経ってみると、論理にのっとっているほうが古びないんだよね。論理で押していく小説は、書かれた当時は古めかしく思われがちだけど、不思議なもので年を経ていくにつれて説得力を持っていく。

恩田 わかります。さっき『僧正殺人事件』の例を出しましたが、あれは論理にのっとっていないんです。マザー・グースを小道具に使う必然性もないし、読者を惹きつけるだけの謎もないし、しかもその謎にキチンと答えを出していない。

山田 相対性理論が登場し、このままでは人間が虫けらのようになってしまうのではないかという不安。あの作品を書いたときのヴァン・ダインが抱いていた、この着想は実に鋭いし、正しい。しかし、それを小説化するだけの力がなかったんだ。あれをミステリの形にのっとってやれば、押しも押されもせぬ傑作になっていただろうね。

恩田 そうなんですよ。ミステリのルールに徹してやればよかったんだけど、それができていない。

山田 『鋼鉄都市』はいま読んでも面白い。つまり普遍的なものを持っているというのは、人間対ロボット、より正確に言えば人間対サイエンスの相剋を内包しているからなんですよ。

恩田　ジレンマがちゃんとある。そしてそれに対する解答を出している小説は、力強いですね。

山田　『鋼鉄都市』では、人間は開放空間に出ていけない、ロボットは人間を傷つけられない。このふたつを重ねたときに、意表をつく殺人事件が起きてしまう。論理がキチンとしているから、意外性が際立つんですよ。論理のところに不備があれば、面白くもなんともなくなってしまうんです。それにくらべると、『はだかの太陽』は不徹底だよなって、オレもしつこいな。

牧　たしかに『はだかの太陽』は、論理の部分ではちょっと緩いですね。ただ、山田さんが先ほどおっしゃった人間対サイエンスの相剋という点では、ちょうど『鋼鉄都市』と対蹠的な設定になっていて、そこが面白い。つまり、人間であるソラリア人が人間性を喪失していて、むしろロボットのオリヴォーのほうが人間的だったりする。高度な機能を備えたロボットは、三原則へのバイアスのかかり方によって、躊躇したり、戸惑ったりするんです。

恩田　あれ、面白いですよね。ショックな場面に遭遇すると、ロボットが「へな～っ」となってしまう（笑）。

牧　『夜明けのロボット』『ロボットと帝国』と進むにつれ、オリヴォーはどんどん人間的になっていきます。

山田　『はだかの太陽』では、そのあたりがまだ徹底されていないんだよね。

恩田　そうですよね。エンディングも開いている。

牧　アシモフはもともと三部作を構想していたんです。ただ第三作が書ききれずに、長い年月を経て別なかたちでシリーズ化されることになる。

山田　三部作の二番目っていうのは、たいていツマらないんだよね。誰の小説とは言わないけどさ（笑）。

恩田　（笑）。

山田　これは『鋼鉄都市』にも『はだかの太陽』にも当てはまるんだけど、ロボットが人間に対する一種のセラピスト役になっているんだよね。でも、ソラリアは解放されてこれかって感じ。これならば過密の地球にいたほうがいい。そこが『はだかの太陽』の弱さだね。

恩田　ソラリアは本当に悲惨ですよね。こうにだけはなりたくない。

山田　ソラリアを経由して、人類の宇宙進出というのはちょっとムリがある。

牧　山田さんがおっしゃったセラピスト役というので思いあたったんですが、『鋼鉄都市』も『はだかの太陽』も犯人は裁かれないんですよね。このあたり、詳しく話すとネタバレになってしまうんですが。

山田 まあ、ミステリの流れで言うと、そのころすでにハードボイルドがあったからね。探偵が勝手に犯人を裁いてしまうとか、裁かずに逃がしてやるとか、そういうストーリーが少なくない。そう考えると、アシモフが独創的というわけではない。

恩田 でも、ハードボイルドの探偵のように感情的なものや自分なりのモラルでそうしているのではなく、人類全体という巨視的な視野に立った政治的判断というところが、ＳＦらしいというかアシモフらしいですよね。

●文句が言えないほどの巧さ

恩田 『鋼鉄都市』はアシモフ本人にとっても愛着のある作品らしいですね。

牧 むこうの古手のＳＦファンのあいだでは、アシモフは一九四一年に発表した「夜来たる」で一流作家の仲間入りをしたというのが一般的見解なんですが、本人はそうは思っていなくて、『鋼鉄都市』が会心作なんです。

恩田 うん。なんといっても、この長さが正しい。

山田 これで何枚くらいあるのかな。

編 六百枚ってところですかね。

恩田 この長さって郷愁を感じますよね。むかしはこれくらいが、いかにも「長篇！」ってボリュームだった。

山田 通勤の行き帰りで読んで、週末には終わるくらいのね。あまり長くなると、どこかで一日つぶして読まなきゃ、ってことになっちゃう。『ロミオとロミオは永遠に』は何枚になりました？

恩田 ……千枚超えちゃいました。えへへ（笑）。

山田 反省しなきゃならないですよ。……お互いに（笑）。

牧 ま、アシモフだって、一九八〇年代以降は、どんどん小説が長くなっていきましたからね。

山田 濃密な小説というのは、若くないとなかなか書けないんだ。何かを表現しようとすると、どうしても枚数を費やすようになってしまう。

恩田 小説家は書いているうちに、だんだん〝タイム感〟が変わってくるんですね。以前は七百枚も書けばよかったんですが、いまだと千枚くらい書かないと「書いた！」って気がしない（笑）。それと、これは私だけではないでしょうが、スティーヴ

『ロミオとロミオは永遠に』
一九九九年～二〇〇〇年「ＳＦマガジン」で連載、〇二年単行本化された恩田陸作品。日本人だけが地球に残り、産業廃棄物の処理に従事している近未来を舞台に、エリート学校の奇妙な日常を描く。サブカルチャーの断片が、思いがけないかたちでちりばめられた異色の学園小説である。初刊は早川書房。現行本はハヤカワ文庫ＪＡ。電子書籍もあり。

ン・キングの影響は大きいですよね。

（この後ひとしきりキングの話で盛り上がる）

山田　やっぱり『鋼鉄都市』のようなコンパクトでスリムな小説を忘れちゃならないよね。

編　小説作法として見た場合、アシモフの書き方は共鳴しますか？

山田　共鳴しますね。プロットがきっちりしていて、キャラクターを書き分けて、設定をしっかり構築している。

恩田　きちんとできてますよね、小説として。

編　ただ、日本のSF界で見ると、アシモフの影響ってあまりありませんよね。

牧　すぐに思い浮かぶのは、眉村卓さんの《司政官》シリーズくらいですか。でも、あのシリーズも眉村さん独自の問題意識がまずあって、それを展開するためにアシモフ的な設定を導入しているわけですよね。

山田　ロボット工学の三原則というのは体制を維持するためのもので、日本のSF作家にとってはその発想に違和感があった

眉村卓
小説家（一九三四―二〇一九）。第一回空想科学小説コンテスト入選作「下級アイデアマン」が「SFマガジン」に掲載されて、六一年にデビュー。六三年には第一長篇『燃える傾斜』を発表。『なぞの転校生』や『ねらわれた学園』といったジュヴナイルSFでも知られる。『消滅の光輪』で泉鏡花文学賞を受賞。没後に日本SF大賞功績賞を受賞。

《司政官》シリーズ
人類が宇宙へと進出し、先住種族のいる惑星で植民地を営みはじめた時代、地球連邦から派遣された司政官の苦悩と努力を描く。一九七一年「SFマガジン」に掲載された「炎と花びら」に開幕し、単行本としては短篇集『司政官』『長い暁』、長篇『消滅の光輪』『引き潮のとき』がある。すべて初刊は早川書房。『司政官　全短篇』『消滅の光輪』は創元SF文庫に収録されたが、現在は品切れ。電子書籍で入手可能。

と思う。眉村さんのインサイダーSF論は、体制には問題があるけれど、そのなかで体制をどうやっていい方向に持っていくかという考え方だから、アシモフと馴染んだんだろうね。

恩田 日本のジャズ・ファンが、ビル・エヴァンスとソニー・クラークが好きで、オスカー・ピーターソンが嫌いだっていうのと似てますね。私は、オスカー・ピーターソンってエモーショナルだしメロディアスだし、「いいじゃないの！」と思うんだけれど、共感してくれる人はあんまりいない。

山田 そうそう。めちゃくちゃ巧い、だけどハートがない。巧くなくて、ハートもないのは、オレの小説だけど……（笑）。

恩田 文句なしに巧いけど、みんなは嫌いなんですね。

山田 「つくりもんでしょ」という批判ね。でも、つくりもんってすごいんだ。それを認めることができるには、受け手が成熟しなければならない。いま『鋼鉄都市』が傑作として評価されるなら、読者がそれだけ成熟したってことだろうね。

牧 では、読者のみなさんにも『鋼鉄都市』を読んでいただき、その巧さを堪能してもらいたいということで。本日はどうもあ

インサイダーSF論
眉村卓は六八年「SFマガジン」での座談会で、インサイダーを「産業人間のやっていることを知っている人間」と定義し、「三十ぐらいになってくると、だんだん体制内で動かしているものの骨格がわかってくる。そういったものを見ると、ふつうの場合、みんな文学を放棄してしまう。しかし、そういう現実を踏まえて、相手の弱点をつき、突っこんでいくような小説はできないだろうか。それにはSFが一番いい」と主張している。

りがとうございました。

時間を超える小説を求めて

初出　小説すばる2003年1月号

山田　先日『ねじの回転』を刊行されたんですよね。おめでとうございます。

恩田　ありがとうございます。何とかここまで辿（たど）りつけました（笑）。

山田　大変でしたか。

恩田　それはもう。といっても、いつもこんなことばかり言っていますが（笑）。

山田　二・二六事件をテーマにというのは、前々から考えていたんですか？

恩田　以前から、昭和史関連の本を読むのが好きで、二・二六事件には興味がありました。

山田　近代日本で起きたクーデターですからね。

恩田　でも『ねじ』に関しては、ギブスン＆スターリングの『ディファレンス・エンジン』みたいなものを書きたいという

『ねじの回転』
二〇〇〇年～〇二年「小説すばる」で連載、〇二年単行本化された恩田陸作品。国連の歴史改変プロジェクトの失敗により、原因不明の伝染病が蔓延してしまった世界。それを解決するために、歴史と時間の「再生」が試みられる。いくつかの転換点が選ばれるが、そのひとつが二・二六事件だった。「シンデレラの靴」と呼ばれるコンピュータの監視のもと、再生が失敗すれば、もう一度時間を巻き戻して何度でもやりなおしをおこなう。時間SFの新機軸。初刊は集英社。現行本は集英社文庫。電子書籍もあり。

ウィリアム・ギブスン
アメリカ出身、カナダ在住の小説家（一九四八―　）。八二年「オムニ」に「クローム襲撃」を発表。電脳空間のめくるめくパノラマと、ハイテク用語をスラングのように使いこなす文体で一躍脚光を浴びる。おなじ未来社会を舞台にして書きあげた処女長篇が『ニューロマンサー』であ

のが最初のきっかけです。あの小説は、蒸気と歯車で動くコンピュータが実用化されているという、もうひとつのヴィクトリア朝、十九世紀ロンドンが舞台なんですが、その一種異様な雰囲気がものすごく好きで。あの感じを日本でやるなら二・二六事件しかない！　と何の根拠もなく思い込んでしまって。

山田　それで、時間を遡（さかのぼ）る技術が実用化されたという設定で、昭和十一年の日本が舞台になっているわけですね。

恩田　でも私、資料を読むのは嫌いなんです。趣味でいろいろ本を読んでいるときは楽しいんですが、調べ物っぽくなるとどうも苦手で。

山田　読書は純粋に読んでいるときがいちばん楽しいから。

恩田　いろいろ読んでいると、二・二六事件を物書きが書きたがるのってよくわかるんです。四日間と時間が限定されていて、安藤、栗原、石原と主な登場人物のキャラクターも立っている。私の好きな密室限定劇になっているんです。あと、当時の上層部が、そのあと戦中戦後の政治に関わっていきますし。

山田　そうでしたね。岡田首相と鈴木侍従長ってのちに終戦工

り、これによってギブスンは、新しいSFの潮流サイバーパンクの旗頭と目されるようになる。

ブルース・スターリング
アメリカの小説家・ジャーナリスト（一九五四―　）。SF創作講座参加中、ハーラン・エリスンに才能を認められ、七七年に書き下ろし長篇『塵クジラの海』でデビュー。八二年から人類未来史《工作者／機械主義者》シリーズの短篇を発表しはじめ、またサイバーパンクのアンソロジー『ミラーシェード』を編むなど、この運動の主導者として旺盛な活動を展開する。

『ディファレンス・エンジン』
一九九〇年刊の作品。サイバーパンクの両巨頭であるギブスンとスターリングが共作した歴史改変SF。蒸気機関コンピュータが実用化され、情報ネットワークやコンピュータ・ウイルスまでが登場する「もうひとつのヴィクトリア朝」を舞台としている。邦訳はハヤカワ文庫SF。電

作に尽力する人物ですよね。

恩田　石原莞爾だけはなかなかキャラクターが掴めなくて悩みました。

山田　カリスマとか黒幕といわれてた人って、実際はどうだったかなんて実はよくわからないものだから。

恩田　単なる変人だったんじゃないかなと私は密かに思っているんですが。

山田　小泉純一郎みたいにですか（笑）。でも恩田さんが資料を織り交ぜるような作品を書いたのは、これがはじめてじゃないですか？

恩田　そうなんです。慣れないことをするものだから、連載中はいつも試験勉強みたいに一夜漬けで山ほど読みました。でも不思議なことに、使うべきところが、ふっと浮いてくる感じがするんですね。今回はここだ！　みたいなものが。ちょっと怖かったです（笑）。

山田　じゃあもう資料はどんどん使いこなせる。

恩田　いやあ、難しいです。

子書籍もあり。

山田　資料に頼るとつまらなくなるし。

恩田　でもどうしても使いたくなるし。

山田　むかしの手記とか日記とかを使うと、もっともらしくなりますから。ぼくの場合、五木寛之さんの『戒厳令の夜』が原体験かな、資料を使うということでは。これはえらく格好いいぞと思った。

恩田　引用って実は読み手には結構退屈なんですよね。

山田　本人だけが楽しかったり（笑）。

●〝歴史〟という虚構

山田　『ねじの回転』は、時間SFであり歴史改変ものともいえるよね。

恩田　うーん、でも私は「もし○○が××だったら」という歴史シミュレーションものってそれほど心惹かれないんです。

山田　いちばん多いのは、「信長が死ななかったらどうなっていたか」ってやつかな。

恩田　あと、太平洋戦争で日本が勝っていたら。

山田　坂本竜馬が生きているというのもあるし。そう考えると、日本の歴史でいちばんの転機って何だったんだろうね。

恩田　明治維新と、第二次世界大戦でしょうか。

山田　明治維新が流血を伴った革命であったなら、日本はいまとはぜんぜん違うものになっていたんじゃないかという気はしますね。

恩田　所詮この国では、何かを変えるのは黒船というか外圧なんですね。まあ、それも生きる知恵なんでしょうが。

山田　無血革命だから立派なものですよ。

恩田　そう言われるとそうですが、単に言われたまま「はいはい」と動いただけのような感じがして。こういういい加減な国民性ってわりと嫌いじゃないんですけれども（笑）。

山田　人が死ぬよりはいいですよ。でも、二・二六で決起した将校たちは、そういういい加減さに我慢できなかったんじゃないかな。いい加減さに耐えるのがカッコいいのに。

恩田　若かったから、彼らは。

山田　「よど号」みたいなものですね。彼らも基本的には世界革命を志したわけだし。そのあとはグチャグチャだけど。

恩田　あれこそ本当に若気の至りという感じがします。着地の仕方もどこか軟派で。

山田　もし彼らが北朝鮮に渡る途中で射殺されていたり、逮捕されて二・二六のように処刑ということになっていたら、その後の日本の共産主義運動もまた違った展開になっていただろうね。彼らは「美しく散った革命戦士」ということで語り継がれただろうし。当時の人は二・二六事件のことをどう思っていたんでしょうね。

恩田　最初はみんな好意的で、兵隊さんをかばったりとか、ホテルの従業員も甲斐甲斐しく世話をしてたみたいですよ。でもその後だんだん冷たくなった。まあ、日本人のいつものパターンですよね。

山田　いよいよ小泉純一郎（笑）。でもあの革命は、成功しようが失敗しようが、結局大勢を変えられなかったんじゃないかな。

恩田　成功しても組織が巨大なままだから、うやむやになってまた同じことのくり返しでしょうねえ。そういえば、前々から思っていたんですが、満州とかベトナム戦争ってすごく嘘っぽいと思いませんか？　どこか虚構色が強いというか。

山田　わかるわかる。すべてが作り物、作りごとめいている。

恩田　二・二六事件も、どこか他人事（ひとごと）のように皆のんびりしているところがあった気がするんです。かっちりと組織があってそれらが対抗していたというより、「あいつは好きじゃない」という仲間内の好き嫌いのレベルの争いだったんではないかと。会社なんかもそうですけど、結局好き嫌いを正当化するために派閥を作っているんじゃないかって気がするんですね。

山田　好き嫌いで動いた結果だったんでしょうね。皇道派と統制派というとかっこいいけれども、イデオロギーだけの問題であんなことは起こらないでしょう。

恩田　当人たちもそれらしくあとづけで理論武装したんでしょうね。実際には「何となく虫が好かないんだよな、あいつ」くらいの感じだったんじゃないのかな。

山田　あと、仲間外れになるのが怖いから参加するとかね。殺し方を見ると、どう考えてもこれは「この野郎、俺を外しやがって」という怨みもあるような気がしてね。

恩田　だから「歴史」として語られたとき、何か嘘くさい感じがする。そこに、作りごとを紛れこませる余地がある気がしますね。だから、物書きは二・二六を書きたいんじゃないでしょうか。

山田　ぼく自身、最近は「いままで言われてきた歴史って、実際とはぜんぜん違っているんじゃないか」という見方でいろいろ興味を持っていて、二・二六事件もそのひとつです。

恩田　そうなんですか。

山田　うん。書くつもりですよ、いつかね。まあ、口で言うぶんには楽だから。でも、使っている資料ってもうみんな同じなんだよね。

恩田　山田さんは二・二六を書くとしたら、どういうふうにお書きになりますか。

山田　輪廻転生をやってみたいなと思っているんですが……ミステリで。

恩田　『ミステリ・オペラ』みたいな感じですか？

山田　まだわからないんですけれどもね。だから二・二六でやるとしたら、あの青年将校たちが、輪廻転生で自分は誰かの生まれ変わりだと思っている、という話じゃないかな。

恩田　なるほど。

山田　一応『ミステリ・オペラ』の続篇として考えていますが、どうなることやら。

恩田　ぜひ読ませてください。資料類はまだ手元に揃ってますので、山田さんが二・二六をお書きになるときはそっくりお譲りします。

山田　ありがとうございます。と言って、ずっと預けておくことになるかもしれません（笑）。

●山田正紀は増殖している

恩田　山田さんは『ミステリ・オペラ』では満州をお書きになっていましたが、最初から過去と現代を交錯させてあのような本格ミステリを書こうと思ってらっしゃったんですか。

山田　最初は現代篇を書くつもりはなくて、満州の話だけだったんですよ。現代篇は少し書いてみたら話が合わなくなったので、そのままにしてあったんです。

『ミステリ・オペラ』
二〇〇一年刊の山田正紀作品。平成元年の東京では、ビルの屋上から身を投げた男が、しばらく空中に浮遊してから墜落死をする。一方、昭和十三年の満州では、奉納オペラ「魔笛」を撮影すべく〈宿命城〉へ向かう一行が、その先々で奇怪な殺人事件に遭遇する。五十年の時空を隔て、ふたつの物語が謎めいた因果で結びつく。日本推理作家協会賞と本格ミステリ大賞を受賞。初刊は早川書房。のちにハヤカワ文庫ＪＡに収録されたが、現在は品切れ。電子書籍で入手可能。

続篇
『マヂック・オペラ』のこと。二〇〇五年に発表された作品で、昭和史を探偵小説で描く《オペラ三部作》の第二弾にあたる。二・二六事件前夜に、置屋の密室で芸者が刺し殺された。前作にも登場して重要な役割を果たした「検閲図書館」黙忌一郎の依頼によって、特高警察が調査をはじめ、その過程で昭和維新にから

恩田　最初の構想からはずいぶん変わってしまったんですね。でも大変面白く読ませていただきました。じゃあ、その後に刊行された『渋谷一夜物語(シブヤンナイト)』はどうだったんですか。最初からあいうフレームストーリーをつけてまとめるつもりだったんですか。

山田　いえまったく（笑）。

恩田　あとがきにお書きになっていた「二十一夜物語」というのは……。

山田　永遠に出る予定はありません（笑）。

恩田　オビで大森望さんは「世界は山田正紀で出来ている」とおっしゃっていました。『ミステリ・オペラ』には本格ミステリのガジェットが全部盛りこまれている。ところがこの『渋谷一夜物語(シブヤンナイト)』ではホラー、SF、ミステリ、あらゆるジャンルのガジェットを持ってきている、ということであいうコピーが出てきたそうですね。でも私自身が読んで思ったのは、「山田正紀は増殖している」ということだったんです。

山田　増殖、ですか。

む陰謀が浮上する。早川書房刊の単行本は品切れだが、電子書籍で入手可能。

『渋谷一夜物語』
二〇〇二年刊の山田正紀作品。一九九六年以来、さまざまな雑誌に発表した短篇を連作として一冊にまとめたもの。『千夜一夜物語』ふうの構成になっており、題名もそれにちなむ。初刊は集英社。のちに集英社文庫版に収録されたが、現在は品切れ。

大森望
翻訳家・書評家・編集者（一九六一―）。著書に『現代SF1500冊』『特盛！SF翻訳講座』『21世紀SF1000』『50代からのアイドル入門』『現代SF観光局』など、編著に『サンリオSF文庫総解説』（牧眞司と共編）、『2010年代SF傑作選』（伴名練と共編）、『ベストSF2020』など。訳書も多数。アンソロジー・シリーズ《NOVA書き下ろし日本SFコレクション》、《年刊日本SF傑作選》（日下三蔵と

恩田　この『渋谷一夜物語（シブヤンナイト）』は山田さんにとってひとつの転機だったのではないかという気がします。転機というのも何だか嫌な言葉ですけれども。山田さんは長年、語り部・山田正紀と作家・山田正紀を一応は重ねようと努力されてきたのだと思うんですが、ここに来てついに作家・山田正紀は、語り部・山田正紀がどうなるのか放し飼いにしたのではないかと。枠の中に押しこめようとしてきたけど、手綱（たづな）を緩めてどこに行くか、ちょっと引いたところから見ているという感じがしたんです。ドッペルゲンガーっぽいというか、山田正紀が、山田正紀自身がどうなるか試していると。

山田　試すというか諦めに近い。自分を枠にはめるとかコントロールするとか、もう面倒になってしまったんですね。なるようになれ、というか。恩田陸は恩田陸を制御しようとしていますか？

恩田　私の中では作家と語り部は一致しているつもりなんです。まだまだ諦めの境地には至らず……。

山田　まだ「これはこのジャンル、これは別のジャンル」と頭

共編）により、日本ＳＦ大賞特別賞を二度受賞。

の中で整理できている？

恩田　一応は。そもそも私の考えているジャンルというものが、そうかっちりしたものではないんですけれども。とにかく毎回大雑把(おおざっぱ)な目標を立てるんです。『ねじ』だったら「とにかく変な話を書く」。ほかにも「地味だけど先の読めない話を書く」とか「読んでて嫌な気分になる話を書く」とか。そういう枠の中に入れようという目標はくっきりあります。いまのところ、そこから外れてないと自分では思っているし、この先当分、外す気はないです。

山田　その成功率ってどれくらい？　自分が狙っていた範囲内に着地できたなと思うのは。

恩田　七割ぐらいかなあ。何しろ大雑把な目標だし。

山田　すごいな。

恩田　でも私が成功できていると思うのと、周りの人がそう思うのとは別の問題なんですよね。

山田　ぼくなんかは二割かな。書きたいものを書いたら、いつの間にかぜんぜん違うものになっちゃうことばかりだしね。短篇はまだ何とかコントロールできているんだけれども。恩田さんは短篇とかショートショートとか書いたことがありますか。

恩田　ショートショートはないですね。書けるのかな。

山田　もちろん書けるでしょう。

恩田　どういうふうに書いたらいいか、ぜんぜん見当がつきません。短篇なら何本か書きましたが、九年間かけてようやく『図書室の海』一冊だし。

山田　ぼくは書くのは短篇のほうが気楽ですよ。

恩田　短篇は難しいですよ。

山田　そう？　たしかに、いい短篇は難しい（笑）。

恩田　短い中で世界を作って、さらに物語のオチを付けるというのはとても大変じゃないですか。何を書かないかシビアな選択を迫られるし、書かない部分も含めて全部をコントロールしないといけないし。

山田　だから自分を放し飼いにすればいいんです（笑）。

●時間SFの名作傑作

山田　恩田さんの作品は、今回の『ねじ』に限らず、時間をテーマにしたものが多いですね。

恩田　基本的にノスタルジーの人間で過去の話が好きなので、

『図書室の海』
二〇〇二年刊の恩田陸短篇集。ミステリ、SF、ホラーなど、複数のジャンルにまたがる十篇を収録。表題作はデビュー作『六番目の小夜子』の番外篇。初刊は新潮社。現行本は新潮文庫。電子書籍もあり。

『時をかける少女』
筒井康隆のジュヴナイルSF。一九六五年～翌年「中学三年コース」「高校一年コース」と引き継いで連載、六七年単行本化された。理科実験室でラベンダーの香りを嗅いだ中学三年生の少女は、タイムトラベルの能力を身につける。七二年には、NHK少年ドラマシリーズで『タイム・トラベラー』の題名で放映。その後何度も映像化されている。現行本は、角川文庫、角川つばさ文庫。電子書籍もあり。

NHK少年ドラマシリーズ
一九七二年の『タイム・トラベラー』を第一作として、八三年までに全九十九作品が放映された。『暁はどうしてもそうなるんです。

山田　恩田さんの最初に読んだ時間SFって何だったんですか?

恩田　原体験は『時をかける少女』ですね。NHK少年ドラマシリーズ『タイム・トラベラー』のほうです。いまでもかなり覚えています。

山田　ラベンダーの香り、ですね。ぼくは何だろう……フィニイの『ふりだしに戻る』かな。

恩田　フィニイは『ゲイルズバーグの春を愛す』もありましたね。私はケン・グリムウッドの『リプレイ』の衝撃が強かったです。同じ時間に何度も生まれて人生を何度も生きるという。時間SFというと『夏への扉』なんかが非常に高く評価されていますよね。わたしは断然フィニイのほうが好きなんですけど。

山田　ぼくも『夏への扉』はそれほど好きじゃなくて。あのできすぎた感じはいかにもアメリカ的で、ぼくにはどうも食い足りない。

恩田　でも、よくできていますよね。

ただ銀色』(光瀬龍原作)、『夕ばえ作戦』(同)、『明日への追跡』(同)、『まぼろしのペンフレンド』(眉村卓原作)、『なぞの転校生』(同)など、SFも多く含まれている。

ジャック・フィニイ
アメリカの小説家(一九一一—九五)。三十五歳のときに文筆の世界に入り、五一年「コリアーズ・ウィークリー」に「おかしな隣人」を発表して小説家デビュー。SFやファンタジーの分野では、長篇『ふりだしに戻る』、短篇集『ゲイルズバーグの春を愛す』など、しっとりとした情感の作品が多い。また、侵略テーマのサスペンスSF『盗まれた街』でも知られる。

『ふりだしに戻る』
一九七〇年刊の作品。タイムトラベルで一八八二年のニューヨークへ。懐かしい時代への切ないノスタルジーに彩られた物語。邦訳は角川文庫(現在は品切れ)。

山田 よくできている。

恩田 猫をああいうふうに使っているし、もうケチのつけようがない完璧な作品。やっぱ時間SFは猫ですよね（笑）。

山田 ハインラインの才能だよね。

恩田 でもハインラインって、つまらない本も多いじゃないですか。長い割に「何だこれは」と思うものがいっぱいあるし。

山田 でも『人形つかい』は傑作でしょう。

恩田 あ、それがありましたね。

山田 傑作とは言わないまでも『異星の客』もすごくインパクトがあったし。あれだけつまらない作品を書く人が思い出したようにあんなに完璧な作品を書くんだから、才能あるとしか思えない。

恩田 逆説的ですね。

山田 忘れたころに、傑作をポンッと書くからすごいんですよ。

恩田 翻訳小説だと、私はネイサンの『ジェニーの肖像』が原点になってます。売れない画家が女の子に会って、その子が短い間にどんどん成長していく。ある日彼女が別れを告げに会い

ケン・グリムウッドの『リプレイ』
一九八八年刊の作品。現代で死んだ中年男が、六三年の若い自分のなかに甦る。未来の知識を活かして楽しい人生を送るが、ふたたび死のときを迎え、また六三年に甦る。世界幻想文学大賞を受賞。邦訳は新潮文庫。作者ケン・グリムウッドはアメリカの小説家（一九四四—二〇〇三）。

『夏への扉』
ハインラインの長篇SF。五六年「F&SF」で連載後、五七年単行本化。妻と親友に裏切られた失意の発明家は、冷凍睡眠によって三十年後の世界に目覚める。未来では彼が構想していたロボットが実現していた。しかし、自分は考えただけで造った覚えはない。それ以外にも不審なことがいくつかある。彼は発明されたばかりの時間旅行で過去に戻り、事態を確かめようとするが……。邦訳（福島正実訳）はハヤカワ文庫SF。電子書籍もあり。小尾芙佐訳の新訳版もあり、早川書房刊。

に来たと思ったら、そのあと彼女が船から落ちて死亡したという新聞記事を見るという話で。

山田　出会いと別れを繰り返す物語ですね。恩田さん、かなり影響を受けているでしょう。

恩田　やっぱりわかります？　『ライオンハート』は『ジェニーの肖像』を意識して書いたものなんです。山田さんは萩尾望都ってお読みになりますか？

山田　『トーマの心臓』とか『11人いる！』とか、有名どころは。

恩田　時間SFだと『銀の三角』『スター・レッド』『ポーの一族』という超傑作揃いですよ。

山田　萩尾さんって結構難解なところがあるでしょう。

恩田　難解ですよ。『銀の三角』とか、もう説明不能ですもん。でも忘れられないシーンがあって。主人公がある星に密入国しようとするんだけれども、宙港で見つかって殺されてしまう。しかもそれが時間のループか何かの作用で、多少形を変えながら何度も繰り返されるシーンがあって、気持ち悪くて怖かった。

ロバート・A・ハインライン
アメリカの小説家（一九〇七―八八）。三九年「生命線」を発表してデビュー。以来、矢継ぎ早に作品を送りだし、たちまちSF界で絶大な人気を博す。『宇宙の戦士』『ダブル・スター』『異星の客』『月は無慈悲な夜の女王』でヒューゴー賞を受賞。『宇宙船ガリレオ号』などジュヴナイルSFも多い。

『人形つかい』
一九五一年に「ギャラクシー」で連載後、同年単行本化。なめくじ型の異星人が人間に取り憑いて意思を操作するという侵略テーマの長篇。邦訳はハヤカワ文庫SF。電子書籍もあり。

『異星の客』
一九六一年刊の作品。火星人に育てられた地球人ヴァレンタイン・マイケル・スミスは、まったく異質なものの見方・考え方を身につけて、地球に戻ってきた。発表当時、ヒッピーのあいだで爆発的なベストセラー萩尾さんには「マリーン」「ヴィオリータ」という短篇もあるんですが、実は未来に出会うはずの女性の記憶が過去を訪れていたとか、男女が形を変えて何度も会うとか、時間の環を感じさせるようなお話って結構あるんですよ。「ヴィオリータ」なんて十六枚ぐらいの短篇ですけど。

山田　男女が時間を超えて何度も巡りあう物語の型ってあるよね。『ある日どこかで』とか。そういえば『バック・トゥ・ザ・フューチャー』もそうだ。

恩田　『ターミネーター』だって。

山田　そう考えると、時間SFってラブストーリーが多いんだ。

恩田　さまになりますから。

山田　そういうの、書きたかったなあ。

恩田　ぜひ書いてくださいよ。

山田　いまからはもう書けないですよ（笑）。「時をかける恋」という年齢じゃない。もう「老いらくの恋」だもんなあ。「老人にも性欲はある」とかね。ああ、萩尾さんの話をしていたらだんだん思い出してきた。ぼくの時間SFの原点は手塚治虫の

となった話題作。邦訳は創元SF文庫。

ネイサンの『ジェニーの肖像』
一九二九年刊の作品。貧乏画家のイーベンはある日、公園で不思議な少女ジェニーと知りあう。彼女は会うたびに成長していく。まるでイーベンの時間を大急ぎで追いかけているかのように。四七年に、ウィリアム・ディターレ監督で映画化された。邦訳は偕成社文庫。作者ロバート・ネイサンは、アメリカの小説家・詩人（一八九四―一九八五）。

『ライオンハート』
一九九九年～翌年「小説新潮」で連載、二〇〇〇年単行本化された恩田陸作品。十七世紀のロンドン、十九世紀のシェルブール、二十世紀のパナマ、フロリダ。時と空間を超え、身体も変えながら、彼と彼女は何度も巡りあう。しかし、そのたびごとに運命のいたずらが作用し、ふたりは結ばれることがない。異色のラブストーリー。初刊は新潮社。現行本

『キャプテンＫｅｎ』だな。お母さんが核戦争で病気になって死んじゃうから、子どもが過去へ戻って、核戦争を防ぐという話。

恩田　そうだ。手塚治虫を忘れていた！　私も『Ｗ３（ワンダースリー）』のラストを読んで、あっと驚いたんですよね。任務を果たしに地球外から来た三人が、結局任務を果たせなかったということで記憶を消されて地球に追放になる。それが実は地球人の登場人物だったという、はじめと終わりがつながる話でしたね。あれは本当に衝撃でした。

山田　きっと最初からきっちり考えていたわけじゃなかったんだろうな。手塚さんはその辺りが本当に巧い。最後に鮮やかに辻褄（つじつま）を合わせてくれる。

恩田　『火の鳥』は子どものころは本当に怖かった。

山田　ロビタの話はぴたっと整合していましたね。

恩田　あのロビタが自殺するところは怖くて怖くて。

山田　『火の鳥』は、猿田彦とロビタというキャラクターでそれぞれ過去と未来を交互に描いていって、最後に現代を描くと

は新潮文庫。電子書籍もあり。

『バック・トゥ・ザ・フューチャー』
一九八五年のアメリカ映画。過去にタイムトラベルした青年が、両親の恋愛のキューピッド役を果たす（そうしないと彼は生まれてこないので）という、コメディSF。監督はロバート・ゼメキス、主演はマイケル・J・フォックス。大人気を博し、続篇、続々篇が製作された。

『ターミネーター』
一九八四年のアメリカ映画。未来で繰りひろげられている機械と人類との戦争を有利にするため、機械側が戦闘アンドロイドを現代に送りこむ。狙いは人類の指導者の母親を、身ごもる前に抹殺すること。監督はジェームズ・キャメロン、アンドロイド役がアーノルド・シュワルツェネッガー。人気を博しシリーズ化された。

『キャプテンＫｅｎ』
一九六〇年〜翌年「週刊少年サンデ

いう構想だったんですよね。

恩田　そういう筋を考えるということが、何かもう人間じゃないなという感じがします。日本人で天才というとまず手塚さんだと思います。

山田　『火の鳥』はぜひ完結させてほしかったなあ。あと二、三本だったんだよね。まだお若かったのに。

恩田　残念です。

●魔法が解けない小説を

山田　ラブストーリーにしても生まれ変わりにしても、ああいう因果のようなものを巧く書くのは大変だと思うんです。つい、あれこれ説明したくなってしまうから。

恩田　わかります。

山田　それで思い出したんだけれども、すごく好きな短篇があって。

恩田　誰のですか？

ー」で連載、六二年単行本化された作品。火星の開拓時代を舞台とした西部劇ふうのSF。移住してきた地球人と、先住民族である火星人とのあいだにはいざこざが絶えない。しかし、主人公キャプテンケンは火星人を助け、悪党どもをこらしめる。現行本は、講談社／手塚治虫文庫全集、秋田文庫。電子書籍もあり。

『W3（ワンダースリー）』
一九六五年に「週刊少年マガジン」でスタートし、のちに「週刊少年サンデー」に舞台を移して、翌年まで連載された作品。地球を滅ぼすか、存続させるかを判断するために、三人の宇宙人が地球にやってくる。彼らはひとりの少年と出会い、信頼関係を深めていく。連載中に手塚自身が総監督となってTVアニメ化。現行本は、講談社／手塚治虫文庫全集、秋田書店／手塚治虫傑作選集。電子書籍もあり。

山田　それがタイトルも著者名もぜんぜん覚えていない。登場人物がごくふつうに日常を送っているんだけれども、ある日召集がかかると戦争に行くんです。兵隊として任務を果たし、それが終わると戻ってきて結婚し子どもを作るという日常がまたはじまる。でもまた召集がかかってまたドンパチやって、そのくり返し。あの感じが異様に好きだったんだよね。

恩田　翻訳ものですか。

山田　翻訳です。しかもその戦場が未来の世界のような描写なんですね。でもその辺りについての説明は一切ない。どこか別の時間だか別の世界へ行って戦争をし、終わると現代に戻されサラリーマン生活を送る。そのギャップが何の説明もないまま同じ次元で書かれているから、ものすごく異様な感じで。

恩田　ちょっと『マトリックス』っぽいかも。

山田　たしか六〇年代のものだったんだよね。あのころのＳＦは異様に面白かったな。あの感覚を何とか取り戻したいといつも思うんですが。

恩田　むかし読んだ本の感じを再現したいって気持ち、ありま

『マトリックス』
一九九九年のアメリカ映画。辣腕ハッカーのネオは、いままで現実だと思っていた世界がコンピュータが作りだした仮想空間だと気づき、抵抗活動に身を投じる。監督はウォシャウスキー兄弟（現在は姉妹）、主演はキアヌ・リーブス。続篇と続々篇が製作された。第四作も近日公開予定。

すよね。でもすごく難しい。

山田　難しいですね。ぼくもその短篇を再現したくて長篇でも短篇でも何回か試みたんだけれども、結局だめだった。だからどれも途中で放り出してしまった（笑）。何が悪いのかわからないんですよ。現代の生活をきちんと書けばいいのか、過去だか未来だかのそういう異様な雰囲気を書きこめばいいのか。あれは奇跡のようなバランスで成り立っていたんだろうね。でもそれをそのまま書いたら盗作だし（笑）。

恩田　でも「ああいうものをやりたい」と思わせる作品って、読み返すとそんなに面白くなかったってこと、ありませんか？

山田　若いときには夜も眠れないぐらい夢中になれたのに、いま読み返すと「え？」という感じの本って、あるね。

恩田　だから青春の一冊みたいなものって読み返すのが怖くて。「こんなにつまらない話だったのか!?」みたいな。やっぱり青春期の魔法なんでしょうか。筒井康隆さんとか、いま読むとどうなんでしょう。

山田　どうだろう。

筒井康隆
小説家・俳優（一九三四―　）。六〇年、家族で出したSF同人誌「NULL」一号の「お助け」が、「宝石」に転載されてデビュー。初期はスラップスティックSFが看板だったが、やがてジャンルを超えた多彩な作品を発表。『虚人たち』で泉鏡花文学賞、『夢の木坂分岐点』で谷崎潤一郎賞、『朝のガスパール』で日本SF大賞を、それぞれ受賞。二〇〇二年に紫綬褒章を受章。

星新一
小説家（一九二六―九七）。SF同人誌「宇宙塵」の発足時より参加。五七年、同誌に発表した「セキストラ」が、「宝石」に転載されてデビューを果たす。質の高いショートショートを中心に活躍し、生涯で千一篇以上の作品を残す。作品集『妄想銀行』で日本推理作家協会賞を受賞。日本SF界の長老として慕われ、没後の九八年には日本SF大賞特別賞が贈られている。

恩田　ちょっと怖くて読めないな。

山田　筒井さんの過激なスラップスティックとか、センチメンタルなロマンティシズムとか、時代を超越しているんじゃないかと思うんだけど……。

恩田　そういえば私、いつか読み返そうと思って星新一さんの全集を買いました。

山田　時間SFだと「おーい　でてこーい」があるね。

恩田　傑作ですよね。

山田　星さんはいっぱいお書きになっているからなかなかすぐには思い出せないな。『ボッコちゃん』『午後の恐竜』とか。

恩田　私は『ノックの音が』が好きでした。全集は老後に毎日一篇ずつ読もうかと思っています。そういう楽しみがあると思うと持っているだけで嬉しい感じがして。

山田　ということは、老後が一〇〇一日しかないんだ。恩田さんは三年しか老後がない（笑）。勝ったも同然だな。でも、そういう「これはいつ読んでも絶対に面白い」と思わせる、魔法が解けない小説を書きたいですね。

「おーい　でてこーい」
五八年にSF同人誌「宇宙塵」に発表されたショートショート。星新一の初期の代表作である。意外な結末はショートショートの重要な条件のひとつだが、これほどの切れ味のいいオチはそうそうない。現在は、新潮文庫の作品集『ボッコちゃん』に収録されている。

『ボッコちゃん』
星新一のショートショート集。このタイトルによる単行本は一九七一年刊の新潮文庫が最初だが、収録作品は第一短篇集『人造美人』と第二短篇集『ようこそ地球さん』から採っており、すべて初期作品である。五十篇を収録。表題作は、星新一がその作風を確立した最初の作品にあたる。現行本は新潮文庫。電子書籍もあり。

『午後の恐竜』
一九六八年刊のショートショート集。二十一篇を収録。初刊は早川書房。のちにハヤカワ文庫JA収録に際し、

恩田　それこそ、時間の流れを超えるような（笑）。

『午後の恐竜』（十一篇収録）と『白い服の男』（十篇収録）の二分冊となった。現行本の新潮文庫はこれを踏襲している。表題作は、タイムトラベル・テーマで、ほのぼのとした味わいがある。電子書籍もあり。

『ノックの音が』
一九六五年刊のショートショート集。十五篇を収録するが、そのすべてが「ノックの音がした」ではじまる。初刊は毎日新聞社。現行本は新潮文庫。電子書籍もあり。

司会・構成／三村美衣

アーシュラ・K・ル・グィン　《ゲド戦記》

岩波書店

初出　SF Japan vol.07 2003 SPRING

影との戦い　ゲド戦記Ⅰ
こわれた腕環　ゲド戦記Ⅱ
さいはての島へ　ゲド戦記Ⅲ
帰還　ゲド戦記　最後の書
アースシーの風　ゲド戦記Ⅴ

幼い頃より魔法の才に秀でた少年は、魔法使いオジオンの弟子となり、ゲドという真の名前を授けられた。やがて少年はローク島の魔法使いの学院に入学、ここでも逸材として注目を集める。しかしある日、虚栄心に負けたゲドは、死霊を呼び出す禁断の魔法を使い、得体のしれない影を呼び出してしまう。その影には名前がなく、ゲドはもちろん、ローク島の賢人たちにも封じることができなかった。それ以来、影に怯えて逃げ続けるゲドに、師のオジオンは影と向き合い、決着をつけることを助言する。

第二巻『こわれた腕環』では、物語の舞台は死の闇と静寂に支配されたアチュアン島の巨大な墓所に移る。大巫女アルハとなるために、幼い頃に墓所に連れてこられた少女テナーは、自分の名前がテナーであったことも忘れ、「名もなき者」と呼ばれる暗黒世界に仕えていた。ところがある日、彼女は地下迷宮の暗闇の中で、見知らぬひとりの男と出会う。男は、伝説のエルス・アクベの腕環を求めて墓所にやってきた魔法使いのゲドだった。ゲドとの出会いによって、恐れや好奇心などさまざまな感情に揺れ動くテナーが、自分の名前を取り戻し、光の世界へと踏み出していく軌跡を描く。

そして第三巻『さいはての島へ』では、すでに老齢にさしかかった大賢人ゲドが登場する。永遠の生命を得ようとしたひとりの魔法使いが、生死を分かつ境界の扉を開け、それによって世界の均衡は大きく崩れた。ゲドは、若きアレン王子と共に、世界の調和を取り戻すために、さいはての島へと旅立つ。児童文学では珍しく人の生死を扱った作品としても注目を集めた。

三部作から十八年ぶり、一九九〇年に発表された『帰還　ゲド戦記　最後の書』は、年老いて、魔法をなくしたゲドの姿や、虐待されたテルーの悲惨な境遇、テナーの人生観などそのセンセーショナルな内容から賛否両論の嵐を巻き起こした。

アチュアンの墓所を離れ、ゲドの師であるオジオンの元に身をよせることとなったテナーは、成人し、村の農夫に嫁ぎ、二人の子供の母となった。この島に来てから二十五年の歳月が流れ、子供は独立し、夫とも死に別れ、今は農場を一人で切り盛りしていた。しかし彼女の人生は、再び大きな転機を迎えようとしていた。

ある日テナーの住む村の河原で、一人の少女が発見された。虐待を受け、全身にひどい火傷を負った少女の姿に、心を痛めたテナーは、テルーと名づけ養女に迎え入れた。そんな矢先、なんとゴントの山に瀕死のゲドを乗せた竜が飛来する。

死の国との境界を閉ざすため、持てる力をすべて使い果たしたゲドは、もはや魔法使いではなかった。こうして、一人の男として生きなくてはならなくなったゲド、自ら一人の女として生きる道を選んだテナー、そしてなんの罪もないのに心にも身体にも深い傷を負ったテルーの三人暮らしが始まる。

そして、『帰還』からさらに十年が経過し、『アースシーの風』が刊行された。

テナーとテルーがレバンネン王に招かれ王宮に出かけた留守に、ゲドの元にハンノキと名乗る壺直しのまじない師が訪れる。彼は、夜毎、死の国から手を伸ばし何かを訴えようとする亡き妻の夢を見るというのだ。死の国との境界で何かが起きている。しかし既に魔法を失ったゲドには打つ手はなく、彼はハンノキをテナーとテルーのいるレバンネン王の元に送り出す。竜とは何か、魔法とは何か、世界の謎に迫るシリーズ第五作。　〈三村〉

編　今回はアーシュラ・K・ル・グィンのファンタジー、《ゲド戦記》です。最初の三部作に、四巻目の『帰還』、それに今回は、十年ぶりの第五巻『アースシーの風』のゲラをお借りできましたので、プラス一冊ということで、お二人に語っていただきたいと思います。司会進行は三村美衣さんにお願いします。

三村　では、はじめさせていただきます。今回《ゲド戦記》を選書したのは恩田さんだということですが？

恩田　ある日、ふと新聞を見たら、《ゲド戦記》の第五巻の刊行予告が出ていて。え～っ、最後って言ってたじゃないか～と叫んでしまって（笑）。

三村　四巻目の『帰還』には副題で『ゲド戦記　最後の書』と書いてありましたからね。

恩田　そうでしょ。で、そんなものが出るのか、じゃあ今回は《ゲド戦記》だ、と思ったわけです。でも、とくにファンタジ

アーシュラ・K・ル・グィン
アメリカの小説家（一九二九―二〇一八）。六二年「ファンタスティック」に「四月は巴里」を発表してデビュー。初期の作品の多くは、《ハイニッシュ・ユニヴァース》という宇宙未来史に属する。そのうちの『闇の左手』と『所有せざる人々』で、ヒューゴー賞、ネビュラ賞のダブルクラウンに二度輝く。そのほか受賞作多数。見識と教養を備えたアメリカSF界の「良心」ともいえる存在。「ル=グウィン」という表記もあり。

ー・ファンとかいうんじゃないんです。ほとんど読んでないし。

山田 えっ、そうなの。

恩田 異世界ものはぜんぜん駄目なんです。キングでも《ダーク・タワー》のシリーズとか『タリスマン』とかいった、ファンタジーものは読んでないし。でも一昨年（二〇〇一年）、トールキンの《指輪物語》が映画になったんで、小説のほうも読み返してみたんですよ。そうしたら、むかし読んだときよりも今回のほうが明らかに面白く読めた。なら《ゲド戦記》も、いま読み返したらどうだろうかと思ったのもありますね。

山田 最初に読んだのはいつ？

恩田 高校生のころです。それでも内容的にけっこうハードで大変だったのを覚えてますよ。

山田 そうだろうね、これってもともとあちらでも児童書で出たの？

三村 ええ、児童書版元からの依頼で書き下ろした作品です。『影との戦い』が刊行されたのは一九六八年で、アメリカではようよう《指輪物語》の再評価がはじまったころなんです。当

トールキンの《指輪物語》
一九五四年～翌年に発表されたファンタジー。作者は架空の世界「中つ国」の言語や歴史を周到に構築しており、強大な力をもたらす「指輪」の放棄というテーマと相まって、奥行きのある物語となっている。のちに与えた影響はきわめて大きい。二〇〇一～〇三年に映画化。作者J・R・R・トールキンはイギリスの英語教授・小説家（一八九二―一九七三）。邦訳は評論社文庫。ハードカバーでも入手可能（評論社）。電子書籍もあり。

時は、ファンタジーは子どもの読み物であって、大人には見向きもされなかったので。

山田 《指輪物語》はいつ書かれたの？

三村 イギリスで最初に発表されたのは一九五四年です。でもアメリカではまったく話題にならず、バランタイン社のペーパーバック叢書に収録されて再評価がはじまり、ヒッピーのバイブルのように扱われはじめた。

恩田 ベトナム反戦運動のころにベストセラーになった。

三村 そうです。一九六九年かな。

山田 へえ。でも《ゲド戦記》は児童書にしては最初の三冊も難しいよね。

恩田 高校生が読んでもものすごく読みごたえがあって、迫力がありましたよ。

三村 当時、三巻目まで一気に読んだんですか？

恩田 そう。でも高校生のころ読んだきりで、その後、四巻目は買っただけで読んでなかったんです。それで今回五巻目の『アースシーの風』のゲラを頂いて、一巻から通して読んだんですが。

山田 えっ、恩田さん、五巻も読んだの？　ぼくは今日受けとったところだから。

恩田 さっきまでそこの喫茶店で読んでたんです。

山田 しまったなあ、読んどくんだったな。

恩田 それで、いやこんな話だったかなと思って。印象に残っていたのは実は一巻目だけだったというのが、今回読みなおしてみて判明しました。ほかの巻のことは何も覚えてなかった。実は面白いのも一巻目だけだったのかと……。

山田 ぼくは四巻苦労して読んだのに、選んだ人がいきなりそんな発言を（笑）。

●教科書からの逸脱

三村 山田さんは今回まったく初めて読まれたんですか。

山田 ええ。ル・グィンは『闇の左手』とか『天のろくろ』とかいったSFのほうは読んでるんだけど、これはまったく。そもそもファンタジー自体ほとんど読んだことがないので。それで、四巻目はぜんぜん違う話だって聞いてたから、用心して読んだんだけど、ぼくは実はこの四巻目がいちばん面白かった。

恩田 へぇ〜。順番をつけると？

山田 『帰還』『こわれた腕環』『影との戦い』『さいはての島へ』の順かなあ。

『闇の左手』
一九六九年刊の作品。両性具有の人々が住み、ヨーロッパ中世を思わせる社会を営む惑星ゲセンが舞台。宇宙連合から派遣された使節（彼は通常の男性）が政変に巻きこまれ、追放された宰相の逃亡旅行に同行することになる。邦訳はハヤカワ文庫SF。

『天のろくろ』
一九七一年刊の作品。自分が見た夢が現実になってしまうことに悩んだ青年は、精神科医のもとを訪れる。精神科医は、彼の能力を利用して世界を改良しようと試みるが、思いがけない歪みが生じてしまう。それを解消しようと、ふたたび夢の力を使うが、夢の機能は完全に制御できず、ついには異星人との戦争にまでいたってしまう。邦訳はサンリオSF文庫、ブッキング版があるが、現在は品切れ。

恩田　え～っ、二巻目とか面白いっていう人がいるんですね。

三村　でも、ファンタジー・マニアのあいだでは、二巻目の『こわれた腕環』の評価は高いですよ。最高傑作だとおっしゃるファンタジー作家のかたもいるし。

恩田　どこがいいんですか。

山田　評判が高いのはわかるような気がするな。あの迷宮に閉じこめられている女たちの閉塞感と自由への恐怖が非常に上手に書けている。

恩田　一巻目はだめですか。

山田　なんか一巻目って、ハイ・ファンタジーで世界を説明するとこうなりますといった教科書のような感じがして。リアルタイムで読むとびっくりしたんだろうけどね。

恩田　たしかに、いまはもうこの手のパターンはいっぱい出ちゃってますからね。

山田　そう。メタファーやなんかも、どこかで見たようなものばかりで。逆なんだろうけどね。ほんとはこれが最初で、ほかのものが真似をしてるんだろうけど。でも、どこを読んでもどこかで見たような気がして、あまり感心できなかった。

恩田　教科書ですか。

山田　だってさ、一巻目で、私の中の負の部分、内なる悪を同化させてしまう。それも、拒むんじゃなくて認めることで同化する。二巻目では自由になる恐怖を克服する話で、三巻目は死を扱うでしょ。いやあ、ほんとにファンタジーのお手本だよね。

恩田 私はそのへんがちょっと納得がいかなくて、だから逆に一巻目だけで終わってればよかったという気持ちなんですけどね。

山田 どういうところが？

恩田 一巻目の影というのは自分の中の負の部分だし、恐怖だし、死ですよね。三部作のテーマはすでにここに入ってる。だから本来はこの一冊で完結しているはずなのに、一巻目でやったことを補足するためというか、まるでアリバイづくりのために残りの巻を書いてしまったみたいで。

山田 たしかに、「一巻目でやってみたけど、ちょっと説明不足だから二巻目を」っていう部分はあるね。

恩田 「ごめんごめん、ちょっと言葉が足りなかったね」って感じで、前の言葉をあとから補足説明して、次の巻を書く。

山田 一巻目と二巻目は裏返しの世界だよね。一巻目ではゲドが影の世界を自分の中に閉じこめる。二巻目では影の側に仕える女の世界の話で、そこから女の子が表の世界に出てくる。まるで、男性社会が表で、女性社会が影のように読めてしまう。そうか、そうやって考えると、たしかにこれはフェミニズム的にはまずいかもしれないね。

恩田 で、「一面的でした」と言って四巻目を書く。

山田 自分がこれまで三回やったことを全部否定して、「これまでの象徴とかメタファーとかいったものは、すべて男のものでした、だからやりなおします」って気持ちで書いてる。やりなおしたい気持ちはわかるけど、でも読んでるほうにしたら「ちょっと待ってよ」と思う。ずいぶん間があいたとはいえ……何年だっけ？

三村　『さいはての島へ』から『帰還』まで十八年です。

山田　それでもちょっと意見がぶれすぎだよね。

恩田　四巻目まで一気に読んだ人はまだいいですよ。何年も前に三部作を読んだ読者にしてみたら、突然復活して、いきなり着地された感じですからね。でも、こんなふうにいつまで経っても自分の書いたことを訂正しなくてはならないんではウロボロス状態で、永遠に書きつづけないと本人は不安でしょうがないでしょうね。

山田　別の小説で書けばこんな混乱しないですむのにね。たとえば四巻目の内容は、ファンタジーを書くことに悩む女性作家にしてしまえばいいんだ。

恩田　あの内容は、別の話にしてもまったくかまわないし、むしろそのほうが気が利いてたんじゃないかと思いますね。

山田　ル・グィンは諦めが悪いうえに真面目なんだね。

●ル・グィンはとっても偉い？

恩田 ル・グィンって偉いんですよね。

山田 偉いよ。

恩田 『闇の左手』と『影との戦い』をほぼ同じ時期に書いて、作家生活をはじめてまもない時期に、いろんな方面から認められた。

山田 作家って、けっこう最初の作品で代表作を書いてしまって、上がりを引いちゃうようなケースって多いね。

恩田 そういうケースは辛いですね。

山田 そうなると、あとは自分の作品に対して分析的にならざるをえないからね。

恩田 なんであのとき私はこう書けたのだろうか。

山田 なんであの人たちは、この作品を攻撃するのだろうか。

編 偉いっていうと、アシモフとかハインラインと並ぶくらい？

三村 SF作家、ファンタジー作家としてだけじゃなく、むしろ一般文芸の世界でも認められた作家という意味で偉いんです。

恩田 この時代のSF界では珍しいパターンですか。

山田　ほかにはカート・ヴォネガットくらいかな。

恩田　ル・グィンの小説ってカタルシスがないじゃないですか。ラストのいちばんの山場はさらっと流して、どちらかというと、うだうだ悩んでるところが延々と書いてある。あと五十ページしかないのに、まだ目的地に到着しない。やっと着いたと思ったら、さらっと終わって、あっさり帰ってきました、って感じで。彼女は「これが現実なのよ、みんなが思っているようなカタルシスなんてないの」って、そんなふうに思って書いてる。これは「偉い」人じゃないと、なかなかできないですよ。

山田　偉いっていうかね、教育者だよね。読者を啓蒙しようという意志を感じるよね。こういう人は嫌いでしょ、恩田さん?

恩田　いやっ（笑）、尊敬はしてます。でも自分の母親じゃなくてよかったとも思いますけど。

山田　でも、お話とはカタルシスとかそういうものじゃないと思いながらファンタジーを書くっていうのもヘンだね。ファンタジーって、お話のカタルシスから何かを得るもののはずなのに。でも、たしかにル・グィンの小説にはそこがないんだよね。

カート・ヴォネガット
アメリカの小説家・エッセイスト（一九二二－二〇〇七）。五〇年「コリヤーズ・ウィークリー」に「バーンハウス効果に関する報告書」を発表してデビュー。やがて若者を中心に広い読者層を獲得し、アメリカ主流文学を代表する作家となる。代表作は『猫のゆりかご』『スローターハウス5』『チャンピオンたちの朝食』など。

三村 『影との戦い』にはありませんか。

恩田 あれにはある。だから一巻目で終わってればよかったっていうんですよ。

山田 でも、ル・グィンの場合も、なんか忸怩たるものがあるのかな。第一巻でファンタジーのお手本のような作品を書いてしまって、その後本人は悩んだあげくに否定してるにもかかわらず、まわりには真似たような作品が氾濫して、売れている。

恩田 怒ってると思うな。

山田 「私がどれだけ悩んでると思ってるの?」って。

三村 「模倣してこの程度なの?」って。

恩田 思ってる思ってる(笑)。

山田 その後、ゲームが登場するじゃない。

恩田 そのことについて語らせるときっと長いよ(笑)。

山田 ぼく《ハリー・ポッター》も読んでないんだけど、どうなの?

恩田 あれは「少年ジャンプ」です。

山田 「友情、努力、勝利」?

《ハリー・ポッター》
イギリスの小説家J・K・ローリング(一九六五―)のジュヴナイル・ファンタジー。第一作『ハリー・ポッターと賢者の石』は九七年に発表され、爆発的なベストセラーとなった。魔法使いの少年ハリー・ポッターの学園生活や仲間との冒険を描く。現時点で第七作までが発表されている。二〇〇一年に第一作が映画化、続篇も順次映画化された。邦訳は静山社。電子書籍もあり。

恩田　貴種流離譚の一種だし、努力はないですね。

編　いや、「少年ジャンプ」も『北斗の拳』以降は「友情、才能、勝利」になってますから。

三村　うわっ、まさにそれ（笑）。でも、深みには欠けるけど、よくできてると思いますよ。

山田　どういうところが？

三村　初心者にも楽しくて、かつファンタジー・マニアもひっかかるようなガジェットが埋めこまれてるんです。ジャンル内の過去の作品からいろんなパーツを集め、上手に再構築している。現実世界と幻想世界のバランスも絶妙につかず離れずで、居心地がいいんですよ。

恩田　そうです、テーマパーク的というか。だから「少年ジャンプ」なんです。リサーチが行き届いていて、面白くて、アイテムもよくできていて、商品化しやすい。

山田　どこかに「けっ」と思うような気持ちってない？

恩田　でも、お金もかかっていて、手間もかかっていて、皆さまのニーズも考えてある。そのへんも「少年ジャンプ」と同じですよ。出るべくして出た人気ですね。

山田　《ハリー・ポッター》を読んで、次に何を読むんだろう。《ゲド戦記》読むんだろうか。

恩田 《ハリー・ポッター》を面白いと思った十二歳の女の子が《ゲド戦記》を読みはじめて、で『帰還』も読んでしまう。

山田 それは大変だね。

恩田 《指輪物語》に行ったほうがいいですよ。物語がはっきりしていて、《ゲド戦記》よりはるかに楽だしカタルシスがある。

●老いたる大賢人に泣く

山田 でも四巻目は泣けたな。

恩田 え、泣くんですか。

山田 四巻目が面白いっていうのは年齢のせいだろうね。主人公のゲドが魔法をなくして帰ってくるでしょ。あれを読むと、自分がもう少し年をとって小説を書けなくなったときのことが重なるわけ。客観的にはたいした小説じゃなくってもさ。そうすると、魔法が使えなくなって、何もできない。羊を飼うことくらいしかできない。そのときに、ぼくもゲドのように嘆くのか、自分のことばかり言ってるのかな、と。女の人のほうから見たら、そんなにどうしようもなく見えて、こんなに冷たく扱われるのかなあとか。

恩田 身につまされる（笑）。

山田　ル・グィンが三巻目まで書いたころに「男は竜とか魔法とか理解できない、馬鹿にしたような態度をとる」と言ってたじゃないですか。「こういう小説を読んで、そんな男たちの生活が実はどんなに悲惨なものなのか考えてみるべきだ」みたいなことを。

恩田　「アメリカ人はなぜ竜を怖がるのか」ですね。

山田　ところが四巻目になると、魔法とかドラゴンは男の世界だ、女には関わりがないものだ、という主張が入るんだけど。そこで男が年老いて魔法をなくしているというのは、この世の中の趨勢（すうせい）というか、移り変わりそのものを表していると思うのね。ファンタジーの読み方としてはぜんぜん違うんだろうけど、作者の年のとり方が如実に内容に表れている部分だと。男にとっては、この四巻目がいちばん理解しやすいね。年をとってスキルをなくした男に、女の冷たい視線が突き刺さる。スキル、というか、生活の基盤をなくした男ってのは、ある意味ファンタジーをなくした男だと思うんだ。

三村　仕事や地位をなくした男ですか。

山田　仕事をしているときにコロッと逝（い）きたい。誰でもすぐそう言うよね。でも、ひるがえって考えてみると、仕事もできなくなった男は価値がないのか、無能で無意味な存在なのか。そんなことはない。そうであってはいけないんだけど、なかなかそれを自分に納得させることができない。ゲドがそうじゃない。むかし大賢者だった男が、能力をなくしてぼやいてばかりいる。ところが女は生活が大事だから、それがうるさくてしょうがない。

これがものすごく身につまされて。いやもう、ファンタジーもへったくれもないね。

恩田　ただのリアルライフ（笑）。

山田　ル・グィンは、女性であること、作家であることについていろいろ考えた人だと思うのね。そうやって考えてきた彼女にしてみれば、まわりで男たちが自分の仕事のことか、人生についていろいろ言うのが煩わしいっていうかな、なにをいまさらって思うわけよ。それで、うるせえや、ごたごた言ってないで自分の使った食器のあとかたづけくらいしろ、って思ったんだよ。

恩田　四巻目ではゲドが皿を洗ったり、そういった生活の部分がいろいろ描かれてますよね。ゲドの師のオジオンの死後、テナーが彼の家をかたづけていて、オジオンがひびが入ったり欠けたりした食器を使っていたことに気がついて、それだけ体も気力も衰えていたんだと胸を痛めるじゃないですか。私にはあれが生々しかったですね。リアリティを感じました。

山田　誇りのある老人は、ひびの入った皿では食事をとらない、自分で食事をつくって、きちんとした食器で食べて、あとかたづけも自分でするものだ。なんかそういうことを考える出来事でもあったんだろうね。ル・グィンがこれを書いたのはいくつのときだっけ？

三村　一九二九年生まれなので、そろそろ六十歳になろうという時期です。

山田　きっと親の世代とかで、こういう老人をいっぱい見たんだろう。

恩田　それでこうなった。たしかに四巻目になって急に生活感が強くなりますからね。

山田　いやあ、あれはほんとにこたえるね。自分の皿は自分で洗え、っていうの。

編　家で言われてますか。

山田　自分で洗ってるよ。これを読んだあと息子にも言ったんだ、皿は自分で洗えって（笑）。

三村　皿さえ洗ってればいいと思うのが間違いなのよ。

恩田　って、ル・グィンだったらぜったい言うよね。

三村　いや、世の妻はみんな言うと思います（笑）。

●竜と魔法

山田　ファンタジーというのは、言葉で説明するというより、本来メタファーなどで世界の本質を描くものでしょ。

恩田　でも評論集の『夜の言葉』を読んだら、本人は逆に「この物語に暗喩はない」と言ってるんですよ。「みんな、竜やゲ

『夜の言葉』
一九七九年刊のエッセイ集。自分自身について、SFやファンタジーについて、自作について、創作についてなど、ル・グィンという作家を知るうえで格好の一冊。邦訳は、サンリオSF文庫、岩波現代文庫があるが、現在は品切れ。

ドとかいったものの向こうに、どうしていろんなものを見てしまうんだろう」って。でも、どう見てもこれはみんなメタファーだろうって思いますよ。

山田 なんか矛盾してるよね。

恩田 ル・グィンの場合、エッセイだけ読むとそれはそれで納得するんですよ。小説だけを読んでも納得する。ところが両方あわせると、いっぺんに釈然としなくなる。「メタファーを読むな」とか言われても、「竜なんてメタファー以外の何ものでもないだろう」と思うし。

山田 魔法もそうだよね。

恩田 そうでしょ。でも、何のかはよくわからない。

山田 そうだね。三巻と四巻のあいだで、竜と魔法に関してものすごい価値の転換がある。その転換自体はわかるんだけど、でも、そもそも竜と魔法が何だったかということのほうがよくわからないんだ。

恩田 納得がいかないですね。ほんとは最初に竜を出したときには、自然のメタファーとしてファンタジーの当然の流れで出してきただけなのに、書けば書くほどそこに収まりきらなくなっていったんじゃないでしょうか。その後、それを修正するために何度も何度も説明を試みるんだけど、どうしてもうまくいかない。

山田 会話でも、幾度も「竜とはこういうものだ」という話をするものね。

恩田 そう。ところが、いつも説明しきれない。

山田 魔法だってそうだね。

三村 ル・グィンの魔法は、「真の名前の魔法」といわれるものですね。万物には本質を表す名前があって、名前によって相手を支配したり、別の名前をつけることで、そのものの本質を変化させることもできる。この魔法システムも、ゲームをはじめとして、のちの多くの作品に影響を与えましたが。

山田 本来、魔法は超自然のものであって、自然と共感する力だったりして、女性に近い存在として描かれることのほうが多いのに。そういう意味でもル・グィンの魔法の捉え方は異質だね。

恩田 その部分でも、出発地点からすでに矛盾を抱えこんでいますね。

山田 たしかに、名前をつけるというのは強引な行為だよね。現実でもそうじゃない、どこかの汚い川にいる醜い生き物に「タマちゃん」と名前をつけると、とたんにかわいい動物になってしまう。

恩田 あれ、かわいくないよー。ただのアゴヒゲアザラシなのに。テレビで騒いでるのを見るたびに「そうかあ、これ、かわいいかあ?」と思いますよ。

山田 この世界のすべてのものに真の名前があって、魔法というのはどうやらその世界創造の言葉だ、というのはわかるんだけど、でも、じゃあ言葉って男のものか? と思うんだよね。

三村　自然に存在するものをあるがまま受け止められないので、言葉によって別のものにつくりかえていく。疑問を持ったり、つくりかえたりすることは反自然的な行為だということじゃないですか。

山田　世界をありのままに受け入れろ、というのかね。言葉を介在させずに、そのまま受け入れろ、と。でも、そんなことは不可能だよ。男女にかかわらず。

恩田　五巻目は、竜にしても魔法にしても、まさにそういう方向に話が向かうんです。でも、どこか堂々めぐりになっていて釈然としない。

山田　しまったなあ、五巻目も読んでおくんだったな。

恩田　五巻目は、むしろ四巻目よりもずっとファンタジーになってますよ。魔法や竜の意味するところや世界のなりたちの解明に物語が向かいますから。それでもやっぱり説明しきれてなくて、あと二冊は出るなあと思ったんですけど。次でもまた竜を説明しようとするんでしょう。

山田　でもやっぱりゲドおじいさんは、おじいさんのままなんでしょ。

恩田　ゲドは物語にほとんど関係ありませんから（笑）。最初にちらっと出てくるだけで、働くのはテナーとかですね。

山田　皿は洗ってる？（笑）

恩田　そういう意味ではもう五巻目は開きなおって好々爺のようになってますよ。一人で留守番しているんですが、楽しそうに畑を耕したり、山羊の世話をしたりして暮らしてます。

三村　中でも水差しのエピソードが微笑ましい。

恩田　泣かせるよね。テナーの留守のあいだに、彼女が大事にしていたガラスの水差しを割ってしまうんです。どうしようどうしようって、ずっとくよくよしてる。で、たまたまロークから相談にやってきたまじない師に魔法でなおしてもらって、ほっとする。

山田　大賢人なんだからねえ。

恩田　でも情けないんですよ。

●矛盾を解く鍵

三村　エッセイで、母親ともぶつかったみたいなことも書いてましたね。フェミニストではなかったけど「おまえの本の主人公はどうしていつも男なの」とか言われたそうですよ。

恩田　うわっ、あの母とぶつかると怖そうですね。

山田　学者一家なんでしょ。

三村　両親そろって文化人類学者です。ル・グィン本人の専門は異なるんですが、やはりこの両親の影響が大きいんでしょうね。お母さんのシオドーラ・クローバーの書いた『イシ　北米最後の野生インディアン』は、岩波書店から翻訳刊行されてます。

恩田　今回ついでに読んできましたよ。なんかシオドーラ・クローバーとル・グィンって文章や雰囲気、似てるんですよ。

三村　『イシ』にル・グィンが寄せた序文があるんですけど、父親のクローバー博士はカリフォルニア・インディアンの研究家で、全滅する前にインディアンについての情報を蒐集しようとしていた。そのために、間近なところで虐殺に近い状態で彼らが滅んでいくのを目撃することになる。怒りとか罪の意識とか責任感とか、そういったものに悩まされつづけた、とあって。

山田　理解者であっても、自分は圧制者の側の人間でしかない。

三村　SF作家であるということもそうですよね。SFって、「ありのままの姿を見てそれでおしまい」というエコロジー思想とは反するじゃないですか。そういうところにル・グィンの矛盾や二重性の鍵があるのかと思うんですが。

シオドーラ・クローバー
アメリカの文化人類学者（一八九七—一九七九）。臨床心理学で修士号を取得後に結婚。二児をもうけたが夫と死別。その後に人類学を学び、この分野で一家をなしていたアルフレッド・L・クローバー（一八七六—一九六〇）と結婚。彼らのあいだに生まれたのが、のちに英文学者になるカール・クローバーと、アーシュラ・K・ル・グィンである。

『イシ　北米最後の野生インディアン』
一九六一年刊のノンフィクション。カリフォルニアの先住民ヤヒ族の最後の生き残りイシと人類学者アルフレッド・クローバーとの交流を綴る。邦訳は岩波現代文庫（現在は品切れ）。

山田　物語だってそうだよね。ファンタジーという物語を書くことは、竜を認めないアメリカ人の男にはできないことだったんだけど、四巻目ではそれさえ変節する。

恩田　一巻目の最後は記紀文学のようになってるじゃないですか。武勲に読まれたみたいな記述がある。あれは一巻と三巻の最後にはあるんですよね。三部作は記録されたものなんですよ。最初はちゃんとしたお話の中に押しこめようという作者の意志があるのに、その後それは放棄されるんですよ。

山田　そうか、わかってきたぞ（笑）。ぼくは、ル・グィンを本当に圧迫してるのは、男とか女とかそういうことじゃないと思うんだ。四巻目だって日本でもフェミニズムだなんだと騒がれたみたいだけど、これってそんなに難しい話じゃなくて、女はみんな考えてることだよね。だからそういったことよりもむしろ、竜は物語そのものを表していると思うんだよね。彼女が闘っているのは、物語の力に対してなんじゃないかな。物語には、ある種、目に見えない抑圧のようなものがある。物語作家がその抑圧に気づいてしまうと物語が書けなくなってしまう。

●ファンタジーを書く

三村　山田さんはいま『神狩り2』をお書きになっているわけですが、前に書いた作品の続篇を書くというのはどうですか。

恩田　後学のために聞いとこう。

山田　ほら、でも『神狩り』を書いたのは二十代のころだから。

恩田　もうぜんぜん別の人間ですよね。

山田　そうなんだ。だから、ほんとはあれの続篇を書けと言われても困っちゃうんだけど。でも、書けと言ってくれる編集者がいるから書いちゃうわけよ（笑）。まあぼくの場合は、小説は積み重ねだと思っている。ぼくの中の積み重ねだけじゃなくて、いろんな小説とのクロスオーバーなものだと思っている。だからたとえばこの『神狩り2』では、瀬名秀明さんの『BRAIN VALLEY』とかが念頭にあって、さらに一歩先をやりたいと思っている。だから『神狩り』とはまったく別のものになると思うのね。

編　で、進んでますか？

山田　やってますよ（笑）。

三村　お二人は、ファンタジーを書こうとは思いませんか。

恩田　生涯に一本くらいは書きたいんだけど（笑）。異世界と

『神狩り2』
二〇〇二年「SF　Japan」に原型が掲載され、〇五年に単行本刊行された山田正紀作品。前作『神狩り』から三十年を隔てての続篇である。さらにスケールと複雑さを増した、人間と神との対決の物語で、クオリア、脳科学、ハイデガー哲学など、さまざまなアプローチがなされる。初刊は徳間書店で、のちに徳間文庫に収録されたが現在は品切れ。電子書籍で入手可能。

『神狩り』
一九七四年「SFマガジン」に発表された山田正紀のデビュー作。加筆して七五年単行本化。内容については二〇四ページの紹介記事を参照のこと。初刊は早川書房。現行本はハヤカワ文庫JA。電子書籍もあり。

瀬名秀明
小説家（一九六八―　）。ロボット関係など科学ジャーナリストとしても活躍している。九五年『パラサイト・イヴ』が日本ホラー小説大賞を

かヒロイック・ファンタジーとかはだめだろうなあ。いま「小説トリッパー」に『ネクロポリス』って書いてるんですけれど、あれはヴィクトリア朝に日本が植民地化されて、日本人と英国人が一緒に住んでいる世界という設定なんですが、私が書くとしたらこのくらいの世界かな。私には日本人がまったくの異世界を書けるという気がしないんです。知識が追いつかないというのもありますが、私の知っている世界は皆ごちゃまぜ状態の世界なので、純粋な世界という想像ができないんですよね。ちょっと境界があやふやなパラレル・ワールドくらいかな。

山田　そもそも、異世界ファンタジーを書く動機って何だろう？

三村　異世界を創造する楽しさじゃないですか。地図を描くのが楽しいからはじまって。

山田　たしかに異世界の整合性を考えるのって楽しそうだよね。

恩田　でも私、それも苦手だからなあ。地図つくるのは楽しいですけど、すぐ矛盾が起きちゃうんです（笑）。でも、開いた最初のページに地図がある本は好きでしたね。

受賞してデビュー。『BRAIN VALLEY』で日本SF大賞を受賞。そのほかの代表作に、長篇『八月の博物館』『あしたのロボット』『デカルトの密室』、ノンフィクション『ロボット21世紀』『瀬名秀明ロボット学論集』などがある。

『BRAIN VALLEY』
一九九七年刊の作品。神経伝達物質の研究者である孝岡は、その実績が認められ、脳科学の先進研究施設ブレインテックの研究部長として招かれる。同研究所の所長は常軌を逸したプロジェクトを企てており、孝岡もそれに巻きこまれていく。UFOや臨死体験といった超常現象を、脳内作用として科学的に解明しながら、壮絶なスペクタクルを描いてみせた衝撃作。日本SF大賞を受賞。初刊は角川書店。のちに角川文庫、新潮文庫に収録されたが、現在は品切れ。電子書籍で入手可能。

『ネクロポリス』
二〇〇一年〜〇五年「小説トリッパ

三村 で、次に系図がくる。

恩田 それで、巻末に年表があるとなお楽しい。私は萩尾望都の《ポーの一族》の中でもいちばん好きなのは「ランプトンは語る」なんですよ。あれのいちばん最後に年表がついていて、「何年何月、誰と誰が出会う」とか書いてある。年表を見るとうっとりしてしまいますね。

山田 ぼくもミステリで屋敷の見取り図とか見るのは嬉しいけどね。世界の地図はあんまり。魔法にも興味がないしなあ。

恩田 私も魔法とか竜とかは駄目ですね。私がファンタジーを書いても絶対出てこないと思います。

山田 ぼくは完全な異世界となるとね、やっぱり言葉が気になってしまうんだ。この世界の言葉で書かれる異界というのは、何なんだと思うじゃない。本来はまったく違う言葉で構築されるべきなんだろうね。ファンタジーを書く人が言葉を気にするのは当然。トールキンもそうだし、森岡浩之さんの《星界の紋章》はスペースオペラだけど、言語大系の構築にかなり気を遣っている。

ー」で連載、〇五年単行本化された恩田陸作品。西洋と東洋の文化が混淆する聖地「アナザー・ヒル」では、毎年「ヒガン」の時期に、懐かしい故人が「お客さん」として戻ってくる。この不思議な場所を舞台として、独自の風習や不可解な事件が描かれる。初刊は朝日新聞社。現行本は朝日文庫。電子書籍もあり。

森岡浩之
小説家（一九六二―　）。ハヤカワSFコンテスト入選作「夢の樹が接げたなら」が「SFマガジン」に掲載されて、九二年デビュー。言語をテーマとして独創的なアプローチをおこなう本格SFの書き手として注目された。その志向は、人気シリーズ《星界の紋章》のアーヴ語にもいかんなく発揮されている。『突変』で日本SF大賞を受賞。そのほかの代表作に、《月と炎の戦記》シリーズ、『優しい煉獄』などがある。

《星界の紋章》
一九九六年『星界の紋章Ⅰ　帝国の

編　山田さんの『宝石泥棒』は、異世界ファンタジーといえばそうですよね。あれでメインのＳＦアイデアさえなければ。

山田　ただジャングルをぐるぐる回るだけの話になって。

三村　それでは秘境冒険小説になっちゃいませんか。

山田　そして年をとっておじいさんになって、月をなくした人間に価値はないとか言われちゃうんだ。そして皿を洗う（笑）。

編　恩田さんは、もし《ゲド戦記》の続きを書けと言われたら、どんな話にしますか？

恩田　私はファンタジー的な大きな話は駄目なので、書くのはこの続きじゃないですね。今回読みなおして印象に残っているのが『こわれた腕環』のアチュアンの墓所の嫌なおばさんのことなんですよ。あの「神も魔法も信じていないんだけど、そこに関わる権力だけは欲しい」みたいな。

山田　あそこは、女性の意地悪さってのがひしひしと伝わってくるね。

恩田　女性同士の政治的な駆け引きとかもあって面白いですよ。頭さげてるほうが実は偉そうだったり、上にいる人間にまった

王女』に開幕するスペースオペラ。遺伝子操作によって長命を獲得し「星の眷属」となった種族アーヴと、人類統合体との闘いを背景に、アーヴの王女と平凡な少年の冒険を描く。九九年にＴＶアニメ化された。『星界の紋章』は全三巻、続篇の『星界の戦旗』は現在第六巻まで発表されている。現行本はハヤカワ文庫ＪＡ。電子書籍もあり。

『宝石泥棒』
一九七七年〜七九年「ＳＦマガジン」で連載、八〇年単行本化された山田正紀作品。五十メートルを超える巨樹がそびえ、巨大な魚や赤外線を放射するトンボが行きかう、奇怪な遠未来の地球を舞台に、戦士ジローが「盗まれた宝石」の謎を求めて旅に出る。初刊は早川書房。現行本はハルキ文庫。電子書籍もあり。続篇に『宝石泥棒Ⅱ』がある（のちに『螺旋の月』と改題）。

く力がなかったり。私は、あの第一巫女のコシルがどうしてあんな嫌な女になったのかとか、前のアルハ様はどんなだったとかを書くかな。山田さんはどうします？

山田　これの続き？　ゲドは皿洗いに飽きて、老骨に鞭打って、新たな冒険の旅に出かけるんだ。

恩田　家出ですか（笑）。

山田　だってもとは大賢人なんだよ。

恩田　むかしの夢を追う。

山田　夢を追うというか、自分を再構築するというか……いやあ、ほんとに《ゲド戦記》は立派な老人文学なんだよね。

恩田　いやいやでも、そういう話ではないはずなんですけど……（笑）。

編　本日は、どうもありがとうございました。

司会・構成／牧眞司・

沼正三『家畜人ヤプー』

幻冬舎アウトロー文庫

初出　SF Japan vol.08 2003 AUTUMN

家畜人ヤプー

四十世紀、人類は女性上位の「宇宙帝国ＥＨＳ」を築きあげ、栄華を誇っていた。ここで言う人類とは、あくまで白人のことである。黒人はすべて奴隷。そして、日本人はヤプーと呼ばれる家畜であり、高度なテクノロジーによって加工され、さまざまに利用されていた。排泄物を処理する肉便器、狩猟に用いる畜人犬、人間椅子をはじめとする家具、自慰用の舌人形や唇人形……。

ＥＨＳ貴族ジャンセン家の嗣女ポーリーンは、円盤型のタイムマシンで過去を調査した帰り、あやまって一九六×年のドイツに不時着してしまう。そこに居合わせたのが、留学中の瀬部麟一郎とその婚約者クララだった。麟一郎はポーリーンが連れていた畜人犬に咬まれ麻痺状態に陥る。それを解くには、ＥＨＳの時代に行くしかなかった。

しかし、未来では麟一郎はヤプーにすぎない。彼への愛を誓っていたクララだが、ポーリーンやその家族と接するうちに、ＥＨＳの差別社会を当然のものとして受け入れていく。そして麟一郎はふとした手違いから、去勢鞍という人工生物によって処理をされてしまう。切り取られたペニスは、珍棒に加工され、彼を打つ鞭になるのだ。

その鞭を握るのは、かつての恋人クララである。彼女はポーリーンの励ましもあってＥＨＳにとどまる決意をし、ポーリーンの義弟ウィリアムと恋に落ちる。クララは麟一郎を私有家畜とし、彼に尿洗礼を施す。

また、それに先立って、赤クリーム馴致が行われていた。経血を原料とするクリームを舐めさせることで、主人の命令への服従心を植えつけるのだ。

日本人としての誇りを徹底的に踏みにじられ、汚辱の底に叩きこまれた麟一郎だが、家畜としてクララに同行するうちに、服従と隷属の喜びを発見していく。〈牧〉

編　今回は、沼正三の『家畜人ヤプー』を取りあげます。日本SF史上に屹立する異色作であり、マゾヒズム文学の最高峰ともいわれる作品です。山田さんと恩田さんには思うぞんぶんに語っていただき、ふだんは秘めているアブノーマルな魂を解放していただけたらと思っています。司会進行は、SF評論家の牧眞司さんにお願いします。

牧　ええっ？　アブノーマルな魂って……そういう方向でいくの？　なんだかドキドキしてきたなあ。

●ヤプー初体験

牧　『家畜人ヤプー』の内容については、おいおい触れていくことにして、そもそもこの作品は、書きはじめられたときから完結するまでの経緯からして異色です。まず、それをざっと整

沼正三
小説家。五六年から「奇譚クラブ」に『家畜人ヤプー』を連載し、一部から絶讃を浴びる。匿名作家で、その正体をめぐってさまざまな憶測がなされたが、沼正三の代理人を名乗っていた天野哲夫（一九二六―二〇〇八）が、八二年に「自分が沼正三だ」と告白して、いちおうの落着をみる。沼正三名義の著作には、ほかにエッセイ集『集成「ある夢想家の手帖から」』『マゾヒストMの遺言』がある。

理しておきましょう。最初は「奇譚クラブ」というSM雑誌に連載されました。SFではなくSM……サドマゾの愛好誌ですね。第一回の掲載が一九五六年十二月号ですから、日本の現代SFの揺籃期よりもさらに前です。

山田 「SFマガジン」創刊よりも前だ。星新一さんのデビューよりも早いね。

牧 そのときは連載二十回を数えたところで中断し、未完のまま埋もれてしまいました。しかし、やがて三島由紀夫の絶賛などもあり、その存在が伝説化していく。知る人ぞ知る「幻の作品」だったわけです。ようやく単行本になったのが七〇年。内容の衝撃性に、作者の正体が不明ということも加わって、この出版はちょっとしたセンセーションになります。七二年には早くも文庫化されました。そして、雑誌連載中断から数えて三十四年を経た九一年に、待望の続篇が『家畜人ヤプー　完結篇』と銘打たれて発表されます。その後、正篇・続篇を合わせて加筆を加えた増補版を経て、九九年に出版された五分冊の幻冬舎アウトロー文庫版が、現時点での決定版になっています。

「奇譚クラブ」
一九五二年～七五年に発行された、アブノーマルな性を扱った雑誌。五五年には発行禁止処分を受けている。版元は、曙出版、天星社、河出書房新社と変わっている。現在は『奇譚クラブ　ダイジェスト復刻版』（ワンツーマガジン社）で、その片鱗をうかがうことができる。

三島由紀夫
小説家（一九二五―七〇）。四四年、大学在学中に短篇集『花ざかりの森』を刊行。四九年、書き下ろしの第一長篇『仮面の告白』で作家としての地位を固める。そのほかの代表作に『金閣寺』『潮騒』、長篇四部構成の《豊饒の海》などがある。七〇年、〈楯の会〉の青年たちと自衛隊市ケ谷駐屯地に乱入し、隊員らに決起を呼びかけたのち、割腹自殺をとげた。

山田 ぼくが最初に読んだのは、ハードカバーの版だった。大学生のころですね。そのころはハードカバーの新本なんて買えるわけないから、きっと古本屋で買ったんでしょうね。ストーリーは、登場人物たちが富士山に向かうところで終わっていた。

牧 それは都市出版社版ですね。最初の単行本です。山田さんが、その本を買ったきっかけはなんですか？ 話題になっていたので読もうと思ったんですか？

山田 いや。ぜんぜん予備知識はなかったね。帯かなにかに三島由紀夫の推薦文があって、それで興味を持ったのかもしれない。とにかくＳＦだと思って手にとったのではないことはたしかです。若いころはアンチヒューマニズムの作品に関心があったから、そうしたものだと思ったんでしょうね。ちょうど六〇年代末から七〇年代前半にかけて、そうした作品がさかんに出版されていたんだ。たとえば、夢野久作や小栗虫太郎が次々と復刊・再評価されていた。

牧 いわゆる異端文学ですね。

山田 そう。当時はエンターテインメントというよりも、アン

夢野久作
小説家（一八八九—一九三六）。「九州日報」の記者を経て、文筆活動を開始。二二年に童話『白髪小僧』を発表。二六年「新青年」の創作探偵小説募集に投稿した「あやかしの鼓」が入選を果たす。十年がかりで書きあげ、三五年に刊行した『ドグラ・マグラ』は、日本の幻想小説・異端文学の世界に屹立する傑作として名高い。

小栗虫太郎
小説家（一九〇一—四六）。二七年「探偵趣味」に、織田清七名義の「或る検事の遺書」を発表してデビュー。オカルト趣味を含む衒学とアクロバティックな超論理による絢爛な雰囲気のミステリ『黒死館殺人事件』は、推理小説史上に輝く一大奇書である。そのほかの代表作に、伝奇小説『二十世紀鉄仮面』、秘境冒険小説を集めた短篇集『人外魔境』などがある。

チヒューマニズムにつながるものとして読んでいたんだね。だから『家畜人ヤプー』もそうだろうと思って、日本人が家畜になっている設定だとか、マゾヒズム的な描写などは、一種のファルスと受けとっていた。つまり、戦後民主主義を嘲笑する、あるいは安直なヒューマニズムを疑う――そんな小説として、ぼくは読んでいたんです。まさか、正真正銘のマゾヒストが本気で書いているとは思わなかったね。

牧　性的な興味から離れて読んでいた？

山田　うん。ぼくもまだ若かったから、そういう性的嗜好が理解できなかったというのもあるかもしれない。もっとストレートなものしか理解できない。団鬼六の『花と蛇』とか。

牧　恩田さんはいつ読まれましたか？

恩田　石森章太郎が『ヤプー』をマンガ化したものがありましたね。それが兄貴の本棚にあって、それをこっそりと……（笑）。

牧　それは何歳のころです？

恩田　小学校四年くらいだったかなあ。なんだかわからなかっ

団鬼六
小説家・脚本家（一九三一―二〇一一）。五七年「オール讀物」新人杯に「親子丼」が入選してデビュー。六二年から「奇譚クラブ」に連載した『花と蛇』が評判となり、官能小説の第一人者となる。

『花と蛇』
SM小説。六二年「奇譚クラブ」で連載を開始し、何回かの中断を経て六四年に完結。単行本化は七〇年。その後、加筆や再編集などを施しながら、いくつかの版が出版されている。現行本は幻冬舎アウトロー文庫（全十巻）。電子書籍もあり。七四年に谷ナオミ主演で映画化されて以来、幾度となく映画化されており、二〇〇五年にはゲーム化、〇六年にはアニメ化されている。

石森章太郎
漫画家（一九三八―九八）。デビュー以来「石森」の表記だったが、画業三十周年を機に「石ノ森」に改名している。五五年「漫画少年」連載

たですよ。やたら文字が多くて。

牧　エロチックだとは思わなかった？

恩田　それは全然なかったなあ。むしろ学術書みたいな感じでした。あるいは難しい純文学を、背伸びして読んでいるみたいな。ただ、「異様なもの」「アブナイものだ」という印象があって、それが刷りこまれていたことが、のちに原作を手にとるきっかけになったのかもしれない。小説の『ヤプー』を読んだのは、大学生になってからです。角川文庫版ですね。

牧　そのときもSFとして読んだわけではない？

恩田　SFとは思っていませんでした。やはり純文学ですかね。とにかく、ずいぶん難しい小説だな、というのが当時の印象です。途中はうわの空で、とにかく最後まで読んだという満足感だけでしたね。

山田　石森さんのマンガがあるの？　それは知らなかったな。いつごろ出たの？

恩田　かなり昔ですね。兄の家に行けば、私が読んだその本がまだ残っているはずだけど。

の『二級天使』でデビュー。以来、さまざまな分野の作品を発表。『サイボーグ009』『リュウの道』などSFも多い。石森版の『劇画　家畜人ヤプー』は七一年の都市出版社版が初刊で、現行本はポット出版。電子書籍もあり。

牧　一九七一年ですから、最初の単行本が出てからすぐにマンガ化されています。『劇画家畜人ヤプー』というタイトルで、版元は原作と同じ都市出版社ですね。

山田　なんで石森さんが描いたんだろう？

編　いまから思えば、石森さんの巧さが最高潮に達したころですよね。『佐武と市捕物控』の中期あたりで、あの作品にもセクシャルなシーンやアブノーマルな題材がありました。だから、『ヤプー』をマンガ化してもそれほど意外ということはありませんね。編集者もそこに目をつけて依頼したんじゃないかな。

恩田　『ヤプー』を読むと、たしかにこれはビジュアルにしたいと思う場面がいくつもありますね。

編　石森さんのあとを受けて、続篇をシュガー佐藤さんがマンガ化しています。また現在では、江川達也さんが新しいマンガ版『家畜人ヤプー』を「月刊コミックバーズ」で連載しています。

『佐武と市捕物控』
一九六六年「週刊少年サンデー」で連載開始し、断続的に九六年まで描きつづけられた作品。江戸を舞台に下っ引きの佐武と按摩の市が、さまざまな犯罪事件を解決していく。六七年度の小学館漫画賞を受賞。六八年にはTVアニメ化されている。現行本はちくま文庫。電子書籍もあり。

シュガー佐藤
漫画家（一九五三―　）。石森章太郎のアシスタントを務めたのちに独立。石森版『劇画　家畜人ヤプー』を引き継いで、『劇画　続・家畜人ヤプー　悪夢の日本史編』『劇画　家畜人ヤプー　快楽の超SM文明編』『劇画　家畜人ヤプー　無条件降伏編』の作画を担当。

江川達也
漫画家・TVタレント（一九六一―　）。八四年「コミックモーニング」に『BE　FREE!』を連載してデビュー。代表作は『まじかる☆タルるートくん』『東京大学物語』

●これはポルノグラフィではない

牧　『ヤプー』は、いつ読むかによって受け取り方が変わる作品だと思います。今回読み直されてみての印象はいかがです？

山田　いろいろな意味で、すごい作品だなと思ったね。あえて誤解を恐れずに言えば「不毛な情熱」に充ちている。小説というのは本質的にカラッポなもので、何かに捧げるために書くのだけど、ここまで自分の妄執に忠実なのはすごい。そのために膨大な時間を費やすなんて、なかなかできることではない。

編　他人のためではなく、ひたすら自分のためだけに書いていますよね。

恩田　これだけ長いことかけて、自分のための小説を書ききるというのは、うらやましい。とても楽しんで書いているのが、読んでいてわかるんですよ。

山田　それは感じましたね。ほんとに楽しかっただろうな。作品のなかで自分を説明しつくしているというか、書くことの快

など。江川版『家畜人ヤプー』は、二〇〇二年〜〇六年「月刊コミックバーズ」で連載。単行本は幻冬舎コミックス（全九巻、現在は品切れ）。電子書籍で入手可能。

楽を極めているよね。

牧　いまのお二人の発言は、創作者の立場からの感想ですよね。読者として見た場合は、いかがですか？

恩田　学生時代に読んだときは難しいと思っていましたが、改めて読んでみると、実にわかりやすい小説なんですよ。登場人物はみんな幸せになるしね。

牧　ヤプーにされてしまった麟一郎は、最初に不幸のどん底に突き落とされるのだけど、結局は最高の幸福を得る。

恩田　あれは、すばらしいハッピーエンドですよね。

山田　そうなんだ。本当は異端文学でもなんでもない。ただ、若いころに思いこみで読んでいたときのほうが、面白かったというのはあるね。

牧　というのは？

山田　この年齢になると、『ヤプー』で表現されているようなＳＭに関して理解できるし、共感できる部分もあるけれど、ぼく自身についてはそれはもう切実なものじゃないんだよね。終わっちゃっているなと思う。

恩田　私も、マンガ版を隠れて読んでいたときが、わからないなりにも、いちばん楽しんでいたかもしれない。

山田　いまは隠れて読む必要なんてないものね。

恩田　ものわかりのいい時代ですから。変態的なものが市民権を得てしまったし。

山田　言ってみれば『ヤプー』って、団鬼六のSF版だよね。ぼくが若いころは、団鬼六を読むのは反社会的な行為だった。ところがいまは団鬼六が大家と見なされている。そうなると、作品を読んでも興奮しない。『ヤプー』にも、同じことが言える。

恩田　だいたい、『ヤプー』という作品そのものが、ちっとも淫靡（いんび）じゃないですよね。実に健康的というか、あっけらかんとしている。

山田　作者の沼さんがムラムラした情熱をもって書いているのはわかるけれど、読者にとって官能的なものはないよね。

恩田　ポルノというよりも、ユーモア小説と言ったほうがいいですよ。

牧　ヤプーの立場からすれば、白人から虐げられてもマゾでもなんでもなく、それがあたりまえなんですね。

恩田　宗教ですものね。帰依したものの心の安息であって、性的な興奮はない。

牧　倉橋由美子が書評で「日本民族をヤプー化することにマゾヒズムの快感があるとは考えられない」と言っていますよね。沼正三はそれに対して「マゾヒズム心理の観念性への認識不足」と反論している。しかし、沼さんの観念性は、快感や淫靡という境地をとうに逸脱していますね。

●『月光の囁き』との比較

山田　ところで、サドとかマゾとか民族全体がそうだったら、はたして成立するんだろうか。それは一種の制度になっていて、毎日会社に行くのと変わりなくなってしまうような気がする。

恩田　それって、つまんないかも。

編　きっと、民族すべてがマゾという発想自体が、ものすごく飛んでいるんですよ。マゾヒズムというのは本来的に、サディズムよりもずっと個人的なものなんです。変態のなかでも、いちばんワガママなのがマゾだっていいますからね。マゾは欲望がハッキリしている。踏んでくれ、鞭で打ってくれ、ああしてくれこうしてくれ……。サドの場合は、やりすぎてしまうと人体破壊に至ってしまうからブレーキをかけるんですが、マゾはそれがない。だからSMの女王はタイヘンだっていいますよ。

山田　マゾがワガママというのは、喜国雅彦さんの『月光の囁き』を読むとよくわかるね。

倉橋由美子
小説家（一九三五―二〇〇五）。大学院在学中の六〇年、大学新聞に短篇「パルタイ」を発表。これが文芸誌に転載され芥川賞の候補となる。その後、『聖少女』『スミヤキストQの冒険』など、反現実を描いた作品で注目を集める。『アマノン国往還記』で泉鏡花文学賞を受賞。そのほかの代表作に『シュンポシオン』『大人のための残酷童話』などがある。

喜国雅彦の『月光の囁き』
一九九四年〜九七年「週刊ヤングサンデー」で連載された漫画。剣道部員のマゾ少年と、おなじ剣道部員の美少女の恋愛を描く。初刊は小学館ヤングサンデーコミックス。のち小学館文庫、双葉文庫に収録されたが、いずれも現在は品切れ。電子書籍で入手可能。九九年に映画化。作者の喜国雅彦は漫画家（一九五八― ）。もっぱらギャグ漫画で知られるが、この作品は非ギャグ作品。

恩田 あれは良い作品ですよね。切なくて好きだなあ。
編 山田さんは男の子のほうに感情移入して読むんですか？
山田 うん。痛そうだけどね（笑）。
恩田 私は女の子のほうだな。「自分の好きな相手がこんなんだったらどうしよう……」って思いながら。
編 山田さんはどちらかというと、マゾ的でしょうか？
山田 うーん。両方あると思うよ。
編 サドの山田さんって、ちょっと想像がつきませんが……。
山田 いや、あくまで観念的な問題だから。縛ったり縛られたり、どちらも想像がつくし、ムラムラする。でも、どっちかというとマゾのほうかな。
恩田 うん、そう思う（笑）。
山田 そう言われても困るけど（笑）。でも、まあ、せっかくみんながそう言ってくれるんだったらマゾでいいや（笑）。だけど、ここだけの話だよ。妻や娘には内緒にしてほしい（笑）。
恩田 山田さんは女王様にかしずきたいと思いますか？ 踏まれたいとか……。
山田 痛いのはイヤだなあ。ぼくは、女王様よりも、不実な恋人がほしい。
恩田 振りまわされたい？

山田 うん。振りまわされたい。

恩田 じゃ、若くてもいいんだ。タイプでいうと、深キョンあたり？

山田 えっ、なんで深キョンなの？

恩田 だってこの前、「深田恭子っていいね」って言ってたじゃないですか。

山田 そうだっけ？ でも、不実な恋人っていうのなら……広末涼子かなあ。

恩田 広末はファム・ファタルな感じがしますね。

山田 あの人だったら、引っかきまわされてもしかたないなって思うよね。ミステリアスに見えて、実際には中身はカラッポで、何も考えていないみたいだし。オレがこんなに思っているのに、電話もかけてこないで……(笑)。

恩田 広末だったら女王様にもなれそう。思うぞんぶん、踏みつけてもらえるじゃないですか。

山田 たはは……(笑)。

牧 だんだんと、編集部が狙ったとおり、アブノーマルな魂の解放へと向かいつつあるなあ(笑)。

山田 恩田さんはどうですか？ 振りまわされたい、それとも振りまわしたい？

恩田 私は、従順な癒し系がいいなあ。さりげなくお茶を淹れてくれて、「鍋焼きうどんでも作ろうか？」なんて言ってくれる。それで肌がキレイな人がいいな。

編　ダメですよ。それって、ぜんぜんアブノーマルじゃないですよ。

牧　ノーマルでいいんだって、別に（笑）。

編　恩田さんは、サドとマゾのどちらですか？

恩田　どっちかなあ。両方とも心情的にはわかるけど、プロパーにはなれないってとこですね。プロパーになれない悲哀を感じます。

山田　『月光の囁き』を読むと、プロパーになって、愛を貫きとおすのもいいと思うんだけど、自分はどうやったってそうはなれない。『月光の囁き』では、二人のあいだで世界が完結しているよね。

牧　『ヤプー』の場合は、クララと麟一郎の関係はあるにしても、全体として見ると、個と個の問題はあまり重要視されていませんよね。

●ヤプーに感情移入できるか

山田　さっき、異端文学やアンチヒューマニズムの話をしたけれど、そうしたものが流行っていた時期に、澁澤龍彦さんあたりがずいぶんと力を注いで、海外の先鋭的なポルノグラフィを紹介しているんだ。たとえば、ポーリーヌ・レアージュの『O嬢の物語』や、ジャン・ド・ベルグの『イマージュ』といった作品。マゾヒズムや隷属をテーマとしていても、これらと『ヤプー』とはだいぶ違う。

牧　『O嬢の物語』は淫靡ですよね。いわゆる実用的なポルノグラフィではないけれど、マゾヒズムの快感がひしひしと伝わってくる。

山田　それは『O嬢の物語』が不条理だから。愛する人がいて、その人とつきあっているうちに、わけのわからない性愛の世界に連れこまれてしまう。自分の意思に反して堕ちていく。それが淫靡なんだ。それに対して『ヤプー』はすべて理屈がつくんだよね。白人は神様であり、ご主人に仕えるのは使命である、と納得ができる。

牧　『ヤプー』が特殊なのは、作者のきわめて個人的な嗜好性に忠実に書かれながらも、読者に響くのはエモーショナルな部分ではないという点ですね。頭で理解して楽しむ小説ですよね。

山田　ヤプーに感情移入して読める人もいるかもしれないけれど、それはマゾヒストのなかでも一部だという気はするね。

牧　でも、感情移入はないとしても、あの未来社会で白人女性が享受している快適さはいいなと思いませんか？　便利な家具

澁澤龍彥
小説家・評論家・翻訳家（一九二八―八七）。五四年にジャン・コクトー『大胯びらき』の翻訳を上梓。サド『悪徳の栄え・続』が性表現を理由に発禁処分となり、翻訳者の澁澤も「サド裁判」の被告となる。幻想文学や異端思想、耽美主義の紹介者として活躍。創作も手がけ、短篇集『唐草物語』で泉鏡花文学賞を、『高丘親王航海記』で読売文学賞を、それぞれ受賞。

ポーリーヌ・レアージュの『O嬢の物語』
一九五四年刊の作品。女性カメラマンのOは、恋人ルネの導きによって、複数の男たちの性的玩弄物となる。七五年に映画化。澁澤龍彥が翻訳を手がけ、現在は河出文庫に収録されている。電子書籍もあり。作者ポーリーヌ・レアージュの正体は隠されていたが、九四年にフランスの翻訳家ドミニク・オーリー（一九〇七―九八）が自分がレアージュだと告白した。

に囲まれて、社会的にも解放されている。

恩田 うーん、ぜんぜんうらやましいとは思わないなあ。だって、あの人たちにとってはあたりまえの生活だもの。

山田 きっと快適だという意識すらないと思うね。

恩田 いちばん幸せなのはヤプーですよ。

山田 とくに麟一郎だよね。まったく違う世界から入ってきて、結局は、自分からヤプーであることを選べたのだから。

恩田 ジョン・バニヤンの『天路歴程』のような、信仰の絶対性に至ったわけですよね。

牧 そうした意味では、ちゃんと感情移入ができる小説ということですか？

山田 うーん。やっぱり、ぼくは麟一郎の立場はイヤだな。痛そうだもの（笑）。

●花柳界におけるヤプー選び

恩田 ところで、今回『ヤプー』を読んで、この読後感は何か

ジャン・ド・ベルグの『イマージュ』
一九五六年刊の作品。ふたりの男がひとりの女を性的に調教する、奇妙な三角関係の物語。邦訳は角川文庫、ハヤカワ文庫NV、河出文庫、ベストセラーズ（後二者での作者名表記はジャン・ド・ベール）などがあるが、いずれも現在は品切れ。電子書籍で入手可能。作者ジャン・ド・ベルグは謎の作家とされてきたが、のちにフランス現代文学の重鎮アラン・ロブ=グリエの妻カトリーヌであることが明らかになった。作品を発表したのは結婚前である。

ジョン・バニヤンの『天路歴程』
「破滅の町」に住んでいた男が、「虚栄の市」などを経て「天の都」にたどりつくまでの遍歴を描く寓意物語。第一部が一六七八年に、第二部が一六八四年に出版された。邦訳は新教出版社、キリスト新聞社。作者ジョン・バニヤンはイギリスの聖職者・文学者（一六二八―八八）。

に似ているなとずっと考えていたんです。ここに来る電車のなかで、ハッと思いいたりました。いま巷でベストセラーになっている本です。

一同　？？？

恩田　岩崎峰子の『祇園の教訓――昇る人、昇りきらずに終わる人』に似ているんですよ。『祇園の教訓』というのは、いかにいいヤプーを選ぶかの指南本なんですね。

牧　それはコワイなあ。

恩田　『家畜人ヤプー』に描かれる未来の白人社会は、ヤプーに依存しているんだけれど、自分たちはヤプーよりも絶対的上位にあると思っていますよね。その感じが、『祇園の教訓』の花柳界にそっくりなんです。

山田　芸妓さんが白人女性で、遊びにくる男はみなヤプーってわけか。

恩田　『祇園の教訓』では、このお客は出世するだろうかとか、人間の価値はどんなところにあるかを、冷ややかな視点で書いている。そして、「お客さんと寝たりはしない。だってしょせ

岩崎峰子の『祇園の教訓――昇る人、昇りきらずに終わる人』　二〇〇三年刊のノンフィクション。花柳界で活躍した著者が、お座敷に集った「一流人」を語る。初刊は幻冬舎。のちにだいわ文庫に収録されたが、現在は品切れ。作者の岩崎峰子は「京都・祇園甲部」の元ナンバーワン芸妓（一九四九―　）。

ん、『お客さん』だから」と明言している。全く異なる種族である、と。高級クラブに行って楽しいという人は、多分にマゾヒストの資質があるんでしょうね。

山田 そうか。お客がマゾなのか。

恩田 それが正しい日本文化なんです（笑）。

●日本人論としての『ヤプー』

編 日本文化ということで言えば、『ヤプー』は戦後文学の構造を備えた作品ですよね。

山田 たしかにテーマ的には共通するね。

牧 敗戦によって揺らいだ日本人のアイデンティティをどう収めるか。しかし、『ヤプー』は思想的に立ちむかってはいません。ひたすら趣味的というか……。

恩田 戦後文学的なところは、つけたしですよ。そうやると、よりマゾな気分になって楽しいから。あくまでもオカズです（笑）。

山田 戦後文学だと、捕虜収容所に閉じこめられているとき、目の前で白人の女性が平気で着替えをしていて辛かったというのがあるけれど、マゾヒストの感覚だとそれが嬉しいわけだからね。

恩田 『ヤプー』というのは、日本人論的な意味づけをしようとすればできるように書かれているんだけど……。

山田　それは二の次なんだ。

恩田　それより自分の楽しい世界を描こうというのが強い。随所にそれが滲み出ている。そこが面白いんです。

牧　恩田さんはマゾ気分のオカズと表現されたけれど、いつの時代に読むかで『ヤプー』の味わいが微妙に変わってくる気がします。「奇譚クラブ」連載時は、敗戦と進駐軍占領の記憶がまだ生々しいころです。はじめて単行本になったのは、高度成長の真っ只中。続篇が発表されたのは、バブル経済が崩壊しはじめたころ。そのときどきの日本のありさまを、『ヤプー』の世界に投影することができる。

恩田　そういう意味では、いまはマゾ的にいいかも。

山田　小泉政権に裏切られながらも、それでもまだついていっているものね。アメリカの言うがままに引きまわされて、意気地がない国と思われても、そのままだし。それどころか、もっともっと、と身もだえている。いまアニメの世界では、かっこいい登場人物は白人ばかりで、あれはオカシイじゃないかという批判もされている。しかし、そんな映像にしか感情移入できないとしたら、ヤプーの心情に通じるものが、ぼくたちのなかにあるのかもしれない。

恩田　すてきなご主人様ならば進んで隷属しますという気持ちは、いまの日本人にあると思いますね。どこかで滅私奉公できる対象を求めていますよね。

山田 だけど『ヤプー』は、日本人を批判したり、嫌悪しているわけではないよね。むしろ日本人に淫しているような気がする。

恩田 そうですね。日本人の美徳をしっかり押さえたうえで書いている。

山田 作者は日本人を愛していて、愛しているがゆえに虐めたくなるという感じかな。

●ハードSF？　ユートピア小説？

編 ところで一九七〇年に『ヤプー』の単行本が出たとき、SF界としてはどんな受け止め方がされたのでしょうか？

牧 単行本になるまでは、『ヤプー』という作品が存在していること自体、SF界ではほとんど知られていなかったと思います。ただ石川喬司さんは、SFだけではなく文学一般に目配りがきく方なので、三島由紀夫や奥野健男がこの作品を評価して

石川喬司
小説家・文芸評論家・競馬評論家（一九三〇―　）。新聞記者として活躍しながら文筆活動をはじめ、六二年「SFマガジン」に短篇「岬の女」を発表。《夢書房》シリーズなど独特の幻想性を湛えた作品で知られる。SFおよびミステリの書評や解説も手がけ、「日本SF界のスポークスマン」と目される。『SFの時代』で日本推理作家協会賞を受賞。

奥野健男
文芸評論家（一九二六―九七）。大学在学中の五二年「大岡山文学」に「太宰治論」を発表し、注目される。五八年に吉本隆明らと「現代批評」を創刊し批評活動を展開。SFやミステリにも理解が深かった。一九九五年に紫綬褒章を受章。没後に勲四等旭日小綬章。

いることや、過去にも単行本化の動きがあった事情を知っていたでしょうね。単行本が出たときも、「SFマガジン」の書評欄で大きく取りあげています。福島正実さんも「読書人」に書評を寄せているそうです。現物を確認していないのでなんとも言えませんが、福島さん自身、内面や感情を起点とするSFの書き手だったので、『ヤプー』への共感はあったのではないでしょうか。また、伊藤典夫さんが『ヤプー』を高く評価していますね。「SFマガジン」に連載していたエッセイ「エンサイクロペディア・ファンタスティカ」のなかで、その年度の星雲賞に触れて「日本の長編部門で、沼正三の『家畜人ヤプー』が受賞したらスバラシイと思う。しかし、だめだろうなあ」と述べています。

山田　それはどういう意味なんだろう?

牧　星雲賞の発足は一九七〇年。立ち上げにあたって、伊藤さんは相談役のような立場で関わっていました。第一回の受賞は、日本長編が筒井康隆さんの『霊長類南へ』、海外長編がJ・G・バラードの『結晶世界』、日本短編が筒井さんの「フル・

星雲賞
年次の日本SF大会参加者の投票によって選ばれる賞。一九七〇年よりはじまり、当初は「日本長編」「日本短編」「海外長編」「海外短編」「ドラマ」の五部門だったが、その後いくつかの部門が新設され現在にいたっている。

『霊長類南へ』
一九六九年「プレイボーイ」で連載、同年単行本化された作品。ひょんなきっかけで、人類全体が核戦争に陥り、バカバカしく破滅していくさまを描いたスラップスティックSF。初刊は講談社。現行本は角川文庫。電子書籍もあり。

J・G・バラード
イギリスの作家(一九三〇—二〇〇九)。五六年「サイエンス・ファンタジイ」に「プリマ・ベラドンナ」を発表してデビュー。六〇年代初頭より、既存のSFの枠組みにおさまらない実験的な作品を発表しはじめ、「ニューウェーヴ」運動の旗頭となネルソン」、海外短編がトマス・M・ディッシュの「リスの檻」。すべてが先鋭的な作品という結果で、ニューウェーヴ推進派の伊藤さんも、ちょっと意外だったようです。さて、『家畜人ヤプー』は第二回の星雲賞の対象範囲に入るわけですね。伊藤さんは『ヤプー』を評価しつつ、ファン投票の星雲賞では受賞は難しいだろうと思っていた。つまり筒井、バラード、ディッシュ以上に、『ヤプー』は先鋭的なんですね。先鋭的というよりも、SFファンに広くアピールする作品ではないということかもしれません。

山田　でも、この作品は構造的にはハードSFなんだよ。ヤプーというアイデアをとことん突きつめていって、架空世界を論理的に築きあげているのだから。

牧　ヤプーは資源であり、それを活用するテクノロジーが重要となる。しかし、ストーリーを中断して、いちいち説明が入るところがすごい。ぼくは中学生ではじめて『ヤプー』を読んだのですが、なんてムチャな語り方をするんだとビックリしましたね。未来社会を次々に読者に見せていくのが主眼で、物語性

る。代表作に『結晶世界』『残虐行為展覧会』『クラッシュ』『太陽の帝国』など。

『結晶世界』
一九六六年刊の作品。アフリカの森で発生した結晶化は、あらゆる時間が枯渇していく宇宙的な現象だった。従来の破滅テーマとは異なり、バラードは変容する世界に「精神的ゴール」を見出している。『沈んだ世界』『旱魃世界』とともに三部作をなす。邦訳は創元SF文庫。

「フル・ネルソン」
一九六九年「SFマガジン」に発表された短篇。大学の研究室らしい場所で、教授や助手、学生たちが得体の知れない実験をおこなっている。技術用語をまじえた省略の多い発語や、日常的で曖昧な指示語や形容など、全篇が会話だけで綴られた、実験的な作品。七〇年発行の《ハヤカワ・SF・シリーズ》版『馬は土曜に蒼ざめる』に収録されたのち、いくつかの作品集に収められた。現在

はつけたしになっている。ヒューゴー・ガーンズバックの『ラルフ124C41+』みたい。

恩田　ここに描かれているのはユートピアですよね。ご主人も奴隷も家畜も、みんな幸福な世界。こうなったら平和だろうなと思ってしまう。その洗脳力がオソロシイ（笑）。

●マゾ的理想の女性像

山田　しかし、ちょっと不思議なのは、これだけの長さがあるのに、ヤプーの女性の心境がほとんど書かれていないことだね。

牧　白人女性を妊娠・出産から解放する「子宮畜（ヤプム）」という女性ヤプーは登場しますが……。

山田　せいぜい、それくらいだよね。男性ヤプーは手を替え品を替え描かれているのに。

恩田　きっと作者が興味ないのでしょうね。女性のマゾの気持ちがわからないのかも。

山田　そういえば、クララというヒロインもよくわからないよ

は『日本SF傑作選1　筒井康隆　マグロマル／トラブル』（ハヤカワ文庫JA）で読める。

トマス・M・ディッシュ　アメリカの作家（一九四〇―二〇〇八）。六二年「ファンタスティック」に短篇を発表してデビュー。ニューウェーヴ運動に共感して、先鋭的な作品を発表していった。代表作に『人類皆殺し』『キャンプ・コンセントレーション』『歌の翼に』『ビジネスマン』などがある。

「リスの檻」　一九六六年「ニュー・ワールズ」に発表された短篇。理由もわからずに、ひとつの部屋に閉じこめられた男の手記のかたちで語られる不条理SF。邦訳は、日本で独自に編集された短篇集『アジアの岸辺』（国書刊行会）に収録されている。

ヒューゴー・ガーンズバック　ルクセンブルクに生まれ、アメリカにわたった出版者・編集者・小説家

ね。最初は麟一郎のことを愛していて、彼のために未来社会に行くんだけど、すぐに彼をヤプーと見なして蔑(さげす)んでしまう。

恩田 まるで、手のひらを返したように。

山田 そうなんだ。徐々に変わっていくのではなく、いきなり変わる。

恩田 そのあたりリアリティがないと言えるかもしれませんが、マゾヒストである作者にとっては理想なんでしょうね。

●葛藤(コンフリクト)の不在

編 ふつうの意味で言えば、『ヤプー』は決して巧い小説ではないですよね。その点は気になりませんか?

山田 それは平気。だって、巧い巧くないが問題になるような作品ではないから。情熱のすごさで読ませる。

恩田 吸引力というか、艶(つや)がありますよね。

山田 あそこまで説明しきってしまうというのは、SFとしてはヤボなんだけれど、それを臆面もなく延々とやってしまう。

(一八八四—一九六七)。二六年に世界最初のSF雑誌「アメージング・ストーリーズ」を創刊。同誌を舞台に、数多くのSF作家が世に出ている。現在もつづいているファン投票による年次SF賞「ヒューゴー賞」は、ガーンズバックの名前に由来する。

『ラルフ124C41+』
一九一一年、ガーンズバック自身が発行していた科学雑誌「モダン・エレクトリックス」に掲載されたSF。天才発明家を主人公に、二六六〇年の世界と科学技術が描かれる。邦訳は早川書房『世界SF全集4』に収録(現在は品切れ)。

読んでいるほうにも、小説の完成度なんてどうでもいいと思わせてしまう力がある。

牧　先ほど恩田さんがおっしゃったように、『ヤプー』の世界は誰もが幸福なユートピアなんですね。作者もそう明言している。そのため、ストーリーを支える葛藤(コンフリクト)がなく、たんたんと語られていく。唯一、過去から攫(さら)われた麟一郎だけが、日本人としての誇りを選ぶべきか、ヤプーとしての生き方を選ぶべきかで、気持ちを揺らすけれど、それも予定調和的に解消されてしまいます。

恩田　かつての恋人だったクララから、「ヤプーとして私に仕えるのではなく、過去に戻って人間として暮らしなさい」と言われても、「いえ、ぼくはここに残ります」と答える。

山田　そこで一波乱あると、また違った話になったんだろうけどね。たとえば、クララに「帰れ!」と命令されているのに、「どうかここに居させてください」と麟一郎がすがりつく。

牧　それは、けっこういいかも。

山田　そうなると、恋愛小説になるじゃない。結末はともかくとして、途中の展開についても、もともとの構想では、いろいろと考えていたんでしょ?

恩田　麟一郎が反体制勢力に連れだされて、抗争が繰りひろげられる——というプロットですよね。

山田　そっちのほうも読んでみたかったな。

恩田 いや、そうならないから面白いんですよ。まったりと平穏に進んでいく。

牧 物語の最後では、これから麟一郎がヤプーとしてさまざまな活躍をすることが匂わされていますが。

恩田 あれはそう書いているだけで、実際に作品化しようという気は、はなからないでしょうね。あの結末は、どうしたってあれしかないと思います。

●これは奇書ではない

山田 『ヤプー』は特異な作品だけど、よくいわれる奇書という形容は、ちょっと違うと思うな。

編 奇書としてよくあげられるのは、夢野久作の『ドグラ・マグラ』、小栗虫太郎の『黒死館殺人事件』、中井英夫の『虚無への供物』あたりですか。

恩田 そこらへんとくらべると、『ヤプー』はぜんぜんイメージが違いますね。天真爛漫な素直な小説ですから。ただ、三島

『ドグラ・マグラ』
一九三五年刊の作品。精神科の独房に閉じこめられた記憶喪失の男の視点で語られていくが、本人の意識が正常とはかぎらず、物語は錯綜をきわめる。胎児が数十億年の万有進化の悪夢をみているという論文「胎児の夢」や、精神病院の恐ろしさを歌った歌などが挿入され、小説の結構としても破格な、空前絶後の奇書。初刊は松柏館書店。戦後は早川書房／世界探偵小説全集（ポケット・ミステリ）、現代教養文庫、角川文庫、ちくま文庫／夢野久作全集などに収録されたが、いずれも現在は品切れ。電子書籍で入手可能。

『黒死館殺人事件』
一九三四年「新青年」で連載、翌年単行本化された作品。名探偵・法水麟太郎が、豪壮を極めたケルト・ルネサンス様式の城館「黒死館」で起こる奇怪な連続殺人事件に挑む。舞台設定の異様さに加え、全篇にわたって神秘主義・占星術・異端神学・医学・紋章学・心理学・犯罪学・暗

由紀夫がこれを絶賛したのはわかる。こんなにやりたいことやりやがって、うらやましいと（笑）。

編　オレは我慢しているのに（笑）。

山田　ただ、『ヤプー』のように、やりたいようにやるのは、ものすごい体力が必要だよ。ぼくにはとても真似ができない。

恩田　沼さんがいちばん楽しんで書いたのは、きっと注釈の部分でしょうね。

山田　文章の途中にわざわざ割り注を入れて、参照箇所を示したりね。あと、語呂合わせを一生懸命さがしたり。

恩田　きっと未来社会で使われる英語やヤプー語の語呂合わせをずうっと考えているんですよ。パッと思いつくと「おお、これも合うじゃないか！」と感激する（笑）。

牧　そこらへんをどう評価するか、意見が分かれるところですね。ペダントリーを尽くしているけれど、基本的には駄洒落なんだし。

恩田　そうそう。中学生が自作のマンガを授業中にまわしているような感じで、そこが楽しいんですけど。

号学などのペダントリーが披露され、幻惑的な小説空間が構成される。初刊は新潮社。現行本は河出文庫。電子書籍もあり。

中井英夫
小説家（一九二二―九三）。六二年、江戸川乱歩賞に『虚無への供物』の前半部分を応募するが次席にとどまる。六四年に同作品を完成させ、塔晶夫名義で刊行。この作品は、しだいにアンチミステリの傑作として高く評価されるようになる。その後も硬質な幻想小説の書き手として活躍。『悪夢の骨牌』で泉鏡花文学賞を受賞。

『虚無への供物』
一九六四年刊の作品。目白の氷沼邸で続発した密室殺人を描き、謎解きミステリとして物語は進行するものの、函館の大火、広島の原爆、洞爺丸の沈没など氷沼家を被う「無意味な死」の因縁や、同家の滅びを予言するような手紙などがからみ、非現実的な様相を呈していく。初刊は講

牧　奥野健男も都市出版社版の解説で、「万葉集と外国語のこじつけなど、そういう遊びが過度のためこの小説はかえって素人っぽく、感興を阻害する」と指摘し、「芸術的にはまだ未熟」と言っています。

山田　そんなこと言ってもねえ。だって、芸術を書こうとしているんじゃないもの。そもそも「奇譚クラブ」という発表舞台からして、芸術と離れたところにあるわけで。

恩田　一見ムダに思える注釈があるからこそ、この作品は楽しいんですよ。なんでもかんでも取りこんでしまって……一種の伝奇小説ですよね。

談社（塔晶夫名義）。現行本は講談社文庫。電子書籍もあり。

●『ヤプー』を継ぐ者

編　『ドグラ・マグラ』や『黒死館殺人事件』は、後世の作品に大きな影響を与えましたよね。『ヤプー』にはそうしたことってあるのでしょうか？

山田　インパクトはすごく強いけれど、それに触発されて、あとに続く作品が書かれるというタイプではないよね。適当な例かどうかわからないけれど、プルーストの『失われた時を求めて』に似てるかもしれない。作者はすごく打ちこんで書いているんだけれど、その世界があまりにパーソナルなものなので、そこで完結してしまう。

恩田　いま『ヤプー』的な作品を書いてほしいのは、西澤保彦さんですね。

山田　そうか。西澤さんなら、あの世界に馴染(なじ)むだろうね。彼は『両性具有迷宮』でもわかるように、常識的な性愛とは違った関係性を扱えるしね。しかも、奇想天外なことを論理的に説明する力も持っている。性的なるものへの貪欲な探求心、女性なるものへの興味、執拗な論理性、奇想天外な状況を創造する力業(ちからわざ)……そうか、そうか、西澤さんなら書ける。西澤さんには森奈津子さんという師匠がいらっしゃるし。

恩田　そうですよ。平成の『ヤプー』を論理的に、なおかつ正しい理解と情熱をもって書けるのは、西澤さんしかいない。

プルーストの『失われた時を求めて』
一九一三年～二七年に発表された大長篇（後半は作者死後の刊行）。フランス社交界の明暗を描きながら、記憶の作用や時間のありかたなど世界認識にかかわるテーマを秘めている。邦訳は、集英社文庫、岩波文庫、光文社古典新訳文庫。電子書籍もあり。また、角田光代による縮約版も（新潮社）。マルセル・プルーストは、フランスの小説家（一八七一―一九二二）。

西澤保彦
小説家（一九六〇―　）。九五年『解体諸因』を上梓してデビュー。時間のループにとらわれた少年が祖父の死を止めようとする『七回死んだ男』、そのなかでは玉突き式に人格が入れ替わってしまう装置と連続殺人事件をからめた『人格転移の殺人』など、SF的設定と本格ミステリを融合させた作品で知られる。

●妄執拡大装置としてのSF

牧　SFというのは「相対思考の文学」だとよくいわれますよね。しかし、『ヤプー』を読むと、別の側面も見えてくる。作者のパーソナルなこだわりを拡大する機能です。つまり、未来の白人支配社会というSFの設定があるからこそ、沼正三のマゾヒズムが具体的で精緻なものとして表現できる。そうしていったん形を得た架空世界が、さらに情念を引きだしていく。まるで増幅回路です。

恩田　『ヤプー』は、SFとしてすごく成功していると思いますよ。先ほども言いましたが、あの未来社会はユートピアとして完成しているんです。読んでいて「そうだよね、これが正しい社会だよね」って思える。

山田　沼さんの場合は、自分の嗜好が特殊だと認識したうえで書いているから、世界に説得力を持たせることができるんだよ。そこを踏み外してしまうと、SFとして成立しないと思うな。

『両性具有迷宮』
二〇〇二年刊の作品。『なつこ、孤島に囚われ。』につづく《森奈津子》シリーズ第二弾。コンビニで買い物をしていた女性たちを怪しい爆発がおそい、彼女たちの股間に男性器が生えてしまう。そのうちのひとり、百合作家・森奈津子はその状況を喜々として楽しんでいたが、ほかの女性たちは次々に殺されていく。初刊は双葉社で、のちに双葉文庫に収録されたが、現在は品切れ。

森奈津子
小説家（一九六六―　）。九一年『お嬢さまとお呼び！』でデビュー。レズビアニズムを中心とした性愛テーマにこだわり、官能小説やSFなどで活躍。代表作に『西城秀樹のおかげです』『からくりアンモラル』『電脳娼婦』『耽美なわしら』『踊るギムナジウム』などがある。

牧　晩年のロバート・A・ハインラインやフィリップ・K・ディックは、どんどん踏み外す方向へ行ってしまいましたが。

恩田　沼正三という作家は、自分を客観視しながらも、とことん趣味性に徹して作品を書ける。やっぱり異能の人ですよね。

編　恩田さんも、趣味に突っ走って作品を書きたいという欲求はありますか？

恩田　ありますね！　辻褄（つじつま）が合わないとか、視点が変わるとか、普段つつかれているところを無視して、何も気にしない小説をダラダラと書いてみたい！

●先入観は無用

牧　読者のなかにも、まだ『ヤプー』を読んでいないという方がいらっしゃると思います。お二人は、この作品を推薦しますか？

山田　ぜひ読んだほうがいいですよ。『ヤプー』は、はじめて単行本になったころから、とかくアンダーグラウンドなイメー

フィリップ・K・ディック　アメリカの小説家（一九二八―八二）。五二年「プラネット・ストーリーズ」に「ウーブ身重く横たわる」を発表してデビュー。初期はトリッキイな短篇を量産していたが、六〇年代に入ると、ヒューゴー賞を受賞した『高い城の男』など、現実崩壊を扱った観念性の強い作品を発表するようになる。そのほかの代表作に、『火星のタイム・スリップ』『アンドロイドは電気羊の夢を見るか？』『ヴァリス』などがある。

ジがつきまとっているけれど、実際はそんなことはない。誰でもすんなり読めるSFです。マゾヒストじゃなくても……というより、マゾヒストじゃないほうがかえって入りこみやすい世界だよね。

牧　先入観抜きで読んでほしいと。

山田　裏返しの権威主義ってあるじゃない。「オレはこんな異端なものもわかるんだぜ」みたいな。むかしはそんなスノビズムで『ヤプー』を読んでいる人がけっこういたけれど、いまはそんな時代じゃない。

恩田　ぜんぜん難しい小説じゃないですからね。小説のつくりはプリミティブなんだけれど、それでこれだけのボリュームを書きとおすところがすごい。作者が楽しんで書いているのが、読者にも伝わってきて、幸せな気分になれる。

山田　現行の文庫版は五分冊になっているから、とりあえず第一巻を買って読んでみて、面白かったら次を買ってもいい。ストーリーは複雑ではないし、小説のテンションは前半のほうが高いから、第一巻だけでもこの作品の真価はわかると思う。

編　本日は、『ヤプー』にかぎらず、いろいろと興味深い話をうかがえました。どうもありがとうございます。

司会・構成／牧眞司

小松左京『果しなき流れの果に』

ハルキ文庫

初出　SF Japan vol.10 2004 WINTER

果しなき流れの果に

火山弾に追われ、逃げまどう剣竜をティラノザウルスが狩る。その暴君の食事を、けたたましい、規則的な響きがさえぎる。断崖の裂け目の奥で鳴っている音。それは、一個の、奇妙なかたちをした金色の電話器だった。

舞台は変わって現代。若い物理学者の野々村は、研究室の大泉教授と、その旧友である歴史学者の番匠谷教授から奇妙な砂時計を見せられる。中央の細いくびれを通して落ちる砂は、いくらたっても減らない。そして下にたまる砂も増えないのだ。その四次元砂時計は、和歌山県葛城山の古墳から出土したのだという。

調査に乗り出した野々村だが、謎を解明できぬまま、時速七十キロで走るタクシーから忽然と姿を消してしまう。野々村の恋人である佐世子は、葛城山麓の親戚に身を寄せて、彼の帰りを待ちつづける。時代は流れて二十一世紀になり、年老いた彼女のもとに、記憶を失った老人があらわれる。

さらに物語はめまぐるしく舞台を移していく。

太陽嵐によって人類が滅亡に瀕したとき、数千隻からなる異星の宇宙船団が出現し、救いの手をさしのべる。人類はその申し出を受けるが、じつは宇宙生命種を管理するための「選別」作業だった。その責任者である上位階梯の知性体アイは、人類の一部が別の組織によって奪取されていることに気づく。宇宙生命進化を管理する体制に対し敢然と反旗をひるがえすルキッフという存在。その配下には破壊工作を行うNという人物がいた。

アイは、進化の試練をくぐり抜けた地球人の松浦と意識を融合し、アイ・マツラとなる。一方、松浦の子を宿した恋人エルマは、ルキッフ一派が連れさった。時空をめぐる逃避行のすえ、彼女は太平洋戦争末期の日本に逃れ、焼夷弾が降りそそぐなかで、赤ん坊をひとりの女性に託す。その女の名は野々村といった。

アイ・マツラは直径八百億光年の宇宙の、あらゆる可能性の結節点に網を張り、叛逆者たちを追いつめていく。ルキッフを捕らえ、その後継者であるNも追いつめる。アイ・マツラはN——野々村の行動原理を知りたいという、自分でも説明のつかぬ情熱にとりつかれていた。その追跡は、時間を超え、パラレルワールドにまたがり、ついには階梯概念が定めた「掟の壁」すらも破ってしまう。アイ・マツラは野々村の意識を吸収し、そこで松浦と野々村が父子であったことが明らかになる。

いまやひとつに形象化した意識が、宇宙の究極へと上昇していく。そこで、超意識の階梯の「上」に、未完成ながら〝宇宙の脳〟ともいえる存在が形を取りはじめているのを知る。

燃えつきたアイの意識は、五十年前にアルプスで発見されて以来眠りつづけていた東洋人の身体のなかに蘇生した。ときは二十一世紀初頭。その老人は、身元不明のまま日本に送られ、おぼろげな記憶をたどって、葛城山に行き着く。そこにはひとりの老女が待っていた。

〈牧〉

編　今回は、小松左京の『果しなき流れの果に』です。この作品を選んだのは、山田さんが『ハイペリオン』の日本版を構想されているとお聞きしたのがきっかけです。『ハイペリオン』はダン・シモンズが書いた壮大なスケールと複雑な構成の作品で、それまでに書かれたさまざまなSFのアイデアやモチーフを集大成した趣がある。山田さんがお考えになっているのは、過去の日本SFの名作へのオマージュということで、それは面白いなと思いました。で、日本SFの名作といえば、まず、この作品だろうということで、『果しなき……』を取りあげました。司会は牧眞司さんにおねがいします。

牧　『果しなき流れの果に』は、SFのベスト選びをすると必ず上位にランクされますよね。すでに発表から四十年近くが経過しているのに、いまなお強い衝撃性を持っている。若いときにこの作品と出会って、SFの面白さにめざめたという人も多

小松左京
小説家（一九三一―二〇一一）。六一年「SFマガジン」に「易仙逃里記」を発表してデビュー。第一長篇『日本アパッチ族』以降、次々と力作を発表して、現代日本SFの牽引役となる。『日本沈没』で日本推理作家協会賞を、『首都消失』で日本SF大賞を、それぞれ受賞。小説以外にも、評論、紀行、エッセイなど幅広い活躍を見せ、七〇年には日本で開催された「国際SFシンポジウム」の中心役として成功に導いた。没後に日本SF大賞特別功労賞を受賞。

『ハイペリオン』
一九九四年刊の作品。ときは二十八世紀、辺境惑星ハイペリオンで、謎の遺跡「時間の墓標」に封じられた怪物シュライクが解きはなたれようとしていた。その謎を解明すべく送りだされた七人の男女が、旅の途上で数奇な人生の物語を語りはじめる。『ハイペリオンの没落』『エンディミオン』『エンディミオンの覚醒』と

いはずです。

恩田　私ははじめて『果しなき……』を読んだのは、高校生のときかな。そのときは、とても難しいという印象がありました。すごいんだけれど、よくわからなかった。

牧　恩田さんが高校生のときというと、角川文庫版でしょうか？

恩田　いや、ハヤカワ文庫JAですね。

牧　ああ、JAが立ちあがって、最初の刊行が『果しなき……』でしたね。

山田　ぼくもJAで読んだんだ。高校生のときだね。

牧　えっ、いや、それはないですよ。山田さんが高校生のときは、まだJAは出てませんから。

山田　だって、この作品が「SFマガジン」で連載完結して、そのあとすぐに出たので読んだんだから……。

牧　それならば、日本SFシリーズですね。「SFマガジン」の連載が、一九六五年二月号から十一月号までで、その翌年に日本SFシリーズに収められています。

ともに四部作をなす。邦訳はハヤカワ文庫SF（現在は品切れ）。電子書籍で入手可能。

ダン・シモンズ
アメリカの小説家（一九四八―　）。「トワイライト・ゾーン・マガジン」のコンテストに応募した「黄泉の川が逆流する」が第一席を獲得し、八二年にデビュー。長篇『カーリーの歌』で世界幻想文学大賞を、『殺戮のチェスゲーム』でローカス賞とブラム・ストーカー賞を、『ハイペリオン』でヒューゴー賞とローカス賞を、『イリアム』でローカス賞を、それぞれ受賞。

山田　ああ、じゃ、それです。やっぱり高校生のときだ。

牧　そのときの印象はいかがでしたか。

山田　とにかく冒頭が印象的だった。めちゃくちゃ面白いんだけれど、途中からわけがわからなくなってしまった。通して読むと「世界を見わたした」という感動はあるけれど、何が書いてあるかはよくわからなかった。ただ、ラストシーンのしみじみしたところはよかったですね。

●複雑に見えてストレートなＳＦ

牧　それまで小松さんのほかの作品はお読みになっていたんですか？

山田　『日本アパッチ族』『エスパイ』『復活の日』と読んでいましたね。短篇集も含めて、おそらくリアルタイムでみんな読んでいたと思いますよ。小松さんの追っかけみたいな気持ちはあったから。『日本アパッチ族』や『エスパイ』を読んだときは、大阪の人ってすごいんだなと思った。ローカル色を感じた

『日本アパッチ族』
一九六四年刊の作品。大阪の東にある追放地に鉄を喰う「アパッチ」と呼ばれる集団が出現する。彼らには世の中から弾圧された悲惨な歴史があったが、鉄食によって身体を強化し、アパッチ狩りに乗りだした陸軍一個大隊をあっさりと撃退する。若き小松左京の、ユーモラスな語りと反骨精神が冴える。初刊は光文社カッパ・ノベルス。のちに、角川文庫、光文社文庫、城西国際大学出版会／小松左京全集完全版、ハルキ文庫に収録されたが、いずれも現在は品切れ。電子書籍で入手可能。

『エスパイ』
一九六四年「漫画サンデー」で連載後、翌年単行本化された作品。エスパイとは、超能力者をメンバーとした国際秘密機構である。平和を守る彼らの前に、おそるべき敵があらわれた。正体不明の組織がソ連首相暗殺を計画しているというのだ。小松左京によるアクションＳＦ。七四年に映画化されている。初刊は早川書

んです。『復活の日』でこれはちょっと違うなと感じて、そのあとに『果しなき……』が来た。

牧 それまでの小松作品とくらべると、『果しなき……』は複雑ですよね。冒頭からいくつもの謎が提示されて、場面が変わって、伏線とおぼしきエピソードやほのめかしがバンバン出てくる。当然ですが、読者には脈絡がわからない。こんなんで収拾がつくのかな……と心配になる。

恩田 でも、今回読み返してみて、なんだ、こんなシンプルな話だったのかとビックリしました。むかし読んだときは、あんなに難しく感じたのに……。ハルキ文庫版の解説で、大原まり子さんが「なんてみずみずしい」と書かれているんですが、私もおなじ印象を持ったんですね。こんなにストレートな話だったんだ、こんなにわかりやすい話だったんだ、と。わかりやすいという言い方は語弊があるかもしれないですが、シンプルに伝わってくるものがあるんです。

牧 それは、恩田さんがたくさんの本を読んできて、複雑な構成に慣れてきたせいでしょうか？　あるいはここ二十年くらい

房／日本SFシリーズ。のちに、ハヤカワSF文庫、角川文庫、ケイブンシャ文庫、城西国際大学出版会／小松左京全集完全版、ハルキ文庫に収録されたが、いずれも現在は品切れ。電子書籍で入手可能。

『復活の日』
一九六四年刊の作品。世界各地で流行をはじめた「チベットかぜ」は、やがてまったく新しい型のウイルスであることが判明した。各国の研究・対策もむなしく、人類は滅亡の一途をたどりはじめる。ただひとつ、残された生き残りの場所は南極だった。破滅テーマに正面から挑んだ力作。八〇年に映画化されている。初刊は早川書房／日本SFシリーズ。現行本は角川文庫。電子書籍もあり。

大原まり子
小説家（一九五九―　）。ハヤカワSFコンテストの佳作入選作「一人で歩いていった猫」が「SFマガジン」に掲載され、八〇年デビュー。イメージ豊かな初期短篇群、不思議

のあいだに、小説の状況が変わってきて、エンターテインメントでも凝った語りをする作品が増えてきたというのもあるのでしょうか？

恩田　そういうテクニック的な部分とは違いますね。『果しなき……』は、気恥ずかしいくらいストレートに話を書いています。それに驚きましたね。

牧　ただストーリーは複雑ですよね。

恩田　複雑なんだけれど、会話の内容はストレートだし、ガジェットの出し方もシンプルですよね。むかし読んだときは、すごく哲学的・思索的な作品という印象があったんですけれど、小松さんがなさっているのは明快なプレゼンテーションなんです。臆面もなくＳＦしている。ストレートなＳＦの醍醐味(だいごみ)ですよね。物語のつくりも難しくありませんよ。第一章、第二章のあとにある「エピローグ（その2）」で、歳(とし)をとった佐世子のもとに、記憶をなくした男がやってくる。ここでもうラストは予想できてしまう。

な日常を描いた『処女少女マンガ家の念力』、ワイドスクリーンバロック『アルカイック・ステイツ』など、それぞれ独自の境地を拓いている。連作集『戦争を演じた神々たち』で日本ＳＦ大賞を受賞。

●旅の果て、人生の物語

牧　山田さんはいかがですか。最初に読んだときと今回とでは、なにか印象が変わったところはありますか？

山田　ＳＦのガジェットに慣れているから、当然、高校時代読んだときとは印象は違ってきますね。たとえば、砂がいくら落ちても減らない砂時計とか、すてきなイメージがあったけれど、いま読むとそんなには驚かない。そういうことで言えば、驚くところは減りましたね。あと、むかし読んで複雑に感じたというのは、ちょうど高校生のころって、ああいうことに悩んでいるからなんでしょう。世界が自分のほうに近づいてくるんだけれど、どうやってそれと接していいかわからなくって、という時期ですよね。

牧　なるほど。多感な時期に『果しなき……』を読むと、切実に感じるものがある。

山田　途中いろいろあるけれど、最後には歳をとり、おじいさんとおばあさんになって暮らすんだろうな……。

恩田　そういう認識を与えてくれる。

山田　とっても複雑な旅の果てに、そこにたどり着くわけです。人生とはこういうものかと、高校生のときは思うわけです。でも、いま、ぼくは晩年にさしかかっているし、恩田さんも若者と老年の中間にいて両方を見わたせる。そうなると、『果しなき……』もそれほど複雑というわけではない。べつに小説にかぎらず、若いころはいろいろなものが混沌として見えるのだけれど、歳をとるとそうでもないなとわかってくる。

恩田　そうかもしれませんね。年代のことで言うと、私は一九六四年生まれなんですけれど、この作品は六五年に書かれている。私が生まれたころには、すべてやってあったのね、って（笑）。でも、日本のSFって、どうしてこうも日本のSFなのかって思いませんか？

牧　とりわけ小松さんは、日本ということを意識されていますよね。敗戦体験を経て、それを自分なりにどう消化したらいいかというところから書きはじめている。アプローチはSFだけれど、内容的には戦後文学と通じるものがある。

山田　そうだね。

恩田　どうなんでしょう。日本SF的なスタンダードというのが、当時出てきたSF作家の共通意識のなかにあるような気がする。どうしてそうなったんだろうと不思議ですね。

山田　草創期の日本SFというのは、結局、戦争のトラウマなんですね。光瀬龍さんは戦争文学そのものですし、小松さんは自分の世代の体験を統合的に描こうとして「地には平和を」を書いた。星新一さんだってスマートな作風の下に、戦争体験があります。あとの世代には、それがわかりにくいところがある。しかし、恩田さんもそうですが、たとえ自分が体験していなくとも、たくさん小説を読んでくると戦争体験というものがどういうものなのかわかってくる。それを知ったうえで、日本SFを読むと、わかりやすいんですね。高校生ぐらいだとそれがわからないから、混沌としたものに見えてしまう。

●「私」のあり方

牧　世代的なことを抜きにしてみても、『果しなき……』は画期的な作品ですよね。これだけ壮大なヴィジョンを見せてくれる作品はそうはない。むしろ、現在では、こうしたスケールのものはなかなか書けなくなっている気がします。

恩田　こんなふうに真正面から扱うのは難しいでしょうね。もっと日常から入るとかしないと……。

牧　それはどうしてでしょう？　スケールの大きな作品といえば、最近では野尻抱介さんの『太陽の簒奪者』とか、山本弘さんの『神は沈黙せず』などがありますが、『果しなき……』と

光瀬龍
小説家（一九二八―九九）。SF同人誌「宇宙塵」に初期から参加し、ミステリ雑誌にショートショートなどを発表。やがて、日本的無常観を湛えた宇宙SFの書き手として人気を博すようになる。代表作は、『百億の昼と千億の夜』『喪われた都市の記録』『たそがれに還る』など。ジュヴナイルSFも多く手がけている。没後に日本SF大賞特別賞を受賞。

「地には平和を」
一九六一年に、第一回空想科学小説コンテストに応募して努力賞となった作品。そのときは掲載にいたらず、同人誌「宇宙塵」に発表されたのち、著者の第一短篇集に表題作として収録された。「太平洋戦争がもしあのままつづいていたら」という発想で、自分たちの世代の戦争体験を新しい視野から見つめなおした意欲作である。現在は、『日本SF傑作選2　小松左京　神への長い道／継ぐのは誰か？』（ハヤカワ文庫JA）で読

はかなり感触が違う。とにかく大仕掛けで、読者を知的に刺激するものはあるのだけれど、小松作品のような「上昇していく感覚」はありません。

恩田　『果しなき……』で提示されたのは、ある意味、無邪気なヴィジョンですよね。大原さんが指摘した「みずみずしさ」というのも、それだと思います。あるいは、SFの青春と言っていいかもしれない。

編　この作品を書いたとき、小松さんはいくつくらいでしょう？

山田　三十代半ばかなあ。

牧　そうですね。小松さんは一九三一年生まれですから、三十四、五歳ですよね。

山田　若いなあ。

恩田　作者の年齢もあるでしょうけど、時代状況が変わってきているというのも大きい。現代はさまざまなものがモザイク化しているので、視点を高みに持っていけない。個人からアプローチするしかない。

める。同書は電子書籍もあり。

野尻抱介
小説家（一九六一―　）。プログラマー、ゲームデザイナーを経て、九二年にゲーム「クレギオン」のノヴェライズ『ヴェイスの盲点』で作家デビュー。宇宙を題材としたハードSFの書き手として活躍している。代表作に、『ふわふわの泉』『ロケットガール』『ピニェルの振り子』『太陽の簒奪者』などがある。

『太陽の簒奪者』
二〇〇二年刊の作品。太陽の周囲に突如出現した巨大リングは、地球環境に激変をもたらす。このリングは異星のテクノロジーに由来するものであり、未知の存在が太陽系に接近するための布石だった。ファーストコンタクトにむけて、人類はどんな準備をすればよいのか。初刊は早川書房／ハヤカワ文庫JAクション。のちにハヤカワSFシリーズJコレに収録されたが、現在は品切れ。電子書籍で入手可能。

牧　うーん。『果しなき……』的な無邪気さは、いまのSFに活力として必要だと思うんですが。

恩田　でも、いまこうした作品を書いたら、けちょんけちょんに言われる気がする。SFにかぎらず、ほとんどの小説が個人に集約されるものになっているから。

牧　なんでそうなってしまったのかなあ。

恩田　直接の答えではないですけれど、青山南さんがこんな話を紹介していました。アメリカの大学には創作講座というのがあって、その受講者というのは、あまり小説を読んでいないそうです。他人の作品を読まないし、研究もしないので、なんだ野心がないんだなと思っていたら、そうではなく、みんな野心満々だと言うんです。みんな第二のポール・オースターやアン・ビーティになりたい。「私」が有名になることには、すごい興味があるんです。一夜にして有名になってカルチャーの中心になりたい。ただ、それ以外にはまったく興味がない。

牧　アメリカン・ドリームですね。

恩田　そういう人たちは作家になりたいのであって、小説が書

山本弘
小説家（一九五六―　）。第一回奇想天外SF新人賞に応募した「スタンピード！」が佳作になり、七八年にデビュー。八八年に第一長篇『ラプラスの魔』を出版。ライトノベル作品が多かったが、二〇〇三年の『神は沈黙せず』以降は、大人向けSFでも目立った活躍をみせている。代表作に『MM9』『地球移動作戦』『プラスチックの恋人』など。非SF作品『B-Sビブリオバトル部』は人気を博し、シリーズ化された。

『神は沈黙せず』
二〇〇三年刊の作品。フリーライターの優歌は、カルト集団を取材中に超常現象に遭遇する。その兄は遺伝的プログラムを研究するうち、神の存在を裏付ける理論に到達し、忽然と失踪してしまう。物語が進むにつれて、「神」の概念をくつがえすような真相が明らかになっていく。初刊は角川書店。現行本は角川文庫。電子書籍もあり。

きたいわけではない。友だちに映画関係者がいて、その人からもおなじような話を聞きました。映画監督になりたいという人はたくさんいる。「じゃあ、どんな映画を観てきたの？　どの監督が好きなの？」と尋ねると、「いやあ、観てないんですよ」。でも、映画監督にはなりたい。岩井俊二や押井守みたいにはなりたい。作家志望や映画監督志望だけにかぎらず、いまの世の中はみんながそうなっているのかもしれませんね。「私」が肥大している。

●力としての知識、世界との関係

牧　あからさまに思っているかどうかはともかく、気分的に、そういう風潮はあるかもしれませんね。そうなると、『果しなき……』に描かれた、宇宙的進化とか高次の存在というのは、まったくの他人事なんでしょうか。「私」のあり方という点では、小松さんのベクトルはまったく違いますよね。自分以外のものにものすごく興味がある。文学でも思想でも科学知識でも、

青山南
翻訳家・エッセイスト（一九四九―）。著書に『アメリカ短編小説興亡史』『翻訳家という楽天家たち』『小説はゴシップが楽しい』など。訳書は、コラゲッサン・ボイル『血の雨』、フィリップ・ロス『ゴースト・ライター』、サルマン・ラシュディ『ハルーンとお話の海』、ジャック・ケルアック『オン・ザ・ロード』、『O・ヘンリー　ニューヨーク小説集』など多数。

ポール・オースター
アメリカの小説家（一九四七―　）。八二年、自伝小説ともエッセイともとれる内容の『孤独の発明』を発表し、本格的デビューを果たす。実験的手法とミステリを融合させた〈ニューヨーク三部作〉（『ガラスの街』『幽霊たち』『鍵のかかった部屋』）が出世作となる。そのほかの代表作に『最後の物たちの国で』『偶然の音楽』『サンセット・パーク』などがある。

あらゆるものを貪欲に取りこまないと満足できない。そのうえで、ようやく何かを語りはじめることができる。その衝動はすごいものがありますよね。

山田 小松さんは幼いころは軍国少年で、戦後はマルクス主義に傾倒した時期があり、さらに違った方向へと進んでいった。そうした人生のなかで、いろいろな人と議論をしなければならなかったわけです。相手を打ち負かすためには、「オレはこう思うんだ」というだけでは説得力がないんです。「オマエはこの本を読んだか」「この音楽を聴いたか」「この思想を理解しているか」という、攻め方をしなければならない。だから、いろいろなものを取り入れていく。そうした事情は大きかったと思う。また、小松さんと同世代のインテリゲンチャはみんな敗戦で挫折し、マルクス主義でも挫折している。沸騰した時代に生きていたんです。また文学を志していた小松さんにとっては、自分とおなじようなことを考えている安部公房や開高健といった作家が出てくる。これは大きな刺激だったはずです。そうしたことを含め、個人と時代がクロスしていた。希有な時代です

アン・ビーティ
アメリカの小説家（一九四七―　）。短篇の名手とうたわれ、現代アメリカを代表する作家のひとり。著書に長篇『愛している』『ウィルの肖像』、短篇集『燃える家』『あなたが私を見つける所』『貯水池に風が吹く日』など。

岩井俊二
映画監督・脚本家・俳優（一九六三―　）。九三年、TVドラマ『if もしも～打ち上げ花火、下から見るか？　横から見るか？』を演出し、日本映画監督協会新人賞を受賞。劇場映画の代表作に『四月物語』『花とアリス』などがある。ドキュメンタリーやTVドラマ、ミュージックビデオなどの分野でも活躍。

押井守
映画監督・演出家（一九五一―　）。七七年からアニメの演出を手がけ、八四年に監督した劇場アニメ『うる星やつら2　ビューティフル・ドリーマー』で高い評価を得る。監督と

よ。

牧　知識が力たりえたわけですね。

山田　いま、作家に対して「この哲学者を知ってますか？」なんて言っても、まるで通じないでしょう。誰も読んでない。ぼくも読んでない。しかし、当時は、みんなサルトルを読んでいる、ニーチェを読んでいる。そこで話が通じて、議論が成り立った。「戦後文学はこうだけれど、SFはこうなんだよ」という主張もできた。とくにSFは異端視されていたから、相手を説得するためにも、理論武装は必要だっただろうね。

牧　小松さんは、「〝日本のSF〟をめぐって――ミスターXへの公開状」をはじめ、無理解な世間に対して、SFの存在意義を説いていますね。

山田　それが作家として当然だという気構えがあったかもしれない。いまはそういうことはありませんよね。難しいことは苦手です。私は私の好きなものだけでいいんです。それで通ってしまう。それはそれで健全なことなんだけれどね。

恩田　状況はぜんぜん違っていますよね。

しての代表作に『GHOST　IN　THE　SHELL／攻殻機動隊』『イノセンス』（以上アニメ）、『紅い眼鏡』『アヴァロン』『立喰師列伝』（以上実写）などがある。

安部公房
小説家・劇作家（一九二四―九三）。四八年に第一長篇『終わりし道の標べに』を刊行。「壁―S・カルマ氏の犯罪」で芥川賞を、『砂の女』で読売文学賞を、戯曲『友達』で谷崎潤一郎賞を、戯曲『緑色のストッキング』でふたたび読売文学賞を、それぞれ受賞。『第四間氷期』『人間そっくり』などのSFも書いている。

開高健
小説家・ジャーナリスト（一九三〇―八九）。五八年「裸の王様」で芥川賞を受賞し、専業作家に。『輝ける闇』で毎日出版文化賞を、「玉、砕ける」で川端康成文学賞を、『耳の物語』で日本文学大賞を、それぞれ受賞。ベトナム戦争に取材したルポルタージュなどでも知られる。

山田　「セカイ系」というのは、世界でなにかすごいことが起こっているけれど、ここに生きているぼくはそれを理解しようとも思わないし、世界もこっちにやってこないという小説ですよね。たいていは女の子が世界と関わって、命を落としたり悲惨な目にあったりする。言ってみれば、もうひとつのハードボイルドです。ハードボイルドは主人公は女性に対して心の痛みを覚えるのだけれども、「セカイ系」はその対象年齢がぐっと下がって、主人公は少女に傷つけられる。それでも自分は世界に関わりがない。あるいは定型化されたロマンス小説に近いかもしれません。それが悪いと言っているわけではない。そういうふうにしか世界を捉(とら)えられないのでしょう。自分と関係のないところで世界は動いていて、唯一の接点が音楽だったり少女だったり、もしくは萌えだったりする。どこか一点で突破して、むこうが見えるんだけれど、あえてそれ以上は見ようとしない。

牧　ＳＦのモメントとはまったく逆方向ですね。いや、「かつてのＳＦとは違う」と言ったほうが正確なのでしょうが。

山田　小松さんにしても、筒井さんや星さんにしても、自分たちは世界を見ているんだ、世界とコミットしているんだという意識はあったでしょうね。どちらが正しい／間違っているというのではなく、時代によるものだとしか言いようがないですね。

●SF宣言にして青春決別宣言

牧　山田さんのお話を聞いて理解できた部分はあるんですが、それでもなお、『果しなき……』は特異な作品だと思います。その当時のほかのSF作品に比べても、投入されているアイデアや情報量が多い。プロットに関係のないものまで、これでもかと詰めこんでいる。この過剰さはいったいなんなのかと思います。今回読み返してビックリしたのは、アルフレッド・ジャリの『フォーストロール博士言行録』への言及があり、ジャリの発想の源泉であるパタフィジックが紹介されていることです。ジャリなんてフランス文学のなかでも異端中の異端ですから、その当時はよほどヘソ曲がりの文学マニアしか知りませんよ。いまでもそうかもしれませんが。科学技術や哲学だけでなく、こんなところにまで小松さんの知的食欲が及んでいたんですね。SFのアイデアでは、軌道エレベーターがさりげなく出てきます。クラークの『楽園の泉』に先立つこと十数年です。また、

アルフレッド・ジャリの『フォーストロール博士言行録』
一九一一年刊の作品。「生まれながらにして六十三歳」のフォーストロール博士は、犬面の大猿とともに陸地をめぐる船旅に出る。尋常ならざる想像力によって書かれたナンセンス科学小説。邦訳は国書刊行会／フランス世紀末文学叢書（現在は品切れ）。作者アルフレッド・ジャリはフランスの小説家（一八七三―一九〇七）。この作品は死後の出版。

アーサー・C・クラーク
イギリス出身で、スリランカに在住していた小説家・科学ジャーナリスト（一九一七―二〇〇八）。四六年「アスタウンディング」に「太陽系最後の日」を発表してデビュー。近未来の世界をリアルに描いた『火星の砂』『海底牧場』などの作品と、遠大な時間スケールのなかでの人類の運命をテーマにした『幼年期の終り』『都市と星』などの作品がある。映画『２００１年宇宙の旅』の共同原作者としても有名。

「人類全体の〝知の経済学〟」という発想が、登場人物の会話に織りこまれていたり。ディテールがずいぶんと面白い。

山田 コンピュータのブレイン・ストーミングのくだりもすごいよね。

牧 理論武装の域を超えていますよ。物語のまとまりすら壊しかねない勢いがある。いや、あちこちでだいぶ壊れている。でも、それでかまわない。それがいい。

恩田 初版の「あとがき」を読むとうらやましくなりますね。いわく、「ダンテの『神曲』、バルザックの『人間喜劇』のひそみにならって、『宇宙喜劇』を書くぐらいのつもりでやれればと思っています」。こんなことを言い切れるとは、なんて幸せで無邪気なんだろう。

牧 「この作品は、次の作品へのエスキースと考えていただいてもけっこうです」とも言っています。うーん、これで下絵かよー。

山田 『果しなき……』は、一種のSF宣言なんですよ。いろんなものを詰めこんで『神曲』のような作品をつくる。SFで

『楽園の泉』
一九七九年刊の作品。軌道エレベーターの建設にかけたエンジニアの努力を、技術的ディテールと併せて描いた工学SF。ヒューゴー賞とネビュラ賞のダブルクラウンに輝く。邦訳はハヤカワ文庫SF。電子書籍もあり。

ダンテの『神曲』
彼岸の国の旅を描いた叙事詩。地獄篇、煉獄篇、天国篇の三部構成で、ダンテ自身が生身のまま、この三界を遍歴していく。作者ダンテ・アリギエーリはイタリアの詩人・哲学者・政治家（一二六五―一三二一）。彼は、『神曲』の執筆を一三〇七年ごろから開始し、死の直前の二一年まで書きつづけた。邦訳は、集英社文庫、河出文庫、角川ソフィア文庫、講談社学術文庫、ほか。電子書籍もあり。

バルザックの『人間喜劇』
九十篇の長短篇からなる小説群。ある作品の脇役が別の作品の主人公に

はそれが可能なんだ。そういう主張がみなぎっている。またその一方で、マルクス主義への決別という部分もある。たぶん小松さんが七〇年の大阪万博に関わりだしたころで、それまでの小松さんの思想遍歴のなかでは大きな転換点を迎えていました。オレはもう左翼的な思想などにかまっていられない、もっと大きなものにむかうんだ、そういう思いがあったんでしょう。この作品のなかで、恐竜が走っていくと目の前に壁が現れたり、またクライマックスではそれまで水平で来たものが垂直に上昇するイメージが描かれたりとかいう場面があります。小松さんはおそらく意識されていないでしょうが、自分が三十代半ばにさしかかって、古いものを捨てて離陸するんだという気持ちがあり、それがあらわれている。

牧　あの上昇感覚というのは、宇宙的進化の階梯をあがるというSFのテーマだけではなく、作者自身の精神的ベクトルなんですね。

山田　だから、『果しなき……』は、小松さんの青春への決別宣言でもある。しかし、それでいながら、作品がこれほどみず

なるという「人物再登場」の手法で、相互に関係づけられている。当時のフランス社会の全体像を写実する壮大な試みである。邦訳としては、藤原書店『「人間喜劇」セレクション』（全十三巻）などがある。作者オノレ・ド・バルザックはフランスの小説家（一七九九―一八五〇）。

みずしいのは、青春を捨て切れていないからなんです。「自分はこれほど大人なんだ」と胸を張ってみても、大人になりきれない部分が残っている。歴史が正しい方向にむかうためには多少の犠牲は仕方ないというのが、『果しなき……』の一方のテーマです。しかし、もう一方のテーマとして、「そんなことがあっていいものか。生きているオレたちが歴史のために刈り取られるなんて許せない」という思いがあるんです。そのふたつの対立なんです。

牧　正しい歴史というのが大人の発想というわけですね。小松さんはそれを全面的に首肯しきれない。気持ちのなかに承伏できないものが残ってしまう。

恩田　読んでいても、小松さんが宇宙意志の体制側と、それに反抗する側のどちらに軸足をおいているかわからない。最後まで葛藤が続きます。

山田　作品の最後では、抵抗する側が失速してしまう。結局、正しい歴史が選ばれる。でも、ぼくにとって親しみを感じるのは、刈り取られるほうなんです。小松さん自身、それはわかっていたと思う。だから最後に、おじいさんとおばあさんのエピソードに戻っていく。個の視点ですね。その地点は、先ほどお話しした「セカイ系」の考え方と、それほど隔たるものではない。

牧　アンビヴァレントなものを抱えこむところに小説である意味があるんですね。思想家だったら、あるひとつの立場を選び取らなければならないけれど、小説家は矛盾を矛盾のままに生きていく。それはそれで大きな覚悟が必要でしょうが。

山田　小松さんの良いところは、そこなんですね。小説家としても人間としても。「オレは大人なんだ」とうそぶきつつ、誰よりも青春を引きずっている。だから、『果しなき……』は作品として不整合なんです。最初から最後までぎくしゃくしている。

牧　それは必ずしも欠点ではないですね。

山田　そうです。日本SFのなかで、『果しなき……』と、光瀬龍さんの『百億の昼と千億の夜』は双璧だと思うけれど、どちらも世界と個の問題を、視点がブレながら描いている。『百億……』では阿修羅がそうでしょ。「なんでおまえたちに運命を決めてもらわなければならないんだ」と反抗している。

●サリンジャー的反抗と甘い結末

恩田　『果しなき……』は、どこかナイーブなんですよね。宇宙的なスケールを冷徹に描きつつ、その癖、登場人物に圧倒的

『百億の昼と千億の夜』　光瀬龍の代表作のひとつ。一九六五年〜翌年「SFマガジン」で連載、六六年単行本化された。プラトンはアトランティスの滅亡の原因がこの世の外にあることを知った。インドの悉達多は、阿修羅王に導かれ、この世界を支配する異世界の巨人の姿を見た。悠久の時間のなかで、この世界の破滅を阻止するための努力が繰りひろげられる。初刊は早川書房／日本SFシリーズ。現行本はハヤカワ文庫JA。電子書籍もあり。

な感情移入をしてしまう。私は読んでいる最中に、サリンジャーの『ライ麦畑でつかまえて』を連想しました。

牧　ええ？

恩田　反抗の仕方とか、とってもサリンジャー的ですよ。

山田　世界がどうであろうとも、子どもを助けるほうが大切なんじゃないですか。そういう素直な情熱があるよね。

恩田　そう。青春小説そのものです。

牧　それは新しい読み方だなあ。ところで、最後におじいさんとおばあさんのエピソードに落ち着くのは、山田さんが指摘されたふたつのテーマの激しい相克から、情緒的な水準に降りてきたということでしょうか。

山田　このまま突き詰めると危ないと気づいたのかもしれない。最後の百枚は一気に書いたというから、この部分には小松さんの地が出ているはずです。

恩田　あのラストに至って「こんなに甘い終わり方なのか！」と思いましたね。

山田　それがたまらない。この作品でいちばん印象に残るのは、

サリンジャーの『ライ麦畑でつかまえて』
一九五一年刊の小説。主人公の青年が高校を退学になり、ニューヨークをさまよい歩く。若者言葉で綴られ、大人の欺瞞や社会のいつわりへの不信を表現した青春小説。邦訳は白水Uブックス（野崎孝訳）。『キャッチャー・イン・ザ・ライ』の訳題での新訳（村上春樹訳）もあり、こちらも白水社。作者J・D・サリンジャーはアメリカの小説家（一九一九―二〇一〇）。

あのラストなんですね。それまでの哲学科学思想小説みたいな展開から、いっきょに日本的な叙情へと戻ってくる。高校生のときに読んだときも、あれが妙に胸に残ったね。人生ってこうやって終わればいいんだ、と。

恩田 まあ、これは理想ですよね。老夫婦が仲良く暮らすという。

山田 でも、その終わりに至るまでの過程を誰も教えてくれない（笑）。

牧 先ほど山田さんが、「このまま突き詰めると危ない」と表現されましたが、たしかに『果しなき……』には、一歩間違うと危険思想に通底しかねない要素が盛り込まれています。

山田 遺伝子の優劣とか、進化の管理とか、一歩間違うとナチズムの断種政策に行ってしまう。小松さんはそういう人ではないからそのことにご自分でも違和感をお持ちになったのかもしれない。

恩田 ただ、小松さんはどちらかといえば、虐げられる立場のほうに身をおいて描いている。

山田 沼正三さんの『家畜人ヤプー』なら、虐げられても快楽があるからいいんだけれど、『果しなき……』の進化コントロールは、ひたすら残酷だからなあ。

●『幼年期の終り』とは違う価値観

牧 笠井潔さんが評論集『機械じかけの夢』で、小松左京論に一章を割き、『果しなき……』を取りあげています。それによると、あのラストシーンは「運命としての伝統」なのだそうです。思想の軌跡として、「運命への反抗」からはじまって、「運命への服従」へと転向をするのだけど、それを正当化するのが「伝統」なのだと笠井さんは指摘しています。笠井さん自身、全共闘世代としてマルクス主義にひとたび傾倒し、その行き詰まりに直面して、新しい方向を模索した方なので、『果しなき……』もそうした読み方になるわけですね。「伝統」うんぬんは、正直なところ、ぼくにはピンとこないんですが、もうひとつ笠井さんが指摘されている「反抗の弁証法的統合」というところは面白かった。つまり、反抗すること自体が進化階梯の頂点が実現するためのプロセスにすぎない。体制（テーゼ）・反抗（アンチテーゼ）・進化の上位（ジンテーゼ）と繰りあがっ

『機械じかけの夢』

笠井潔のSF評論集。一九八〇年～翌年「奇想天外」で連載、八二年単行本化（講談社）。十二人のSF作家についてそれぞれ一章をあてて論じているが、そのなかで日本作家は小松左京だけである。のちにちくま学芸文庫に収録されたが、現在は品切れ。

ていくわけです。こうしたヘーゲル的な考えはものすごい毒を孕んでいるのですが、思想の内実を別にすると、これが『果しなき……』にめくるめくパノラマ感を与えているのはたしかです。

山田　深遠な思想をオブジェにしちゃうというのは、SFの醍醐味のひとつですね。フィリップ・K・ディックなんかその典型で、人が抱える疎外感を、共感ボックスのような小道具に具象化してしまう。そう考えると、『果しなき……』は正当なSFなんです。ただ、最後の超時空を上昇していくくだりは、やや苦しまぎれという気はする。クライマックスを書きあぐね、読み慣れたヘーゲルやマルクスを重ねあわせてあれを描いたのではないか。高校時代に読んだときは、あそこは飛ばしてしまったな。「そんなこと言ってほしくない」と反発する気持ちがあった。SFですごいのは、人が生きるとか死ぬとかなど、宇宙のなかではなんの意味もないという感覚じゃないですか。自分の存在とはかかわりなく、星だけが輝きつづける。これはすごくロマンチックでしょう。ところが『果しなき……』では、「宇宙の進化のなかで君たちの人生にも意味があるんだよ」と言われていて、それはちょっと違うなと思った。ぼくの人生には意味がないけれども、誰かに踏みつけにされるのはイヤだというのが、ぼくの考え方です。「踏みつけにされるのにも意味があるんだよ」なんて言われるのは、まっぴらだよね。

牧　それはよくわかります。笠井さんも、ヘーゲル的弁証法を放棄して、『果しなき……』

からアーサー・C・クラークの『幼年期の終り』へと立ち戻らなければならないと結んでいます。

山田 笠井さんの読み方はわかるんだけれど、全共闘を経てきた思想的な視点にバイアスがかかっているよね。小松さん自身は、思想的というよりも、SFになにができるかということを重視していたと思う。また、『幼年期の終り』との関係で言えば、小松さんがクラーク作品を物足りないと感じたのは、あそこで描かれているのが白人ばかりだという点でしょう。ほかの人種はクラークにとってどうでもいいんだ。そう言うなら、ヘーゲルだってそうだ。「日本人も中国人も、いずれは私たちみたいな道を進むのだから、それまで待ってましょうね」という発想ですよね。こういう考え方は、おそらく小松さんには耐えられなかった。だから、『果しなき……』で最後におじいさんおばあさんのエピソードになったのも、笠井さんが指摘したような「伝統」をよりどころにするのとはちょっと違うと思う。宇宙的なスケールの矛盾を経て、こういう世界があるんだよと言いたかったんではないかな。花が咲き、蝶々が飛ぶなかで、

『幼年期の終り』
一九五三年刊の作品。人類が宇宙に進出しようという矢先、異星の宇宙船の大編隊が飛来した。オーバーロードと呼ばれる異星人のゆるやかな干渉のもと、五年後に世界国家が実現し人類は平和を謳歌する。しかし、それはこれから待ちうける運命のまえのささやかな休息にすぎなかった。人類はだれも思いもしなかったかたちで、進化の階梯をのぼろうとしていたのだ。邦訳はハヤカワ文庫SF。電子書籍もあり。別訳として、光文社古典新訳文庫（『幼年期の終わり』）、創元SF文庫（『地球幼年期の終わり』）がある。

老夫婦が穏やかに暮らす。その光景を描くことで、クラークやヘーゲルのような価値観への批判をしたかったんだと思う。

牧　日本的なものへの意識は、小松さんのなかで一貫してありますよね。

山田　《女》シリーズなども、端的な例だよね。それは日本回帰というものではなく、世界に対して別な価値観を提出しようということだと思う。どこまで自覚的かは別にして。

牧　そういえば、『果しなき……』のなかに、『日本沈没』のアイデアがすでに出てきて、日本人の本質という議論もまとまったかたちで提出されていますね。

恩田　それは私も印象に残っています。日本人の末裔が、約束の地を探して移民するという話ですよね。

●すさまじき知的体力

牧　思想的な背景やテーマ的な部分について、ずっと話してきましたが、小説としての『果しなき……』はいかがでしょう。

《女》シリーズ
「待つ女」「秋の女」など、おもに中間小説誌を舞台として発表された「○○女」という題名の短篇の総称。発表時期は一九七〇年代。『旅する女　女シリーズ完全版』（光文社文庫、十篇を収録）として一冊にまとめられたが、現在は品切れ。五篇収録の短篇集『旅する女』は電子書籍で入手可能。

『日本沈没』
一九七三年刊の書き下ろし作品。地殻変動によって日本列島が近い将来に水没することが判明した。未曾有の大災害をひかえて、国民の待避計画が立てられる。骨太の科学考証を背景に、小松左京がデビュー以来抱えていた「日本人論」の再検討がなされる。上下巻合計四百万部という空前のベストセラーとなり、映画化、TVドラマ化もされた。日本推理作家協会賞を受賞。初刊は光文社カッパ・ノベルス。現行本はハルキ文庫、角川文庫。電子書籍もあり。

雑誌連載ということもあって、見切り発車の部分も多かったと思いますが、それがあとになって収まるべきところに収まっている。土壇場での構成力というか、想像の体力というか、ものすごいものを感じますが。

恩田 あとさき考えずに、アイデアやガジェットを放りこんでいるところはありますよね。

山田 そういえば、おじいさんおばあさんの話は、最後の最後になって思いついたそうですよ。舞台を日本に戻そうと。

恩田 そこらへんは憎い演出ですよね。

山田 みごとに終わっているでしょ。

恩田 すごいすごい。それはすばらしい。

牧 冒頭もすごいですよね。

恩田 恐竜の時代で、電話が鳴っている。あれはすごい。なんなんだ、これは、と思う。

牧 あの場面を書いたときは、それが作品のあとの部分とどうつながるか、ちゃんと考えていなかったんじゃないでしょうか。永遠に砂の落ちきらない砂時計というのも、きっとそうですよね。イメージの鮮やかさだけで持ってきている。でも、それがあとのストーリーのなかにきちんと嵌（はま）るんだから、たいしたもんです。

山田 そこは若さですよ。だって、これを書いた当時の小松さんは、いまの恩田さんよりも歳下なんだもの。ものすごい才能がある人なんだから、若さにまかせれば、これぐらい知的体力は発揮できる。

恩田　とりわけプロローグと第一章、第二章あたりはしびれますよねえ。

山田　とにかく小松さんは謎の出し方がすごくうまい。あの砂時計のアイデアとか、石室の向こう側で足音が聞こえるとか、ぐっと読者を引きつけてしまう。SFは、新本格のように辻褄（つじつま）をあわせなくてもいいから、謎は謎としてむちゃくちゃなものをボーンとつくれる。それをわかって小松さんはやっているから、ホントにすごいものが出てくる。

恩田　新本格だって、謎を解決してないものも多いですけれどね（笑）。それはともかくとして、『果しなき……』はツカミOKって感じですね。

牧　新本格の謎ってパズルのピースが嵌る面白さですよね。でも、小松さんの場合は、ピースが嵌るとそこですごい絵が見えてくるし、さらに次のイメージへと連鎖していく。謎解きのための謎解きではないんです。

山田　ただ、新本格は社会正義のために事件を解決するのではなく、あくまで個人が起点になるので、そこが現代の読者に合うんですね。もし、『果しなき……』がいまSFの新人賞に応募してきたとしたら、もちろん、受賞は間違いないけれど、選考委員から厳しい注文がつくだろうね。「私がどこにいるのかわからない」とか、「整理がついていない」とか、「人間が描けていない」とか。

恩田　「骨組みしかない」とかね。いっぱい言われそうだなあ。

牧　うーん。だから面白いのに（笑）。

山田　そうなんだ。人間なんて描くよりもそっちのほうが面白いんだけれど、いまはそういう意見が説得力を持たなくなっちゃったからね。世界ととっくみあいをするような小説は、なかなか書きにくくなっている。

●頂点に立って見わたしたいという好奇心

牧　でも、山田さんの『神狩り』は、世界ととっくみあいをする小説ですよね。

山田　ただ、ぼくの場合は、主人公が負け犬だから。なんでオレは負け犬なのかと世界に問いかける小説なんです。

牧　ヴィジョンの大きさでは小松さんと山田さんは比肩するものがありますが、アプローチはぜんぜん違いますね。小松さんは、自分が世界の中心や宇宙の高みにいかないと気が済まない人ですよね。それは権力志向というのとは、また違うんですが。

山田　微妙に権力志向とも重なるんだけれど、権力が目的じゃないよね。山の頂点に立ってまわりを見わたしたいという好奇心と言ったほうがいいかもしれない。ぼく、あるいはセカイ系もそうなんだけれど、山のふもとにいて、「山のうえでなんか強そうな人がいるんだけれど、あの人とぼくとはどんな関係なのかな」と考えている（笑）。

恩田　山裾でおとなしくしている（笑）。それは、わかりやすい。

山田　ぼくの作品よりも、恩田さんの作品のほうが、小松さんの対蹠にあるんじゃないかな。閉ざされた世界への執着とか、少人数のなかでの人間関係の葛藤とか。

恩田　うーん。どうでしょう。私にとっての小松さんのイメージは、「社会的な人」です。いつも表に立っている。

山田　恩田さんだって表に立っているでしょう？

恩田　立ってません立ってません（笑）。小松さんのような人がいると、こっちもポジションを取りをしやすい。そうした意味で、すごくありがたい存在ですね。

山田　小松さんというのはある意味、「最良の男」というイメージがあるね。知的であらねばならないと考えて、どんどん極限へと進んでいく。だけど、すべて男の論理で測ってしまうきらいもあるよね。女性が『果しなき……』を書いたら、まったく違う話になってしまうんじゃないかな。

恩田　ぜんぜん変わってしまいますね。私だったら佐世子の視点で語ると思う。ずーっと待っていて、ときどき来る男がいる。そういえば、むかしも会ったような気がする、みたいな。もしくは、近所に住む佐世子の教え子を語り手にしますね。

山田　ああ、そうか。アーシュラ・K・ル・グィンの《ゲド戦記》だよね。ゲドの視点に立つのは小松さんで、テナーの視点に立つのが恩田さんだ。小松さんは世界の真実を解くんだけれど、どこか違和感を拭(ぬぐ)えない。

恩田　あるいは、解いたんだけれど、それは大したことではなかった、とか。

山田　大したことではなかった――か。そうだね、『果しなき……』の最後のおじいさんおばあさんのシーンは、そういうことかもしれない。

恩田　そうそう。こーんな宇宙の果てまで行って、つまるところ、ここでやっているのとおんなじ、みたいな。ずっとずっと頂点にいって、超意識になってしまったけれど、結局はふつうの生活に戻っていく。

山田　見方によっては、あのおばあさんになった佐世子が世界の中心と言えるよね。彼女のところに、みんな戻ってくるわけだから。

●果しなき流れの、さらに先は……

牧　今回読み返してみて気になったのは、進化の頂点に立つ超意識の存在が、あっさりと説明されている点です。『幼年期の終り』は一種の神秘主義で、オーバーロードはまさしく人知を超えていました。それに対して『果しなき……』は理屈がついたことで、逆に読者の想像力を限定しているところがある。

恩田　それは言える。宇宙があって、どうしても自我を必要として、だから管理しないと……。みんな説明してしまっている。

山田　だから小松さんも、これはエスキースであって将来もっとしっかりした作品を書くと言っていたんでしょう。自分でも満足していたわけではない。『果しなき……』では解決しようがなくなって、苦肉の策であああいう説明にしたと思うよ。

牧　おそらく『虚無回廊』で、そのケリをつけようとしたんでしょうね。

山田　でも、『果しなき……』のさらに先を書くとしたら、よほどの体力がなければできないよ。

恩田　どうするんでしょう。

牧　もう小松さんをサイボーグ化するしかないかなあ。

恩田　『果しなき……』のさらに先ということですけれど、いったいどうなればいいのかな、って不思議なんですよ。ああいうテーマに取り組むと、どこまでやったら納得できるのか。作者自身も満足できる解決ってあるのかしら。

山田　小松さんがいつも登場人物に言わせているのは、「こんな短い人生なのに、人間はなぜ宇宙や時間について考えてしま

『虚無回廊』　宇宙空間に突然出現した謎の円筒を探査するために、人類は〈人工実存〉を乗せた宇宙船を送りだす。壮大なスケールのSFだが残念ながら未完。一九八六年〜九二年「SFアドベンチャー」で連載後、単行本は第一巻が八七年、第二巻が九一年、第三巻が二〇〇〇年に出版された。初刊は徳間書店。現行本はハルキ文庫。電子書籍もあり。

うんだろう」ということですよね。知的好奇心というか、業（ごう）というか、なぜそんなものがあるのか。

恩田　『果しなき……』のなかにも、そんな一節がありましたね。

山田　それは小松さん自身がいつも感じていることなんだろうね。それを書こうとすると、どうしても限界があるから、説明的にならざるをえない。そこで、ポンとあのおじいさんおばあさんを出してきたんであって、小松さんの精神のバランスを取るためにあれはどうしても必要だったんだ。

恩田　自分を説得する言葉をずっと探しているんだけど、言葉では言い当てられない。そんな感じはしますね。

牧　そうした当てのない思考の軌跡として、小松さんの作品を読みかえすと、また新しいものが見えてくるかもしれませんね。

編　では、今日はこのくらいで。どうもありがとうございました。

司会・構成／牧眞司

山田正紀『神狩り』

ゲスト：笠井潔

ハヤカワ文庫JA

初出　SF Japan 2005 SPRING

神狩り

情報工学の若き天才学者・島津圭助は、謎の文様が刻まれた、神戸市の遺跡にいた。在野の研究家は、それが《古代文字》であることを示唆するが、落盤によって命を落とす。島津の前に、外国人男性の姿が現れ、この一件を忘れるように警告し、忽然と姿を消した。島津はその後、《古代文字》の解読に没頭する。研究を続けるうち、この《文字》は、十三重に入り組んだ関係代名詞と、二つの論理記号のみしか持たない構造であること――つまり、人類には理解不能の言語体系であることが明らかになった。人間の論理レベルよりも上位の言語を操るこの存在とはすなわち、《神》なのか――という疑念に、島津は捉われ始めた。

そんな折、島津は及川と名乗る人物から、研究用にコンピュータを提供するとの誘いを受ける。彼は政府機関の関係者で、その成果を諜報戦に利用するつもりであった。やがて島津は、華僑・宗新義の手引きで、元神学者の芳村老人、霊能力者の理亜らと出会う。芳村老人は、《神》の正体を暴き、狩りたてるための戦いへ参画することを島津に要請した。しかしその後彼らは、《神》によるさまざまな〝妨害〟により、次々と命を落としていった。これらの〝妨害〟は、かえって《神》の焦りを意味すると指摘し、宗もまた、絶命する。

NASAの人間から、火星の運河にも、《古代文字》と同じ文様が刻まれていたことを聞いた島津は、米国フロリダ州オレンジ・タウンを訪れる。そこには、石室に現れた男――アーサー・ジャクスンが隠れ棲んでいた。神との戦いの不毛さを説くジャクスンを斃し、島津はあらためて、《神》との戦いを決意する……。

（編集部）

編　今回は、読書会としてはちょっと変則なんですが、山田さんご自身の作品『神狩り』を取りあげます。待望だった『神狩り2』がついに完成目前で、この三月中旬には発行される予定です。そこで、この機会にあらためて前作を読みかえしてみようというわけです。司会は牧眞司さんにお願いします。

牧　『神狩り2』待ちくたびれましたよ（笑）。いま山田さんはご執筆のラストスパートに入っているところだと思いますが、どんな作品になるのかについても、お聞かせいただきたいと思います。また、今回は特別ゲストとして笠井潔さんに加わっていただいています。

笠井　たまたま、この読書会の時期に、ぼくが東京に出ていく用事があるんで、そのあとに山田さんと一緒に酒でも飲もうと言っていたんです。恩田さんと会ったことがないので、この機会に紹介してほしいなんて話をしていた。そうしたら、編集部から電話があって、「せっかく来るのなら、読書会に顔を出してみないか」と。

牧　これは偶然なんですが、前回の読書会で小松左京さんの『果しなき流れの果に』を取りあげたとき、笠井さんの小松左京論にも話がおよびました。『神狩り』はテーマ的に『果しなき流れの果に』と共通するものがあるので、笠井さんに参加していただけるのは、つながりがいい。

笠井　とはいえ、ぼくは『神狩り』については、以前に山田さんとたっぷり話をしてしまったから（「ＳＦ　Ｊａｐａｎ」二〇〇二年春季号）、あらためて論じることは、そうないんだよね。

牧　そう言わず、お願いします（笑）。

●出発点にして代表作

牧　『神狩り』は山田さんのデビュー作で、「ＳＦマガジン」一九七四年七月号に一挙掲載されました。翌七五年には加筆されて単行本として出版。大型新人の登場にＳＦ界は色めきたちました。ぼくらの世代のＳＦファンには忘れられない〝事件〟でした。

恩田　さすがに私はリアルタイムでは読んでいません。最初に読んだのは、高校生だったか大学生だったか、たぶんその境目くらい。山田さんの作品を読むのはそれがはじめてでしたね。そのとき読んだのは角川文庫でした。とにかくショックを受けたことしか覚えていない。そのあとハルキ文庫に入りましたよね。それで再読しているんですが、そのときもショックを受けたことしか覚えていない（笑）。今回読み直して、ああ、こういう話だったんだと感激を新たにしました。

牧　いま恩田さんが手に持っているのは、ハヤカワ文庫ですね？
恩田　あっ、これですか。いや、うちにあるはずの本がどうしても見つからなくて、編集部にお願いして借りたんです。でも、これで、文庫版は全種類読んだことになる。
編　『神狩り』は、何種類の版があるんでしたっけ？
牧　早川書房のハードカバー版が七五年で、ハヤカワ文庫版が七六年、角川文庫版が七七年、ハルキ文庫版が九八年。四種類ですね。
恩田　今回読み直してみて、山田さんのデビュー作なのに、現在の作品とタッチがおなじなのに驚きました。最初からこのタッチだったんだな、と。
山田　申しわけない。進歩がなくて（笑）。
恩田　そういう意味じゃないですよ。
牧　ショックを受けたけれど覚えていないというのは、どういうことなんでしょう。
恩田　『神狩り』にかぎらず、むかし読んだ日本SFの傑作というのは、インパクトは強いのだけど、細部についての記憶が残っていないんですね。この読書会をやって、それがわかりました。いまになって、ちゃんと話を読めるようになった。
牧　そのインパクトというのは、ほかのジャンルの小説とは別種のものなんですか？
恩田　そうですね。私はずっと海外SFを読んできて、日本SFを読みはじめたのはわりと後なんです。独特のカラーを感じましたね。それがなんなのかわからないんですが、この時期の日本SFはもちろんみんな違うんだけれど、何だかおなじカラーを感じるんです。そのインパクトのあり方が、やっぱり日本SFだなあと思う。私にとって日本SFは、インパクトの来る方向が決まっているというか。

牧　笠井さんは、『神狩り』はリアルタイムでお読みですよね。

笠井　単行本が出てすぐに読んでます。自分より歳下の人がついに作家になってしまったのか、と思ったね。

牧　山田さんはデビュー当時が二十四歳ですね。単行本が出たときは二十五歳ですか。

山田　そうですね。

笠井　山田さんは、ぼくと同世代の最初のプロ作家だった。『神狩り』の単行本が七五年、村上龍の『限りなく透明に近いブルー』が七六年。で、そろそろオレも書かなきゃ……と思ったわけだな（笑）。

牧　笠井さんのデビュー作の『バイバイ、エンジェル』は……。

笠井　書いたのは七六年、刊行は七九年です。山田さんには完全に先を越されてしまっている。

村上龍
小説家・映画監督（一九五二― ）。七六年、大学在学中に『限りなく透明に近いブルー』で群像新人文学賞を受賞してデビュー。同作で芥川賞を、『コインロッカー・ベイビーズ』で野間文芸新人賞、『村上龍映画小説集』で平林たい子文学賞、『イン・ザ・ミソスープ』で読売文学賞、『共生虫』で谷崎潤一郎賞、『半島を出よ』で毎日出版文化賞および野間文芸賞を、それぞれ受賞。

『限りなく透明に近いブルー』
米軍基地のある福生を舞台に、ドラッグとセックスに耽り、刹那的に日常をおくる青年たちの姿を描く。発表当時から大きな話題を集め、ベストセラーとなる。現在まで文庫本を含め三百五十万部以上を売りあげている。七九年に、村上龍自身の監督・脚本によって映画化。初刊は講談社。現行本は講談社文庫。電子書籍もあり。

山田　そんなこと思ってもないくせに（笑）。

編　山田さんのデビューを目の当たりにして、作家志望だった人には二通りの反応があったといいますね。「よしオレもやるぞ」と奮い立った人と、「ああ、もうダメだ」と思った人と。

山田　そうなのかなあ。

編　押井守さんは明言してますよ。山田さんのデビューを見て、「作家になるのはやめよう」と思ったって。

牧　こんなに若くしてこれほどの作品を書ける人が出てきたか、ということですよね。その感慨は、読者もおなじです。ぼくは「SFマガジン」に掲載されたときに、リアルタイムで『神狩り』を読みました。嬉しかったですよ。その当時、日本のSF界ってあまり新人が出てなかったじゃないですか。七二年にデビューした田中光二さんを別にすると、本格的にSFを書く若手が出ていなかった。また、第一世代の作家たちはすでに中間小説誌で活躍していて、いわゆるSFらしいSFとは違った方向に進んでいました。ぼくはSF専業読者の中学生でしたから、ガツンとくるSFを求めていた。そこに『神狩り』ですから、

『バイバイ、エンジェル』
一九七九年刊の笠井潔作品。フランスを舞台にしたミステリ。ラルース家をめぐって連続して起こる殺人事件。警視モガールの娘ナディアは、現象学に基づく「本質直感」によって真実を洞察する日本人学生、矢吹駆とともに事件の謎を追う。《矢吹駆シリーズ》の第一作にあたる。初刊は角川書店。現行本は創元推理文庫。電子書籍もあり。

シビれましたよ。おお、ぼくのために書いてくれる日本作家が登場したって思った。そう思ったSFファンは多かったはずです。その証拠に、『神狩り』は翌年、ファン投票による星雲賞を受賞しています。

●先行作品に刺激されて

笠井　『神狩り』や『弥勒戦争』は、戦後日本SFを正統的に後継しているよね。もちろん、先行作品と違うところはあるけれど、流れはしっかりと受けついでいる。その一方で、祥伝社のノン・ノベルで出た『謀殺のチェス・ゲーム』『火神(アグニ)を盗め』は、冒険やサスペンスに重きをおいた小説になっていて、こういうものも書けるのかと感心した覚えがある。しかし、それ以降もほとんどの作品は読んできたけれど、やっぱり山田正紀のメインの路線は『神狩り』『弥勒戦争』の方向だと思うね。本格ミステリの『神曲法廷』や『ミステリ・オペラ』も同じ路線だと思う。山田さん、どうなの、冒険小説のほうは自分から

『謀殺のチェス・ゲーム』

一九七六年、書き下ろしで発表された作品。電子工学の粋を集めた最新の対潜哨戒機PS—8が、突然レーダーから消失した。大捜査網が敷かれるが行方はわからない。自衛隊の若きエリート、宗像は、この事件の背後に、元同僚でゲーム理論の天才として知られた藤野の影をみる。初刊は祥伝社ノン・ノベル。現行本はハルキ文庫。電子書籍もあり。


『火神を盗め』

一九七七年、書き下ろしで発表された作品。日本の商社からセールス・エンジニアとしてインドへ出張していた工藤篤は、最新鋭の原子力発電所「火神（アグニ）」の秘密を知ってしまう。CIA、中国情報局がからんだ国際的陰謀のなか、彼は窮地に追いつめられる。初刊は祥伝社ノン・ノベル。のちに文春文庫、ハルキ文庫に収録されたが、現在は品切れ。電子書籍で入手可能。

書きたいと思ったの？

山田　うん。『神狩り』『弥勒戦争』の系列は好きなんだけれど、SFはテーマが大きいでしょ。それぱっかり書いていると、「山田ってのはなんだかエラそうにしている」と思われるじゃない。ああいうエラそうなことばかり書いてる奴ってホントは馬鹿なんだぜってバレちゃう（笑）。なら、オモチャみたいな小説も書いておこうって。バラけた作家だということを最初から出しておいたほうが楽だと思ったんだ。

恩田　ぼくは怖くないよ、って（笑）。

山田　噛みつかないから大丈夫ですよって（笑）。重いテーマばかり扱うわけじゃないんですよってね。でも、そうやって書いた作品が、まさか冒険小説にくくられるとは思っていなかった。

牧　でも、そう言いながら、『地球・精神分析記録』のような先鋭的な作品も書いている。レンジが広いですよね。

山田　こんなことを言うと不遜（ふそん）かもしれませんが、恩田さんとおなじなんです。『謀殺のチェス・ゲーム』は、リチャード・

『神曲法廷』
一九九八年、書き下ろしで発表された作品。異端の建築家が造った「神宮ドーム」の火災事件。公判直前、東京地裁の密室で弁護士と判事が殺害された。法曹関係者が連続して殺されていく事件の謎を「神の烙印」を押された検事、佐伯神一郎が追う。初刊は講談社ノベルス。のちに講談社文庫に収録されたが、現在は品切れ。電子書籍で入手可能。

『地球・精神分析記録』
一九七六年〜翌年「奇想天外」で断続的に発表され、七七年単行本化された作品。滅びを目前とした人類は、集団的無意識を支える神の偶像として、四体のロボット「悲哀」「憎悪」「愛」「狂気」をつくった。それらの神を殺し、失った尊厳を取りもどそうと、四人の男女が孤独な闘いをはじめる。初刊は徳間書店。のちに徳間文庫、徳間デュアル文庫に収録されたが、現在は品切れ。電子書籍で入手可能。

ユネキスに『追跡』という作品があって、それを読んで自分でもそういうものを書きたいと思った。『弥勒戦争』は、結城昌治の一連の作品が好きだったので、そういう雰囲気のものをめざした。『地球・精神分析記録』は、テレビのSFドラマ『プリズナーNo.6』です。要するに、みんな先行する作品があって、それを自分なりに当てはめて書いている。先行する作品が違うからバラエティがあるように見えるんでしょう。

牧　なるほど。

山田　自分でもそれほど自覚してなかったんですけどね。恩田さんが出てきて、ああ、自分もそうなんだと気がついた（笑）。

恩田　えへへ。

笠井　みんなそうなんだよ。ぼくもエラリー・クイーンやヴァン・ダインが好きだから、『バイバイ、エンジェル』を書いた。ジョン・ル・カレが好きだから、『復讐の白き荒野』を書いた。H・ライダー・ハガードが好きだから、『ヴァンパイヤー戦争』を書いた。ただ、山田さんや恩田さんと違うのは、持っているタマの数が少ないということと、それを実現する体力、精

リチャード・ユネキスの『追跡』
一九六二年刊の作品。カーチェイス小説の名作として知られる。七四年に「ダーティ・メリー／クレイジー・ラリー」として映画化。邦訳はすばる書房（現在は品切れ）。作者リチャード・ユネキスはアメリカの小説家（一九二六―二〇〇九）。

結城昌治
小説家（一九二七―九六）。日本におけるハードボイルド小説のパイオニア。「エラリー・クイーンズ・ミステリ・マガジン」の第一回短篇コンテスト入選作「寒中水泳」が同誌に掲載され、五九年にデビュー。『夜の終る時』で日本推理作家協会賞、『軍旗はためく下に』で直木賞、『終着駅』で吉川英治文学賞を、それぞれ受賞。九四年に紫綬褒章を受章。

『プリズナーNo.6』
一九六七年、イギリスで製作されたTVドラマ・シリーズ。製作総指揮はパトリック・マクグーハンで、自

神力が大きくおよばないという点だね。

山田　笠井さんともあろう方がなにをおっしゃいますか。ぼくも恩田さんと並べられると、ぜんぜん自信がないんですが（笑）。

恩田　いやいや。なんか、イヤな展開になってきたなあ（笑）。

笠井　絶対的にオリジナルなものなんか、どこにもない。基本的には、読者が作者になるわけだよね。「すごく面白かった。終わったのが残念でたまらない」と思える小説があって、しようがないから似たようなものをつくってやろうという発想ですよ。まあ、実物の戦艦大和とプラモデルくらいの差があるかもしれないけれど。それでも作っちゃえというのが、創作のメインの動機だと思いますね。なにか語りたいことが作者のなかにあって、それで書きましたなんていうのは、たぶん嘘だよ。

恩田　私もそう思う。

山田　そうそう。

身が主演をしている。謎の「村」に閉じこめられた男が何度も脱出を試みるが、ことごとく阻まれてしまう。彼の呼び名は「ナンバー6」。この村ではだれもがナンバーで呼ばれている。多くの謎が解けぬままに進行するSF的な不条理劇。

エラリー・クイーン
アメリカの作家。従兄弟の関係にあるフレデリック・ダネイ（一九〇五―八二）とマンフレッド・B・リー（一九〇五―七一）の共作ペンネーム。二九年発表の『ローマ帽子の謎』にはじまる《国名》シリーズなど、本格ミステリの書き手として、いまなお多くの読者から支持されている。

ジョン・ル・カレ
イギリスの作家（一九三一―二〇二〇）。MI6（イギリス情報局秘密情報部）に所属しながら、その経験をもとに小説を書きはじめ、六一年『死者にかかってきた電話』でデビュー。そのほかの代表作に、『寒い

●理解しえない存在を描く

牧　『神狩り』は、なにが先行作品なんですか？

山田　エリック・フランク・ラッセルの『超生命ヴァイトン』です。

牧　人類家畜テーマの古典ですね。科学者たちが次々と変死を遂げていく。その謎を追っているうちに、人類より高次の知性体がいることがわかってくるという……。

山田　いまではすっかりストーリーを忘れちゃっているけれど、読んだときは、これはすごいと思った。

牧　しかし、『ヴァイトン』では、超生命の正体が解明されて、人類がヴァイトンを退治してしまう。結局はおなじ土俵の上で闘える相手だったわけです。それに対して、『神狩り』では、人間は神の輪郭すらわからない。相手が見えないとかいうレベルの問題ではなく、そもそも論理の次元が違う。このスケール感にクラクラきます。『神狩り2』では、どうなんでしょう。

国から帰ってきたスパイ』『鏡の国の戦争』『リトル・ドラマー・ガール』『ナイロビの蜂』などがある。

『復讐の白き荒野』
一九八八年の笠井潔作品。ソ連に拿捕されていた間島勲は、オホーツクの流氷原をわたりきり知床半島にたどりつく。彼の命がけの脱出行を支えたのは、自分と仲間を陥れた「敵」への煮えたぎるような復讐心だった。初刊は講談社。のちに講談社文庫に収録、また改稿版が原書房から刊行されたが、いずれも品切れ。電子書籍で入手可能。

H・ライダー・ハガード
イギリスの小説家・法廷弁護士・政治家（一八五六―一九二五）。一八八三年より長篇小説を発表、八五年の第三作『ソロモン王の洞窟』にて脚光を浴びて人気作家となる。この主人公アラン・クォーターメンが登場する秘境冒険シリーズのほか、アフリカ奥地に住む白人女王アッシャの物語『洞窟の女王』が代表作。

神が見えてくるんですか？

山田　多少見えてきますが、「わかる」というところまではいきません。

牧　理解できない、ふつうでは想像できない、そんなものを描くのがSFの醍醐味のひとつ。『神狩り』がファンから支持されるのは、そこだと思います。この作品以前に、日本SFでは小松さんの『果しなき流れの果に』と光瀬龍さんの『百億の昼と千億の夜』という傑作があるわけですが、超存在の描き方で言えば『神狩り』のほうが徹底しています。たしかに、主人公たちは、圧倒的な力を持つ神に抵抗して必死に闘っている。物語のレベルではその高揚感を維持しながらも、神の本質は理解を絶したままというのは、SFの書き方としては絶妙です。

編　かつてSFは、明確な結末やオチがつくのが当たり前だったじゃないですか。それにひきかえ、『神狩り』は投げっぱなしですよね。物語の決着というのをある程度無視している。それが読者に受け入れられたというのは、早すぎた『新世紀エヴァンゲリオン』という感もあります。だから、『神狩り2』を

『ヴァンパイヤー戦争』
一九八二年〜八八年、全十一巻が刊行された伝奇アクション。光明神ラルーサと暗黒神ガゴールの抗争を背景に、古牟礼一族の末裔である主人公・九鬼鴻三郎が、各国の諜報機関、悪鬼や魔人などと闘う。本作は『巨人伝説』『サイキック戦争』『ノヴァ、ノヴァ』とともに壮大な《コムレ・サーガ》を構成。初刊はカドカワノベルズ。のちに角川文庫、講談社文庫に収録されたが、いずれも現在は品切れ。電子書籍で入手可能。

エリック・フランク・ラッセルの『超生命ヴァイトン』
一九三九年「アンノウン」に掲載され、四三年単行本化された作品。世界的に著名な科学者たちが次々と怪死をとげる。その背後には、目に見えない超生物の暗躍があった。人類家畜テーマの古典。邦訳は《ハヤカワ・SF・シリーズ》（現在は品切れ）。作者エリック・フランク・ラッセルは、イギリスの小説家（一九

書いてほしいと山田さんにお願いしたわけですし、それが実現することになって、SFファンから大きな反響があったんだと思います。どうなんでしょう。その当時、「これ終わってないじゃないか」と怒った読者はいなかったんでしょうか。笠井さんは、どう思われました。

笠井　いや、これが終わりなんだ。そう思いましたね。ありふれた落としどころはあえて作らない。ところで、神が一方の主役なのにまったく描かないというのは、どういう狙いだったの。それを物語の軸にしようと考えたのかな？

山田　笠井さんは精神医学のことを調べているからわかると思うけれど、ぼくは分裂病気質だよね。おそらく、なにか発達障害があるんですよ。この人間とは思えない不器用さとか、この運動神経の悪さとか（笑）。それで、人生ずっともがいてきた。『神狩り』も、神と闘うと言っているけれど、もしかすると病気の人間の手記なのかもしれません。勝手に妄想を抱いているだけで。それは書いているときから意識していました。「こういうことを書いてもSFになる。ありがたいな」と思っていた。

〇五―七八）。

『新世紀エヴァンゲリオン』　一九九五年～翌年に放映されたTVアニメ作品。のちに劇場アニメも製作された。セカンドインパクトと呼ばれる地球規模の大災害後から十五年、「使徒」と呼ばれる謎の敵があらわれる。SFファン、アニメファンにとどまらず広い層から支持を受けて、ひとつの社会現象にまでなった。日本SF大賞を受賞。二〇二一年に公開された『シン・エヴァンゲリオン劇場版』で、シリーズが完結。

牧　妄想ですか。ふうん、そう思えば、そう読めるようにもなっていますね。神が姿をあらわすわけではないですし、だいたい神がどこまでの力を持っているかすらわからない。作中で起こる事件でも、神が手をくだしていると断定できるところはありません。せいぜい、米軍ベースキャンプの地下研究所が壊滅するきっかけとして、なんらかの操作を加えたくらいでしょうか。もしかするとヴィトゲンシュタインの死や、石室での落盤もそうなのかもしれませんが、はっきりとしません。芳村老人は神と直接対決しますが、これだって傍(はた)から見れば妄想じみています。

山田　神というのは規定できない存在です。人間の自由意思がどこから来るか探っていっても無限後退するだけじゃないですか。神もそういうものなんです。

●時代の雰囲気をあらわす

牧　主人公の人物造形についてはどうでしょう。それまでの日本SFが描いてきた人間とは、違っていると感じましたか？

笠井　それは明らかにあるね。一九六八年世代の雰囲気から出てきた……というと、学生運動に限定して捉えられてしまうけれど、ヒッピーとかドラッグ・カルチャーとかウッドストックとか、そうした諸々を含めた時代感覚がある。同じころに、藤本泉という作家が

『東京ゲリラ戦線』など、学生運動を題材にしたミステリをいくつか発表しているんだけれど、彼女は世代が上ということもあって、あくまで取材して書いている感じなんだ。『神狩り』の場合には、もっと直接に時代性があらわれているよね。さっき、ぼくより歳下の作家があらわれて驚いたという話をしたけれど、その驚きのなかには同時代の雰囲気ということもあった。それにはじめて成功した作品でしょう。しかもＳＦというかたちで出てきたのも驚きだったね。

牧　『神狩り』の主人公の島津って、かなりの個人主義者ですよね。人類のためとか仲間のためとかではなく、自分が気に入らないから神に反抗する。象徴的だなと思ったのは、大学の研究室にある連想コンピュータを使うために、過激派学生たちを騙(だま)すじゃないですか。学生たちも権威に対して反抗しているわけだけれど、島津にとってはそんなことはどうでもいい。共感もなにもないんです。自分の目的のために、捨て駒として利用するだけなんです。ハードボイルドというかエゴイズムというか。その突きはなしたところが面白かったですね。

藤本泉
小説家（一九二三―？）。六六年に小説現代新人賞を「媼繁盛記」で受賞してデビュー。王朝小説、推理小説、ＳＦなど幅広い作品を発表。『時をきざむ潮』で江戸川乱歩賞を受賞。八九年に旅行先のフランスで消息不明となる。

『東京ゲリラ戦線』
一九六八年刊の作品。藤本泉の第一長篇。三人の女子学生が米軍立川基地で放火テロを起こす。活発な学生運動がおこなわれた時代を背景に、ゲリラ的なコミュニティの活動と、それが瓦解していくさまを描く。初刊は三一書房。のちにハヤカワ文庫ＪＡに収録されたが、現在は品切れ。電子書籍で入手可能。

笠井 その時代の気分ということで言えば、学生運動をやっていた人間というのは、この主人公に近かった。それ以前の世代は戦後民主主義だから、世界には善があるし、人々は連帯しなければならない、可哀想な人は救わなければならない、そんな信条を持っていた。田舎の優等生が大学に入って政治に目覚めるとか、日教組の先生に可愛がられたヤツが学生運動をするというふうだった。そんな戦後の一時期が終わって、人々を幸せにしなければいけないという観念は完全に崩れてしまって、なんかムシャクシャしている、ぶっ壊したいという気分を抱く世代が出てきた。なんの理由もなくぶっ壊すのは問題だから、とりあえず大学解体とか安保反対とか言っておこうというだけですよ。先行世代の「平和」や「正義」と切れている点において、『神狩り』の気分は同時代的だった。

牧 いまの話をうかがうと、この作品のなかで、主人公の敵にまわる超能力者のジャクスンの位置がはっきりしますね。彼は、人類が平和に暮らすためには神の存在を隠蔽しなければならないと考え、さまざまな画策をしている。彼の動機は純粋なヒューマニズムですが、それゆえに主人公の生き方とは相容れない。ぼくはいわゆる無共闘世代ですし、なにしろまだ中学生でしたから、そういうことを考えて『神狩り』を読んだわけではありません。小説とマンガの違いはありますが、永井豪さんの『魔王ダンテ』に似たものを感じましたね。圧倒的な力を持った神に対する反抗という図式もそうだし、偽善的な価値観への苛立(いらだ)ちみたいなものも感じました。

山田　そうだね。『魔王ダンテ』や『デビルマン』は近いかもしれないね。ぼくと永井さんとは性格も似てるかな。妙に冷たいところとかね。もちろん、あくまで作品に対してのことですよ。実生活では別です。ぼくは、人類とかそういう発想はどうしても馴染めないんです。そういう作品を読むのはものすごく好きなんだけれど、どうしても違和感を覚えてしまう。それが『神狩り』にもあらわれているんでしょうね。

●三十年を隔てて原点に

牧　ところで、恩田さんは先ほど、『神狩り』はデビュー作なのに、現在の作品とタッチがおなじだとおっしゃいましたが、そのあたりの印象をもう少し聞かせてください。

恩田　山田さんの最新作『ロシアン・ルーレット』を読んで、山田さんは登場人物にはあまり興味がないのかなって思ったんです。印象としては私小説に近い。そのあとに『神狩り』を読み直すと、これも私小説の感じがするんです。なんというか、

永井豪
漫画家（一九四五―　）。六七年「ぼくら」に「目明しポリ吉」を発表してデビュー。六八年に連載開始の『ハレンチ学園』で人気を博し、七二年の『デビルマン』『マジンガーZ』などアニメ化された作品でも注目される。『凄ノ王』で講談社漫画賞を受賞。そのほかの代表作に『ガクエン退屈男』『バイオレンスジャック』『キューティーハニー』『手天童子』などがある。

『魔王ダンテ』
一九七一年「ぼくらマガジン」で連載するも、同誌の休刊によって未完となった作品。七三年単行本化。夜ごとの悪夢に悩まされていた宇津木涼は、ヒマラヤ山中に呼びよせられ、魔王ダンテとして甦る。地球の先住種族であった悪魔と、宇宙からの侵略者・神との闘いが、いまはじまろうとしていた。初刊は朝日ソノラマ／サンコミックス。現行本は小学館／復刻名作漫画シリーズ。二〇〇二年には同題名のリメイク作品が発表

登場人物を通りこしたところに目が向いている。どうしてなんだろう。

山田 ひとまわりして、またデビューしたころに戻ってきたんですよ。結婚して子どもができると、子どもがかわいいものだからついそれにかまけて、自分が良い人になったつもりでいたんです。ところが、子どもが独立すると「あれっ?」と思う。それで、元に戻ったんですね。

笠井 で、『神狩り』の続きが出るんだ。

山田 そうそう。

編 山田さんの作品を眺めてみると、初期の作品には暴力的な匂いのするものが多いですよね。

山田 だから、また、そこへ戻っていっているんです。登場人物をばんばん殺している。

恩田 いやあ、『ロシアン・ルーレット』でもずいぶん死にましたね(笑)。

山田 でしょ(笑)。

牧 うーん、すっかり邪悪モードですね。

された。

『デビルマン』
一九七二年~翌年「週刊少年マガジン」で連載、同時期に単行本化。『魔王ダンテ』をベースにしたTVアニメ企画をきっかけとした作品で、同時期にアニメ版も放映されている。現代に復活した悪魔と闘うため、自ら悪魔と合体することを選んだ不動明だが、宿命は彼の予想しない方向へと動きはじめる。初刊は講談社コミックス。現行本は講談社漫画文庫。

『ロシアン・ルーレット』
二〇〇二年~〇四年「小説すばる」で連載、〇五年単行本化された作品。若き刑事、群生は殺人事件の被害者の幽霊と出会い、そのあとを追ってバスに乗る。彼女は「このバスは転落するの」と告げる。乗客のなかで良い人間だけが助かるそうだが、はたしてその資格をもった者がいるのか。群生は乗客一人ひとりの人生を体験していくが……。単行本は集英社(現在は品切れ)。

●『果しなき〜』を超えて

牧　『神狩り』で、SFファンの泣き所をついているなと思うのは、もっともらしさをジワジワと塗りあげていく手さばきです。人間の脳は論理記号を五つ必要とするのに、神のものだと思われる《古代文字》にはそれが二つしかないとか。人間は関係代名詞が七重までしか理解できないのに、《古代文字》は十三重になっているとか。言葉の意味を解くことができないが、ベース・ロジックをコンピュータで解析することで、そうした構造が見えてくるというあたりも、それっぽいじゃないですか。

山田　笠井さんがおっしゃった同時代の感覚には、きっと、そこらへんも含まれるのかもしれません。ぼくは科学も哲学も正確なところはわからない。でも、カッコイイというのはわかる。ヴィトゲンシュタインを読んでもぜんぜん理解できないんだけれど、カッコイイなと思ったの。これはステキだという次元でピックアップしたら、ああいうものが出てきたんです。『謀殺

ルートヴィヒ・ヴィトゲンシュタイン
オーストリア出身の哲学者（一八八九—一九五一）。バートランド・ラッセルのもとで哲学を学び、やがて言語哲学、分析哲学の創始者となる。代表的な著作『論理哲学論考』のなかで提起された命題「語りえないことについては人は沈黙せねばならない」は、あまりにも有名。

のチェス・ゲーム』では、それがゲーム理論なんです。理論はわからないんだけれど、字面（づら）や表現がカッコイイのなら小説に使う。そうしたことができるのも、SFのありがたいところですね。そういう書き方をしているものだから、いまだにハードSFとか本格SFとかはわからない。

牧 この際だから愚直に質問します。「人間は関係代名詞が七重より多く入り組んだ文章を理解することができない」というのは、何か元ネタがあるんですか？

山田 ありません。まったくの創作です。ぼくはSFを書きはじめる前に、外国を放浪していました。あまり言葉が通じないわけです。で、しょっちゅう「You know?」って言ってたら、相手が「I don't know!」って怒っちゃって。これじゃマズイと思って関係代名詞を使うようにしたんだけれど、よけい通じなくなっちゃって（笑）。

牧 ははあ。関係代名詞というのはわからなさの象徴なんですね。

山田 そうそう（笑）。

笠井 ぼくも『神狩り』を読んで、関係代名詞うんぬんというのはなにか出典があるのかと思っていた。山田さんに尋ねたら「いや、ありません」というので、唖然としたね（笑）。

牧 しかし、もっともらしく書いてますよね。バートランド・ラッセルとかヴィトゲンシュタインとか実在の人物の名前を出したり、それに関係する理論を披瀝（ひれき）しているなかに、しゃらりと関係代名詞のくだりが出てくるんですから。

笠井　やっぱり山田正紀は絶妙に巧い。

牧　コンピュータの解析でわかるというけれど、いったいどうやってわかるかは書いていない。説明をすっ飛ばしているほうが、読者はリアリティを感じる。

山田　書けば書けるんだけど、そんなところには興味はないんでね。書きたいことはほかにある。

笠井　物語の冒頭は、弥生時代の石室の場面からはじまるんだけど、その土俗的な情景とヴィトゲンシュタインの取り合わせとか。あのあたりは、小松ＳＦの読者を引っぱるテクニックを、しっかり応用しているよね。

山田　なんといっても直系の子どもですから。非常に反抗的な子どもではありますが（笑）。

牧　あのあたりは、『果しなき流れの果に』の古墳のイメージですよね。

山田　そうです。

笠井　あれでみんなワクワクしたんだよな。

バートランド・ラッセル　イギリス出身の哲学者・数学者（一八七二―一九七〇）。集合論における矛盾を指摘する「ラッセルのパラドックス」をはじめ、論理学の分野で大きな功績を残す。平和運動の主導者としても積極的な活動をおこなった。五〇年にノーベル文学賞を受賞。

山田　ぼくらの世代は小松さん光瀬さんのＳＦにワクワクして、そのなかから自分なりのＳＦを発展させてきたというところはあるね。

笠井　キリスト教では、肯定神学と否定神学というのがある。肯定神学というのは、「神はナニナニである」という立場。そうすると神はつねに限定されてしまうわけ。神は無限のものだから、そういう言い方はできないというのが、否定神学の立場なんだ。「神は、コップでもなければ、机でもなければ、人間でもない……」というかたちでしか語りえない。その分類でいくと、『果しなき流れの果に』は肯定神学で、『神狩り』は否定神学と言えるね。ただし、『果しなき流れの果に』の野々村というのは、『神狩り』の島津に近い。先ほど話をしたような同時代的な気分をまとっていた。映画『理由なき反抗』のジェームズ・ディーンみたいな感じです。

『理由なき反抗』
一九五五年のアメリカ映画。監督はニコラス・レイ、主演はジェームズ・ディーン。社会や大人に対する不信や苛立ちを抱えた若者の、純粋で反抗的な青春の姿を描く。

●イーガン、チャン、山田正紀

牧 さて、『神狩り2』なんですが、人間と神の闘いはどう進展するのでしょう。サワリの部分だけでも教えてください。

山田 神は隠れつづける存在です。だから、その片手だけでもさわれれば、人間の勝ちと言っていい。『神狩り2』では、どうにか片手をさわるくらいのところまではいきます。ただ、隠れている神は描きづらいから、そのかわりに天使がいっぱい出てきます。

牧 天使と人間が闘うわけですか？

山田 『神狩り2』は、人間はすべて自閉症であるという前提をとっています。神がいろいろ干渉することによって、世界が見える。いや、見えている気分になる。神にとって人間は培養地みたいなものなんです。あるいはハードウエアと言ったほうがいいかもしれない。ソフトウエアが神なんです。人間が無自覚なうちはいいんですが、自分がハードだと気がついて、自分のなかのソフトの動き方を探りはじめるとマズイ。そうなると、神がハードを壊してしまうわけです。煎じ詰めると、そういう設定なんです。自閉症のなかにはサヴァンという、音楽や数学などある能力に秀でた人がいますよね。キリストは神を見る能力に特殊化したサヴァンだった。『神狩り2』では、絶対機械というアイデアを出して、それとサヴァンが力を合わせることで、神に近づくことができる。そんななかで、人間と天使が撃ち合ったりします。しかし、天使もソフトの存在です。脳内の出来事だから、現実も幻想もまったく同等なんです。キリストが起こした奇跡というのもそうで、ちょっと位相を変えれば現実になる。

牧 さて、ここで恩田さんと笠井さんに、まだ作品を読んでいない現在の段階で、『神狩り2』に期待するものをうかがっておきたいと思います。

恩田 単純な続篇にはならないことはたしかでしょうね。実は、編集さんから「山田さんが化粧品の取材をしている」と聞いたんです。おおっと思いましたね。さすが目のつけ所が違うというか。

山田 結局ほとんど使わなかったんですけどね（笑）。

恩田 なあんだ（笑）。それはそれとして、「どこから入るのか」ということにはすごく興味がありますね。もうひとつ、いまお話をうかがって思ったんですが、はたして神は人間に興味があるんでしょうか？

山田 それはぼくにもよくわからない。

恩田 私は、興味がないんじゃないかと思っているんです。むかしはちょっとはあったかもしれないけれど、いまはもうない。それが私の持論なんですが……。

山田 ユダヤの人たちは、「自分たちはこれほど熱心に神を信仰しているのに、なんでこんなにひどい目にあうのか」と思っていますよね。神にとって、自分たちが何をしようとどうでもいいんじゃないか。ものすごいニヒリズムです。じゃあ、信仰する根拠はどこにあるのか。彼らはそこまで思い詰めながらも、やはり神にすがるんですね。もう終末が来ていて、これを過ぎれば神がきっと戻ってくると信じている。

牧　笠井さんはいかがです。『神狩り2』に期待するものは？

笠井　傑作の続篇を書くのは難しいところがあって、『宝石泥棒Ⅱ』は、前作を超えていなかった。最後の種明かしのところで、辻褄は合っているのだけれど、ぼくにとっては驚きが少なかったんですね。なので、今度こそは『2』が『1』を超えてもらいたいと期待しています。

山田　期待にそえるといいのだけど。ただ、いまはグレッグ・イーガンやテッド・チャンが出てきて、やりやすくなっています。ぼくが好きなことを書いていると、海外の最前線のSFとシンクロしてくるのだから、これは楽ですよ。興味のあり方が「自分とはなんだろうな」というところからはじまって、それ

グレッグ・イーガン
オーストラリアの小説家（一九六一―）。八三年に第一作を発表したが、本格的な創作活動は九〇年前後から。認知科学、宇宙論、量子論などを駆使し、現実のなりたちや人間の意識にアプローチした問題作を矢継ぎ早に発表し、「現代SFの頂点に立つ作家」と目される。長篇に『宇宙消失』『順列都市』『万物理論』『ディアスポラ』『白熱光』など、短篇集に『祈りの海』『しあわせの理由』『ひとりっ子』『TAP』『プランク・ダイヴ』『ビット・プレイヤー』。

テッド・チャン
アメリカの小説家（一九六七―　）。九〇年「オムニ」に「バビロンの塔」を発表してデビュー。現在まで長篇が一作もなく、きわめて寡作ながら、独創的なアイデアと凝ったスタイルでグレッグ・イーガンに比肩する高い評価を得ている。短篇集に『あなたの人生の物語』『息吹』。「あなたの人生の物語」は二〇一六年、

が普遍的なものにつながっていくわけです。

編　山岸真さんが「本の雑誌」でこれから出る新刊SFの情報コーナーを担当されているので、『神狩り2』のゲラの前半部分をお送りしたんです。山岸さんは「思索／ヴィジョンが、イーガンやチャンよりもSF的により深い、あるいは勁い部分がある」とおっしゃってました。

牧　イーガンの専門家がそう言うんだから、これは間違いない。

山田　山岸さんが昨年翻訳なさったイーガンの『万物理論』のなかで、ぼくがいちばん面白かったのは、自閉症治療のエピソードなんです。自分たちは自閉症で辛い。自分の能力を消してもいいから、ふつうの人たちとシンクロしてしまおうという考えが出てきます。また、同時期に翻訳が出たエリザベス・ムーンの『くらやみの速さはどれくらい』は、自閉症だけど環境に適応した人たちの話です。新しい治療法が見つかり、それを受ければ健常になれる。しかし、いませっかく適応しているのに、治療を受けたらどうなるのだろう。そこでの葛藤がある。その気持ちは、ぼくはよくわかるんです。ずっとそんなことを考え

ドゥニ・ヴィルヌーヴ監督で映画化（邦題『メッセージ』）。

山岸真
翻訳家（一九六二―　）。大学在学中より英米SFの紹介者として活躍をはじめる。グレッグ・イーガンにいち早く着目し、翻訳家としてもイーガン作品の邦訳をすべて手がけている（《直交》三部作のみ中村融との共訳）。また、アンソロジストとして『80年代SF傑作選』『20世紀SF』『90年代SF傑作選』『ポストヒューマンSF傑作選　スティーヴ・フィーヴァー』を上梓。

『万物理論』
一九九五年刊の作品。主人公の科学ジャーナリストは、宇宙の全事象を説明しつくす「万物理論」に到達した天才物理学者を取材すべく、彼女が学会発表をおこなう南太平洋の人工島を訪れる。そこで世界の運命をかけた争いが勃発し、物語は予想だにしない結末へとなだれこんでいく。邦訳は創元SF文庫。

てきたから。もしかすると、小説を書くというのは、自閉症なりの適応なのかもしれない。治ってしまったら書かなくなるんじゃないか。いろいろ考えるんだよね。

牧 自閉症ですか……。

山田 自閉症ではないんです。自閉症だったらたぶん小説を書こうとしないから。ただ、ぼく自身にとって切実な問題だということなんだ。イーガンやチャンは、ぼくほど切実じゃないと思う。でも、テーマ的にはぴったり重なっている。

エリザベス・ムーンの『くらやみの速さはどれくらい』 二〇〇二年刊の作品。自閉症の青年ルウは、おなじ自閉症の仲間たちとともに働き、それなりに充実した人生を送っていた。しかし、新任の上司は彼らに自閉症治療法を強制する。二十一世紀版『アルジャーノンに花束を』と評され、ネビュラ賞を受賞した。邦訳はハヤカワ文庫SF。作者エリザベス・ムーンはアメリカの小説家（一九四五— ）。

●動物化する時代のなかで

笠井 『神狩り2』に期待することとして、いまの時代の雰囲気をどう受けとめているかという点がありますね。さっき否定神学という話をしたけれど、否定神学が魅力的だった時代はすでに終わっている。「革命はない。だから、あえて革命をする」というニヒリズムが前提のアナーキーな行動主義は、二十世紀の思想なんです。最近は、あえて戦後民主主義とか、あえて大東亜共栄圏と言う人もいるんだけれど、その〝あえて〟の緊張感がどんどん緩んできている。世間の人たちはどうかといえば、そんなことはぜんぜん考えていない。ケータイの届く範囲の友だちと気楽に生きていればなんの問題もない。いわゆる動物化が進行しているんです。そんな時代の雰囲気を、山田さんがどう『神狩り2』で扱っているかに、ぼくは興味があるね。

山田 ぼくがいちばん関心があるのは「自閉」の問題です。自閉症じゃなくて自閉——自分の外に一歩も出られないこと。『神狩り』を書いた当時は、革命とか学生運動とかいろいろあって、そっちに走ることもできた。まあ、ぼく自身は、どうしてもそうしたことが信奉できなくて、もどかしい気持ちがあったのだけど。それに対して、現代では自閉はあたりまえでしょ。自閉をそのまま書くことが、社会の最前線、科学の最前線、SFの最前線とシンクロする。だから、とっても書きやすいんです。自分のことを書けば、ふつうにつながっていくという。こういう実感というのは、とっても珍しいんだけれど。

笠井 山田正紀は二十一世紀にも生き残っていくなあ。ぼくは小学生のころから否定神学だから、それが終わってしまったら、ぼくも終わりだ。最近その感を深くしている。

山田 いやいや、ぼくなんか二十一世紀どころか来年だって怪しい。それにしても小学生ってのはすごいな。さすがは笠井さんだ。

笠井 ぼくは小学校四年生のころまで巻き戻して、そこからやり直さないとならない。

編　そんな時代のなか、去年は「あえて純愛」とおっしゃってたんですよね。『冬のソナタ』に代表される。

恩田　でも、あれって「純愛」だったんでしょうか。かならず相手を消滅させるんですよね。消滅させてから回顧する。

山田　相手が生きていると失望しなけりゃならない。死んでしまえば怖いものはない。

恩田　けれど、このごろの日本の恋愛小説は、死ぬのはつねに女性のほうなんですよ。あれはどうなんだろう？

山田　なんだろうね？

恩田　ヒットした恋愛ものは、ほとんどが『ある愛の詩』とおなじなんですよ。あれが恋愛なのかなあ。むしろ喪失感を楽しむというか、自分を哀れむというか。

山田　うーん、ぼくは恋愛小説は書けないなあ。笠井さんは、どう？

笠井　書けない。だいたい、恋愛そのものにほとんど興味がない。

山田　ぼくは自分でするぶんには良いんだけれどね。経験ゼロ

『ある愛の詩』
一九七〇年のアメリカ映画。監督はアーサー・ヒラー、主演はライアン・オニールとアリ・マッグロー。愛しあうオリバーとジェニーは、親の反対を押しきって結婚し、つつましくも幸せな毎日を送っていた。ところがある日、オリバーは医者からジェニーが白血病で余命いくばくもないと知らされる。

に近いから憧れだけが募っちゃう（笑）。

笠井 冬ソナ・ブームには、ちょっと興味があるけどね。息子はオタクで娘はゴスロリで、まったく理解できない、気にくわないというオヤジがいっぱいいる。そういうオヤジの主張が「週刊新潮」に載っている。ずっとそういう構図だったと思うんですよ。それが、いよいよ妻も冬ソナにハマって、わけがわからない存在になってしまった。三匹の動物とオヤジ一人というのが、いまの典型的な日本家族。だから「あえて純愛」じゃなくて、「ベタに純愛」なんです。

編 ギリギリの選択ではなく、本能的に行っているだけ……。

笠井 そう。オヤジはリストラに怯（おび）えつつ残業して、オタク息子やゴスロリ娘や冬ソナ妻など三匹の動物を必死で養っている。しかし動物たちは感謝の念も示さないし、オヤジは憤懣（ふんまん）やるかたない。それを「週刊新潮」的論調がすくい上げている。そういう時代ですね。

山田 オヤジが良くないのは、自分が高級だと思っているところだよね。動物化して気楽に生きている子どもや妻たちより、自分はエライことを考えていると思っている。しょせん、おなじレベルなのにね。

●神が宿るところ

笠井 シモーヌ・ヴェイユというフランスの女性思想家は、晩年キリスト教に回心して、「神は存在しないと思いながら祈らなければならない」という不可解な言葉を残して、餓死自殺を遂げている。存在しない神にむかって熱烈な信仰をささげるという、これは否定神学のひとつの極限と言っていい。『神狩り』では信仰ではないけれど、理想が不在ゆえに熱烈に闘う。だけど、そうした二十世紀精神は終わって、動物化の時代になっている。そこで『神狩り2』がどう書かれているのか。それが、ぼくの主要関心事ですね。もしかすると、神も動物なのかもしれない。

山田 まあ、人間が神に近づいているのか。動物化というのは、人間がいなければ神もいないというのは、そもそもの前提ですよ。ただ、神がどこまで人間を必要としているかは、ぼくにはわからないし、書けない。

牧 『神狩り』の神は、キリスト教的なそれですよね。

シモーヌ・ヴェイユ
フランスの哲学者（一九〇九―四三）。教員として働きながら、まもなく政治活動へと身を投じ、三六年のスペイン内戦に際して人民戦線派義勇兵に志願。四二年には、ド・ゴールの自由フランス軍にレジスタンスのひとりとして参加している。戦争の悲惨さ、残酷さに抗議してハンストをおこない、四三年に逝去した。著作に『重力と恩寵』などがある。

山田　キリスト教の神が、いちばんうまくやってのけたんですね。自分を隠蔽するためにキリストを殺して、そのあとにキリストとはぜんぜん関係のない宗教を創りあげ、それを人々に押しつけた。大完全犯罪ですよ。それ以外の宗教は、そこまで完全にやりとげてなく、どこか曖昧なところを残している。そういう意味で、この作品にはキリスト教がいちばん合うわけです。

恩田　私は、「神」は「ストーリー」と言い換え可能だと思っているんです。たとえば、韓国映画と日本映画の大きな違いは、ストーリーに対する信頼性の有無じゃないでしょうか。日本で作っている人は、ストーリーでなにかが語れるという思いを喪失している。それに対して、韓国ではストーリーへの信頼が残っているんです。それに対する憧れが、韓流ブームなのじゃないか。『神狩り2』では、ストーリーを信じていない時代に、どう展開するのか。それが楽しみですね。

山田　いやいや。ただ、サルのようにおなじことをしているだけです。自分がむかし書いていたとおなじように書いている。まあ、もともと『神狩り』はストーリーがあってないようなものでしょ。結末も開いたままで終わっている。恩田さんの作品も、多くはオープンエンドになっているじゃないですか。それを読んで、これでいいんだって勇気づけられました。

恩田　なに言ってるんですか（笑）。山田さんがキリスト教は神の隠蔽にもっとも成功した宗教だとおっしゃいましたが、まさにそのとおりだと思います。聖書というのも、一見ストーリーを与えているようで、実は与えていない。聖書はいくつもの引っかけがあって、ハマリ口も多く、実に巧みなんですけど、なんだか騙しっぽいんですよね。

山田　「ルカによる福音書」だったかな。山のようにお説教があるんだけれど、「愛」なんてことは言っていないんですよ。せいぜい隣人と仲良くしなさいくらいでね。しかし、それじゃ世界宗教にならない。それには過剰なものが必要なんです。そこで「愛」だのなんだのという普遍的なものをくっつけていって、四つくらいの福音書ができると、世界宗教になってしまう。だいたい、最初の福音書だって、キリストとはほとんど関係がないでしょ。彼から聞いて書いているわけじゃないから。布教を成功させるために、「愛」を強調していく。それを押しつけられたぼくたちは、本当に「愛」があるんだと思いこんでいるだけなんです。

笠井　恩田さんが言った「神＝ストーリー」の発想は面白いな。人間は、本能が機能不全に陥っているがゆえに多くの情報を取りこんで、その情報が散乱しているだけでは不快なので、無理やりにも関連づけて意味を見いだしてしまう。無秩序・無意味に耐えられない人間のあり方に、神が宿るのだとも考えられるよね。

山田　フィリップ・K・ディックが『火星のタイム・スリップ』で描いているように、世界はガビッシュが支配する混沌（こんとん）なんだけれど、人間の脳はそれに耐えられない。そもそも視覚だって、連続して見えているわけじゃなくて、ブツブツに切れているのを、頭の中でつなぎ合わせているんですね。ストーリーもそこから発生する。神は、その脳という機械を利用している。……というのが、『神狩り2』の設定です。

笠井 話を聞いていると、『神狩り2』は、単純に『神狩り』が残した謎を解いていくというだけの作品ではなさそうですね。期待しています。

牧 では、あとは『神狩り2』を読んでのお楽しみということで。今日はどうもありがとうございました。

『火星のタイム・スリップ』
一九六四年刊の作品。不毛な火星で、人々は疲弊した日常を生きていた。権力者コットは自閉症児マンフレッドが予知能力を有していることを知り、これを利用しようと企む。しかし、少年の能力は制御できるものではなく、やがて現実さえも崩壊していく。邦訳はハヤカワ文庫SF。電子書籍もあり。

司会・構成／牧眞司

S・キング(スティーヴン)『呪われた町』『ファイアスターター』

新潮文庫

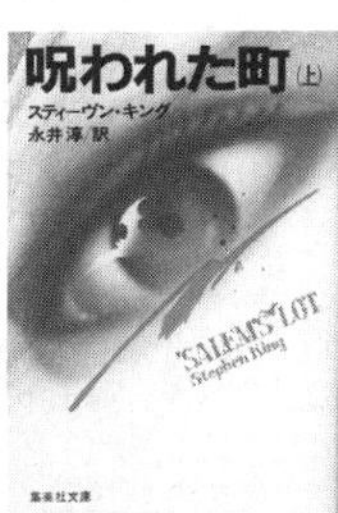

集英社文庫

初出　SF Japan 2005 WINTER

呪われた町

メイン州セイラムズ・ロット、平凡な田舎町である。作家ベン・ミアーズは新作執筆のため、少年時代の思い出があるこの町に戻ってきた。丘の上に建っているマーステン館は、かつて殺人事件があった屋敷で、少年だったベンはそこで幽霊を見ている。

ベンが町に戻ってきたと同じころ、このマーステン館にストレイカーと名乗る謎の男が移り住んできた。やがて、おかしな事件が勃発する。グリッグ兄弟が森の中で襲撃を受け、兄は瀕死の傷を負い、弟は姿を消す。これを皮切りに、町のあちこちで不可解な死者、行方不明者が相次ぐ。ベンと仲良くなった老教師のマットは、死んだはずの墓守に襲われて、心臓発作を起こしてしまう。

吸血鬼がこの町を支配しようとしていた。ベンの恋人スーザンは、謎の核心と思われるマーステン館に乗りこんで真相を探ろうとするが、あっけなくストレイカーに捉えられてしまう。ストレイカーが仕えるバーローこそ、「永遠の不死」を宿命づけられた吸血鬼だったのだ。

町の人たちはつぎつぎに吸血鬼の軍門にくだり、生き残っている人間は、ベン、少年マーク、コディ医師、キャラハン神父など、ごくひと握りだけ。ベンは吸血鬼に成りはてたスーザンの胸に杭を打ちこまなければならなかった。絶望的な状況のなか残された道は、バーローが眠る棺を見つけだし、彼を滅ぼすことだった。〈牧〉

ファイアスターター

一九六九年、大学生だったアンディとヴィッキーは二百ドルとひきかえに〈ロト・シックス〉なる新薬の投与実験を受けた。この薬物によって、被験者は超能力を得るが、その副作用も大きかった。ふたりは結婚し、やがて娘チャーリーが生まれる。彼女はきわめて強力な念力放火（パイロキネシス）の能力を有し、しかも力を使うことを愉しく感じていた。

政府の秘密機関《店》（ザ・ショップ）はチャーリーの能力に着目し、工作員を使って彼女を捉えようとする。ヴィッキーは惨殺され、アンディとチャーリーは必死の逃避行を続けるが、ついに追いつめられてしまう。そこでチャーリーの能力が解放される。つぎつぎと黒焦げにされる工作員たち。地獄絵が広がっていた。

しかし、《店》の辣腕工作員レインバードの作戦によって、親子は監禁され、チャーリーは実験に協力するように仕向けられる。レインバードは親切な雑用係を装って、彼女の心を開かせたのだ。一方、アンディは薬漬けにされながら、チャーリーを救い出す機会を狙っていた。

親子は再会を果たすが、それはレインバードに察知されていた。弾丸がアンディを撃ち抜き、チャーリーは悲しみのなかで能力を暴走させてしまう。《店》の本部は紅蓮の炎に包まれ、その場にいた人間は憎しみの熱波に焼き尽くされる。アンディはこときれる前に、娘にこう言い残した。「できるだけ逃げるんだ。もし必要なら、邪魔するやつを殺すのもやむをえん。これは戦争なんだ」。

〈牧〉

編　今回は、スティーヴン・キングです。キングは以前から取りあげようと言っていましたが、いろいろ事情があって先送りになっていました。作品は『呪われた町』と『ファイアスターター』の二冊ですが、キング作品全般の話になってもかまいません。司会は牧眞司さんにお願いします。

牧　キングといえば、エンターテインメント小説の革命児といえる存在ですね。ぼくたちがふつうに読んでも面白いけれど、おなじ小説家である山田さんや恩田さんが読むと、いろいろな仕掛けやワザが見えてくるのではないでしょうか。今日はそこらへんの話もうかがいたいと思っています。

●原作よりも映画が先

牧　まず、キングを読みはじめたきっかけから聞かせてくださ

スティーヴン・キング
アメリカの作家（一九四七－　）。六七年「スターリング・ミステリ・ストーリーズ」に「鏡張りの床」を発表してデビュー。七四年、第一長篇『キャリー』で作家としての地位を確立。以来、モダンホラーを中心に精力的に作品を発表。代表作に、『呪われた町』『シャイニング』『ファイアスターター』『IT』『ミザリー』『グリーン・マイル』など。多くの作品が映像化されている。

『キャリー』
一九七四年刊、キングの出発点となった作品。狂信的な母親に育てられ、クラスメイトたちからいじめの対象となっている娘キャリーは、十六歳のとき学校のシャワー室で初潮を迎えてパニックに陥る。これをきっかけにして彼女のなかに眠っていた超能力が目をさましていく。七六年にブライアン・デ・パルマ監督で映画化。邦訳は新潮文庫。

い。

恩田 私は『キャリー』です。といっても、キングの小説ではなく、ブライアン・デ・パルマ監督の映画が先です。中学一年生のときに公開されて、それを観たのが最初です。そのあとに原作を読みました。

牧 じゃあ、ハードカバー版かな。

恩田 いいえ。新潮文庫です。ハードカバーなんて出ているんですか？

牧 ぼくは新潮社のハードカバーで読んだんですが……。たしか、あれがキングの日本初紹介ですね。映画公開のころは、もう文庫になってましたっけ。

恩田 うん。おっかない絵が表紙でした。映画のほうはラストシーンがすごい評判になっていたでしょ。こういうシーン（手が出てくるジェスチャーをしながら）で、「ああ、びっくり！」。

牧 心臓に悪い演出ですよね。いきなりで驚かす。

恩田 私はあのデ・パルマの映画がけっこう好きでした。それで原作を読んで、つぎに読んだのはたしか『シャイニング』で

ブライアン・デ・パルマ
アメリカの映画監督（一九四〇―）。六〇年代より、ニューヨークを拠点に短篇映画やドキュメンタリーを製作。七三年の『悪魔のシスター』、七四年の『ファントム・オブ・パラダイス』が評判となり、ハリウッドへと進出。七六年の『キャリー』が大ヒットとなる。そのほかの代表作に、『アンタッチャブル』『ミッション：インポッシブル』『ブラック・ダリア』など。

『シャイニング』
一九七七年刊の作品。ジャック・トランスは妻と一人息子とともに管理人として、雪で閉ざされているホテルに住みこむことになった。そこで、作家として名をなすことをめざして執筆活動をつづけるが、ホテルのスキャンダラスな過去を知ったことをきっかけに精神のバランスを崩していく。八〇年にスタンリー・キューブリック監督で映画化。邦訳は文春文庫。電子書籍もあり。

すね。こんな厚いやつ。パシフィカから上下巻の分冊で出てました。そのころはまだ高校一年生くらい。本格的にキングを読みはじめたのは、大学生になってからですね。新潮文庫でどんどん出はじめたのを、ずっと追っかけていました。『ファイアスターター』『クリスティーン』といったあたりですね。

牧　スティーヴン・キングという作家を意識して読んでいたんですか？

恩田　そうです。とにかく『ファイアスターター』が気に入ったものですから。私が好きなキングは、『ファイアスターター』と『IT』。これはずっと不動ですね。このところはちょっとキングから遠ざかっているんですけどね。最後に読んだのは、『トム・ゴードンに恋した少女』。あのあたりになると、あんた、テクニックだけで書いてるでしょ――って感じで、ちょっと醒めてしまった。

牧　山田さんはいかがでしょう。キングという作家を、意識して読まれてますか？

山田　いまはすごく意識してるけど、当時はそれほどではなか

『クリスティーン』
一九八三年刊の作品。高校生アーニーは、廃車同然の五八年型プリマス・フューリー「クリスティーン」に惚れこみ、奇怪な老人からこれを買いとった。ある日、アーニーに怨みを持つ不良少年たちがクリスティーンを破壊するが、数日後にはクルマは元どおりになり、不良少年のひとりを轢き殺す。八三年にジョン・カーペンター監督で映画化。邦訳は新潮文庫（現在は品切れ）。

『IT』
一九八六年刊の作品。メイン州デリイに棲みついた邪悪な存在ITは二十七年ごとに凶行を繰りかえす。一九五八年にITを撃退した七人の少年たちは、その二十七年後、ふたたびITと対決するために力を合わせることになる。中年になり夢も純粋さも失った彼らに勝機はあるだろうか。九〇年にトミー・リー・ウォーレス監督でTVドラマ化され、二〇一七年にはアンディ・ムスキエティ監督で劇場映画化。邦訳は文春文庫。

った。『呪われた町』はリアルタイムで読んだはずだけれど、あとはなんだろうなあ。『シャイニング』にしろ『キャリー』にしろ、映画のほうが先だった気がする。映画を観て、それで原作はどうなのかなと思って読んだんじゃないかな。

恩田　『シャイニング』は、私が高校のころに公開されたんです。高校を卒業した春休み、東京で観ました。

牧　わざわざ東京で？

恩田　友だちと東京に遊びに来ていて、映画を何本か観たんです。そのうちの一本がたまたま『シャイニング』だった。あの映画も好きだったなあ。

山田　『キャリー』はデ・パルマでしょ。ぼくはデ・パルマ好きだし、『シャイニング』はなんてったってキューブリックだからね。そうすると、まず映画を観にいって、あとで原作を読むというパターンになるよね。正直言うと、そのころはキングの作品はあまりピンとこなかった。『呪われた町』もまあ面白かったけれど、「こういうのもありなのかなあ」くらいの印象で。そもそも『呪われた町』を読んだのは、まったくの勘違い

電子書籍もあり。

『トム・ゴードンに恋した少女』　一九九九年刊の作品。九歳のトリシアはレッドソックスのリリーフエースのトム・ゴードンの大ファンだった。両親が離婚し、いまは母と兄の三人暮らし。その家族で、ある日、山へピクニックに出かけるが、トリシアは森で迷ってしまう。過酷な自然のなかに取りのこされた幼い少女が、勇気をふりしぼって生きる闘いをはじめる。邦訳は新潮文庫（現在は品切れ）。

スタンリー・キューブリック　アメリカの映画監督（一九二八―九九）。五〇年代初頭より映画製作を開始。六四年『博士の異常な愛情』、六八年『2001年宇宙の旅』、七一年『時計じかけのオレンジ』と、立てつづけにSFの問題作を送りだし、その才能が広く認められる。そのほかの代表作に、『バリー・リンドン』『シャイニング』『フルメタル・ジャケット』などがある。

だったのだけれど『盗まれた街』を読もうと思って手にとったという……。

牧 ジャック・フィニイと間違えたんですね。

恩田 フィニイにしてはなんだか長いなあ、と思いませんでした？

山田 ヘンだなあ、と思いながら（笑）。

●甘い結末が好き

恩田 私も『呪われた町』はあんまり印象に残りませんでしたね。『ファイアスターター』は大好きだったんですが……。今回『呪われた町』を読みかえしたんですが、やっぱりそれほど強い印象は残らなかった。キングでも好きな作品と、合わない作品とがある。

牧 『ファイアスターター』のどこに惹かれましたか？

恩田 『ファイアスターター』ってキングのなかでもいちばんスッキリしているじゃないですか。あとの作品になると、冗長

『盗まれた街』ジャック・フィニイが一九五五年に発表した作品。カリフォルニア州の町で、家族が別人とすりかわっていると訴える者が続出した。いぶかしく思っていた開業医の主人公は、ある家の地下室で奇妙な「死体」を発見する。侵略テーマの古典。五六年に『ボディ・スナッチャー／恐怖の街』として映画化。その後、何度もリメイクされている。邦訳はハヤカワ文庫ＳＦ（現在は品切れ）。

とまでは言わないけれど、どんどん細かいところまで書くようになっていく。それにくらべて、『ファイアスターター』はバランスがいいですよね。構成もキチンとできているし、泣かせる話だし。私はラストシーンがすごく好きなんです。

山田 主人公の少女が「ローリング・ストーン」誌のオフィスに入っていくところね。

恩田 「ずっと順番を待ってたのよ」という台詞（せりふ）もいい。ま、甘い結末なんですが、私はそこが気に入っているんです。

牧 先ほど『ファイアスターター』と並べて『IT』が好きだとおっしゃっていましたが、その理由は？

恩田 これも結末が好きですね。未来がある終わり方じゃないですか。あと、フォーチュン・クッキーとピエロのイメージが強烈だった。全体的には、B級テイストがうまく昇華されているのがよかったです。

牧 『IT』をキングのベストに推す人は多いですね。

恩田 『ファイアスターター』に話を戻すと、登場人物のひとりにレインバードというネイティブ・アメリカンがいるじゃないですか。あのキャラクターが秀逸ですね。孤高の存在というか、特殊な哲学を持っているというか。キングの作品にはあまり出てこないタイプですね。

●日本の女性作家への影響

山田 そういえば、宮部みゆきさんも『ファイアスターター』が好きみたいですね。

牧 宮部さんの『クロスファイア』は、『ファイアスターター』の換骨奪胎（かんこつだったい）ですね。

山田 小野不由美さんの『屍鬼』は、『呪われた町』に触発されて書かれた作品でしょ。そう考えると、恩田さんと同世代の女性作家には、キングが好きな人がけっこういる。

恩田 あと、小池真理子さんがキングをずいぶん褒めていました。小池さんは恋愛小説に行く前、いっときホラーっぽい作品を書かれていましたよね。キングからの影響があったとご本人もおっしゃっていますし、読んでみるとたしかにそういう部分があります。

山田 小池さんのホラー小説というと、『墓地を見おろす家』とか？

宮部みゆき
小説家（一九六〇―　）。八七年「我らが隣人の犯罪」でオール讀物推理小説新人賞を受賞してデビュー。『龍は眠る』で日本推理作家協会賞、『本所深川ふしぎ草紙』で吉川英治文学新人賞、『蒲生邸事件』で日本SF大賞、『火車』で山本周五郎賞、『理由』で直木賞を、『模倣犯』で毎日出版文化賞特別賞、司馬遼太郎賞、芸術選奨文部科学大臣賞を、『名もなき毒』で吉川英治文学賞を、それぞれ受賞。

『クロスファイア』
一九九八年刊の宮部みゆき作品。深夜の廃工場で、殺人事件に遭遇したOL青木淳子は、掌から炎を放ち犯人たちを焼き殺す。念力放火能力を持つ彼女は、法律で裁かれない悪人の処刑を使命とし、孤独に生きていたのだ。短篇「燔祭」のヒロイン淳子の後日談。二〇〇〇年に金子修介監督で映画化。初刊は光文社カッパノベルス。現行本は光文社文庫。

恩田　あと、『夜ごとの闇の奥底で』とかですね。

山田　日本でいえば、キングのインパクトを受けたのは、もっぱら女性作家だったといえそうですね。

編　言われてみれば、日本の男性作家でキングの影響を受けている人って、なかなか思い浮かびませんね。

恩田　いそうでいませんよね。女性だと、はっきりキングにオマージュを捧げている人が多いんですが。

山田　ぼくは今度『ＩＴ』へのオマージュを書くつもりなんですが、それができたら、日本ではじめてキングの影響を受けた男性作家ということになるかな。……いや、あれがあった。高見広春さんの『バトル・ロワイアル』。

恩田　あれはキングの『ハイスクール・パニック』ですね。リチャード・バックマン名義で発表された作品のひとつです。ところで、山田さん、その『ＩＴ』へのオマージュってのはどこで書くんですか？

山田　えっ？　いや、その、はたして書けるかなあ。最近は才能枯れてるし、体力衰えてるし、いつもいつも眠たいし……。

小野不由美
小説家（一九六〇―　）。八八年『バースデイ・イブは眠れない』でデビュー。ティーンズノベルの分野で活躍をつづけていたが、九四年に日本ファンタジーノベル大賞の最終候補作となった『東京異聞』が刊行され、より広範な読者の注目を集める。『残穢』で山本周五郎賞を、《十二国記》シリーズで吉川英治文庫賞を、それぞれ受賞。

『屍鬼』
一九九八年刊の小野不由美作品。いまもなお土葬の習慣が残る外場村で惨劇が起こる。猛暑に襲われた夏、山深い集落で三体の腐乱死体が発見され、その周囲には無数の肉片が散乱していたのだ。これを皮切りに、村では死者が続出する。やがて明らかになる「屍鬼」の正体とは……。初刊は新潮社。現行本は新潮文庫。

小池真理子
小説家（一九五二―　）。出版社勤務、フリーライターを経て、七八年

恩田　なに言ってるんですか、もう（笑）。

●キングへのオマージュ

牧　恩田さんは、キングの影響を受けて書いた作品がいくつかありますよね。

恩田　『劫尽童女』は、もろに『ファイアスターター』です。

山田　『劫尽童女』は、筒井康隆さんの《七瀬》シリーズの影響もあるんじゃない？

恩田　どうでしょうか。あまり意識してはいませんが、根っこのところでは影響されているかもしれませんね。あと、いまゲラを再校中の『ネクロポリス』というのが、わりとキングっぽいと思います。

牧　「小説トリッパー」で連載していた作品ですね。再校ってことは、もうしばらくで書店に並ぶわけですね。

恩田　ええ。この読書会が終わったあと、出版社までゲラを届ける約束なんです。

にエッセイ集『知的悪女のすすめ』を発表。『妻の女友達』で日本推理作家協会賞を、『恋』で直木賞を、『欲望』で島清恋愛文学賞を、『虹の彼方』で柴田錬三郎賞を、『無花果の森』で芸術選奨文部科学大臣賞を、『沈黙のひと』で吉川英治文学賞を、それぞれ受賞。

『墓地を見おろす家』
一九八八年刊の小池真理子作品。主人公の一家が瀟洒なマンションに引っ越してくる。新築で都心のロケーションにもかかわらず格安という好条件。ただひとつ気になるのは、周囲に広大な墓地が広がっているということだった。初刊は角川文庫。現行本は角川ホラー文庫。電子書籍もあり。

『夜ごとの闇の奥底で』
一九九三年刊の小池真理子作品。山中で自動車事故を起こした世良祐介は、通りかかった美女・亜美に助けられて、彼女のペンションへ泊まることになる。そこで彼を待っていた

牧　うわっ、それは忙しい。『ネクロポリス』はどこがキング・テイストなんですか？

恩田　……上下巻な感じとか。

一同　（大爆笑）

恩田　あと、表紙を藤田新策さんに描いてもらっているところとか。それだけか（笑）。

山田　『夜のピクニック』もキングでしょ？

恩田　あれは、書きはじめるときは『死のロングウォーク』を念頭においていたんですが、できあがってみると爽やか青春小説になっていた。もともとは、あんなはずじゃなかったんですが（笑）。

牧　『上と外』の、薄い分冊で刊行するスタイルは、キングの『グリーン・マイル』に倣（なら）ったものですね。

恩田　私は「誰かがやればいいのにね」って言っただけなんですよ。編集者と話していて、「東野圭吾さんとか柴田よしきさんとかに書いてもらったらどう？」と言っていたんです。そうしたら、いきなり「企画が通りましたから、よろしくお願いし

のは、狂気の罠だった。初刊は新潮社。現行本は新潮文庫。電子書籍もあり。

高見広春の『バトル・ロワイアル』
一九九九年刊の作品。全体主義国家「大東亜共和国」では、政策によって殺人ゲームが実施されていた。中学のクラスメイトが殺しあい、ひとりだけが生きのこる。絶望的な状況のなか、主人公の七原秋也と友人たちは、どうにかして政府の裏をかこうとするが……。二〇〇〇年に深作欣二監督で映画化。初刊は太田出版。現行本は幻冬舎文庫。作者の高見広春は小説家（一九六九―　）。

『ハイスクール・パニック』
一九七七年、リチャード・バックマン名義で発表された作品。高校生のチャーリーは、ふたりの教師を射殺し、クラス全員を人質に立てこもる。チャーリーはクラスメイトに自分の悲惨な過去を告白し、それがきっかけとなって打ち明け話がはじまる。

ます」って。えっ、私、私が書くの？（笑）。

牧　思いがけず、自分に降りかかってきてしまった。

山田　でも、あれができるのは、日本ではやはり恩田さんしかいないよ。

恩田　ここでヨイショしたって、なにも出ませんよ。でも、あれはホントに死ぬかと思いました……。雑誌とはわけが違う。

編　今後、キング的な仕掛けの作品を書く予定はないんですか？

恩田　やってみたいのは、『レギュレイターズ』と『デスペレーション』のように二作品でワンセットみたいな出し方ですね。

牧　表恩田に裏恩田ですか？

恩田　いつも裏ですけれど。

牧　ところでキングの影響ということで言えば、モチーフや構成というだけでなく、語りや表現という部分でも、日本の小説界に与えたものは大きいと思いますが。

恩田　たとえば、いきなり話をはじめるとか、いちばんいいところで終わって、つぎの行からは別な場面ではじめるとか。い

邦訳は扶桑社ミステリー（現在は品切れ）。

『劫尽童女』
二〇〇〇年～翌年「ジャーロ」で連載、〇二年単行本化された恩田陸作品。アメリカの秘密機関「ZOO」は、薬物と遺伝子操作によって特殊能力を持つ生物を生みだす実験をおこなっていた。伊勢崎博士はこの組織と決別して失踪するが、ZOOは彼を執拗に追ってくる。八年後、博士の娘ルカはZOOとの闘いを余儀なくされる。現行本は光文社文庫。電子書籍もあり。

藤田新策
イラストレーター（一九五六― ）。宮部みゆき、小野不由美、恩田陸、スティーヴン・キング、江戸川乱歩などの著作のカバーアートを手がける。

『夜のピクニック』
二〇〇二年～〇四年「小説新潮」で連載、〇四年単行本化された恩田陸

までは日本のエンタメ界ではあたりまえになっているテクニックですが、みんなキングから来てるんですね。

●臆面もないアイデアと力業（ちからわざ）

牧　キングの作品の特徴は、まずアイデアがシンプルなことですね。

編　だから読者もついていきやすい。今回はこのネタですよ、という感じですね。

恩田　しかし、ひとつのネタだけで、よくもあれだけの長さが持たせられる。あれはすごいなあ。

牧　ネタだけ聞くと、もう臆面もないほどあからさまなんですね。フィリップ・K・ディックとかリチャード・マシスンが一九五〇年代に短篇で書いていたみたいな。

恩田　『ダーク・ハーフ』とかね。自分のペンネームが実体化して襲ってくる。すごいあらすじです。

牧　ふつうそんなんで長篇は書かないでしょう。

作品。貴子が通う高校には、全校生徒が丸一昼夜をかけて八十キロを歩く「歩行祭」という伝統行事があった。貴子は年に一度の特別なこの日に、異母兄妹のクラスメイトの西脇融に声をかけようと決意していた。本屋大賞を受賞。〇六年に映画化。初刊は新潮社。のちに新潮文庫に収録。現在、単行本・文庫ともに入手可能。電子書籍もあり。

『死のロングウォーク』
一九七九年、リチャード・バックマン名義で発表された作品。近未来のアメリカでは、政府に選抜された百人が、メイン州北部から延々と南に歩きつづける競技がおこなわれていた。立ち止まることはゆるされず、脱落者は射殺される。生き残れるのはたったひとりだけだ。邦訳は扶桑社ミステリー（現在は品切れ）。

『上と外』
二〇〇〇年～翌年に六分冊で刊行された恩田陸作品。中学生の楢崎練と妹の千華子は、中央アメリカのG国

恩田　力業ですよ。キングが翻訳されるようになって、みんな「ああ、これでいいんだ！」と気づき、日本のエンタメが一気に長くなった。あと、第一部、第二部……と分けて、それぞれにタイトルをつけるやり方も、キングが流行（はや）らせたんですね。

牧　たぶん本国のアメリカでも、キングの登場はエポックだったと思います。それまでのエンターテインメントの書き方を塗り替えてしまった。それまでもマイクル・クライトンみたいなブロックバスターはあったんですが、キングはまったく違う方法論を持ちこんだ感じです。

編　キングよりクライトンのほうが先でしたっけ？

牧　先です。キングの処女長篇『キャリー』は一九七四年の発表ですが、その当時すでにクライトンは映画化された『アンドロメダ病原体』や、ジョン・ラングのペンネームで発表した『毒蛇商人』など、かなりの数の作品を発表して、作家としての地位を築いていました。

恩田　クライトンはまずアイデアがあってそこから広げていくんですが、キングは外堀から埋めていく書き方なんですよ。み

でクーデターに巻きこまれ、広大なジャングルをさまようはめになる。ふたりがたどりついたのは、巨大な迷宮のような地下遺跡だった。初刊は幻冬舎文庫（六分冊）。現行本は幻冬舎文庫（新装版、二分冊）。電子書籍もあり。

『グリーン・マイル』
一九九六年に六分冊で刊行された作品。コールド・マウンテン刑務所では死刑囚が最後に歩くリノリウム張りの通路を「グリーン・マイル」と呼んでいた。不思議な能力を持った黒人死刑囚を中心に、看守たちと囚人たちが哀しい人間模様を繰りひろげる。九九年にフランク・ダラボン監督で映画化。邦訳初刊は新潮文庫（六分冊）。現行本は小学館文庫（二分冊）。

『レギュレイターズ』
一九九六年刊の作品。リチャード・バックマン名義で書かれた。平穏な市街地に忽然とあらわれた殺戮集団と住民たちの闘いを描く。邦訳は新

んなそれを真似るようになった。

牧　まあ、キングはそれでいいんですけどね。あとからそれを真似た人たちには、ただ長いだけってのが多くて困るんです。キングも駆け出しのころは編集者が削っていたのが、偉くなってくると書きたいままに書けるようになっていく。そうすると……。

恩田　そんなに長くなくてもいい、そう言いたくなる部分があることは否めないですね。キングはきっと、細かいところまで書きこんでおかないと不安になる人なんですよ。でも、まだ『ファイアスターター』のころは、ムダなことを書いていない。

●自分のために書いている作家

牧　キングについて、よく「ジェットコースター」という表現がされるじゃないですか。読者を乗せたら、最後まで一気に持っていくみたいな。でも、それはちょっと違うと思う。

恩田　けっしてストーリーテラーじゃないですよね。

潮文庫（現在は品切れ）。

『デスペレーション』
一九九六年刊の作品。『レギュレイターズ』と対になり、こちらはキング名義。外部と隔絶した田舎町を支配していたのは、魔物に取り憑かれた警官だった。住民たちのサバイバルがはじまる。二〇〇六年にミック・ギャリス監督でTVドラマ化。邦訳は新潮文庫（現在は品切れ）。

リチャード・マシスン
アメリカの小説家・映画脚本家（一九二六―二〇一三）。五〇年「F&SF」に「男と女から生まれたもの」を発表してデビュー。『ある日どこかで』で世界幻想文学大賞を受賞。そのほかの代表作に、『アイ・アム・レジェンド』『縮みゆく人間』『地獄の家』などがある。

『ダーク・ハーフ』
一九八九年刊の作品。文学作家サド・ボーモントは、金稼ぎの暴力小説を書くときはジョージ・スターク

牧　ぼくがキングを読んで面白いなと思うのは、むしろちょっとした表現なんです。たとえば『ファイアスターター』では、超能力を発動させるときに、〝押す〟とか〝揺さぶる〟などと描写される。SFではすでに共通了解になっていてほとんど自動的に使われているアイデアを、日常感覚にしっくりと翻訳しているんですね。これが非常に巧い。

山田　たしかにキングの作品って、ストーリーはほとんどないよね。

恩田　ジェットコースターというよりも夜行列車に近い。

牧　よくキングとディーン・R・クーンツがモダンホラーの両巨頭として並び称されますけれど、タイプはぜんぜん違う。

山田　クーンツのほうはジェットコースターって言ってもよいかな。ストーリーを前に進めていく力がある。

恩田　私はクーンツも好きなんですけれど。

牧　クーンツが好きな人って従来の冒険小説が好きで、その発展形としてクーンツを楽しんでいるような気がする。キングはそれとはぜんぜん違う。

というペンネームを使っていたが、匿名性が暴かれたのをきっかけにこのペンネームを葬る決意をする。過去を封印したつもりが、存在するはずのないスタークがあらわれて、次々と猟奇殺人事件を起こしていく。九三年にジョージ・A・ロメロ監督で映画化。邦訳は文春文庫。

マイクル・クライトン
アメリカの小説家・脚本家・映画監督（一九四二—二〇〇八）。六六年にジョン・ラング名義で『華麗なる賭け』を発表。六八年のジェフリイ・ハドスン名義『緊急の場合は』がアメリカ探偵作家クラブ賞を受賞。六九年のクライトン名義で書いた最初の作品『アンドロメダ病原体』がベストセラーになる。そのほかの代表作に『北人伝説』『ジュラシック・パーク』『ライジング・サン』『タイムライン』などがある。

『アンドロメダ病原体』
一九六九年刊のクライトン作品。人工衛星から投下されたカプセルは、

恩田　クーンツはみんなのために書いているけれど、キングは個人的ですよね。自分のために書いている。

牧　それがたまたま売れてしまった。

●マイノリティの感覚

恩田　キングは「アメリカ人の文学」だというのが、私の持論です。「アメリカ文学」ではなく「アメリカ人の文学」。アメリカ人の強迫観念が作品に色濃くあらわれている。

牧　その強迫観念というのは、どういうものですか？

恩田　「知らないところで搾取されているのではないか」とか、「自分が持っているものをいつか喪失してしまうのではないか」とか。いちばん強く感じるのが「オレたち負けるんじゃないか」という不安です。アメリカ人一般にある強迫観念なんですが、それがキングが抱えている個人的妄想と一致する。だからキングがベストセラーになるんです。キングの愛読者って、インテリ層が多いんじゃないかな。私はむかし、不動産の仕事を

アリゾナ州の田舎町を壊滅させる。宇宙からの病原菌が付着していたのだ。全滅したかとおもわれた町だが、赤ん坊と老人が生きのこっていた。彼らに共通するのは何か？　恐るべき生物汚染に対し、人類の英知が立ちむかう。七一年にロバート・ワイズ監督で映画化。邦訳はハヤカワ文庫NV。電子書籍もあり。

『毒蛇商人』
一九六九年にジョン・ラング名義で発表されたクライトン作品。密輸業者の主人公は旅行先で旧友と出会い、彼のボディーガードを買って出る。しかし、偶然に思えたこの再会の裏には、周到に仕組まれた陰謀が隠されていた。邦訳は早川書房、のちに『スネーク・コネクション』の題名で河出文庫（いずれも現在は品切れ）。

ディーン・R・クーンツ
アメリカの小説家（一九四五―　）。九二年からミドルネームのRを抜いた「ディーン・クーンツ」名義とな

していて、外資系企業のマンションに何度か行ったことがあるんです。日本に赴任してきてそういうところに住む人たちってエリート系ですよね。本棚を見ると、かならずといっていいほどキングの本が何冊か並んでましたよ。

山田　どうなんでしょう。そういうマンションって会社が用意するもので、本棚に並べる本も無難なところを選んでいるんじゃないかなあ。キングがインテリ層に支持されているということはあまり考えられない。というのは、カナダにいたとき、うちの娘がむこうの学校に行っていたんですが、キングは読書感想文の対象にはならない、選んではいけない作家だったそうです。当時、娘の家庭教師だった人も、「キングなんてマトモな読み物じゃない」と言ってはばからなかった。そんなふうに低俗だと思われていたキングが最近になって認められるようになったのは、彼の持っているマイノリティの感覚が評価されたんだと思います。つまり、プアホワイトとか、女性とか、売れない作家とかの視点や感じ方ですね。

恩田　そうなんだ。

る。六七年に「F&SF」に短篇を発表してSF作家としてデビュー。七五年ごろからホラー中心となる。代表作に『デモン・シード』『ウィスパーズ』『ファントム』『12月の扉』『ライトニング』『オッド・トーマスの霊感』などがある。

山田　少なくとも十年くらい前まで、アメリカでは、キングというのは子どもが読む小説だと思われていた。そういう意味では、日本のほうが早くキングを正当に評価したんだと思う。先ほど、日本ではキングが好きな女性作家が多いという話題が出ましたが、それはキングのマイノリティ意識に共感したからでしょう。男性はそこがなかなかわからなかったのかもしれない。『ファイアスターター』を例に取ると、主人公は巨大な組織から追いつめられている。これはマイノリティの感覚ですよね。『デッド・ゾーン』だってそうです。でも、これらの作品を書いている当時は、キング自身よくわかってなかったと思う。最近になってそれに気づき、作品も変わってきたんじゃないかな。

●キングの文学的地位

恩田　キングの文学的地位が上がったのは、「黒いスーツの男」がO・ヘンリー賞を受賞したあたりでしょうね。

牧　一九九〇年代の半ばですね。

「黒いスーツの男」
一九九四年に「ニューヨーカー」に掲載された作品。九十歳をすぎた語り手が九歳のときの不思議な経験を話す。カワマスを釣っていて森の奥深くに入りこんだ少年は、黒いスーツの男と出会い、その男のまなざしに戦慄を覚える。邦訳は短篇集『第四解剖室』（新潮文庫）に収録。

O・ヘンリー賞
短篇小説の名手O・ヘンリー（一八六二―一九一〇）の名を冠して、英語の優れた短篇小説に与えられる賞として一九一八年に設立。翌一九年より年次で授賞がおこなわれている。

山田　そのあたりでアメリカの文壇もキングに注目しはじめた。売れるという点ではそれ以前から売れていたんだけど、文学的評価というのはずいぶん遅れていた。

編　山田風太郎みたいですね。《忍法帖》シリーズは多くの読者を得ていたけれど、文壇からは「大人の読むものではない」と思われてきた。それが明治ものなどを書くようになって、文学的評価もあがってきた。

牧　キング自身の作品も変わってきていますよね。もともとはホラーやサスペンスに専念していたのが、人生の機微を織りこむようになっていった。先駆けとして「スタンド・バイ・ミー」という作品がありますが、本格的に開花したのは一九九六年の『グリーン・マイル』でしょうか。

山田　『アトランティスのこころ』もそうですね。

牧　先日翻訳された『回想のビュイック8』も、『グリーン・マイル』の路線。しみじみと読ませます。キングが巧いのは、泣かせなんだけれど、押しつけっぽくないところです。

恩田　説教臭さがないですよね。

山田風太郎
小説家（一九二二―二〇〇一）。「宝石」短編懸賞の入選作「達磨峠の事件」が同誌に掲載されて、四七年にデビュー。五八年の『甲賀忍法帖』を皮切りに七〇年代前半まで数多くの《忍法帖》を発表。一大ブームを巻きおこす。その後、《明治もの》《室町もの》に属する諸作のほか、ノンフィクション『人間臨終図巻』、エッセイ『半身棺桶』など、幅広い執筆をおこなった。

《忍法帖》シリーズ
安土桃山時代から江戸時代を舞台として、奇想天外な忍法を駆使する忍者たちの死闘を描く。それぞれの作品は独立した物語で、内容的なつながりはない。長篇が二十数篇、短篇も相当数ある。

「スタンド・バイ・ミー」
一九八二年刊の短篇集『恐怖の四季』初出の短篇。行方不明になっている少年の死体が森の奥にあるというウワサに興味をもった四人の少年

牧 そこらへんは、キング自身の人生から来てるんでしょうか。幼いときに父親が出奔して……。

編 そういう子ども時代だったんですか？

恩田 そう。お父さんが急にいなくなってしまったんです。

山田 お母さんが育ててくれたんでしょ。でも、そのわりには、キングの小説にはなぜか母親が悪者というパターンが多い。まず、『キャリー』がそうですよね。『ザ・スタンド』もそうだ。『ファイアスターター』では悪役ではないけれど、母親はすでに死んでしまっている。一方、父親は憧れの的という設定が多い。

恩田 キングは父親を知らないから理想化されているんでしょうね。身近に父親がいたら、ああはならない。

●説明無用のストーリー展開

牧 キングは『キャリー』でデビューするまで、ＳＦ雑誌にも投稿を繰り返していたんですが、ことごとく没にされていた。

たちが、線路づたいに「死体探し」の旅に出る。キングの自伝的要素の強い作品。八六年にロブ・ライナー監督で映画化された。邦訳は短篇集『スタンド・バイ・ミー』（新潮文庫）に収録。

『アトランティスのこころ』一九九九年刊の作品。物語の開幕は一九六〇年。十一歳の仲良し三人組ボビー、キャロル、サリー・ジョンは、不思議な能力を持つ老人テッドと出会う。背伸びをしたい少年の心、老人との温かな交流が綴られるが、やがて別離のときがくる。その後、六〇年代後半、一九九九年と、時代と登場人物を変えて、運命の糸がつながっていく。二〇〇一年にスコット・ヒックス監督で映画化。邦訳は新潮文庫（現在は品切れ）。

『回想のビュイック８』二〇〇二年刊の作品。警官だった父が事故死し意気消沈している少年に、父の同僚たちが信じがたい話を語りはじめる。警察署のガレージに眠る

恩田　まあ、SFじゃないですよね。

牧　キングは理屈抜きですからね。SFの編集者からみれば「もう少しそれっぽい説明をつけろよ」ということになるかもしれない。

恩田　『トミーノッカーズ』とかね。SFを期待すると「なんじゃこりゃ?」。

牧　むかしのテレビ・シリーズの『トワイライト・ゾーン』とかの感じなんです。意匠としてはSFっぽいんですが、ロジックはわりと無頓着で、不思議な顚末を描くことばかりに重点がおかれる。

恩田　SF者じゃないとか言われる。

牧　説明とかつけないほうがかえって面白いこともあるんですが。『回想のビュイック8』なんかその典型で、外見はビュイックそのものなんだけれど、細かく見るとバッテリーがどこにもつながっていなかったり、ダッシュボードのつまみはすべて飾りものだったりで、自動車とすら呼べない。どこから来たのかすらわからないこのモノが、つぎつぎに怪奇現象を起こす。

クルマ「ビュイック8」は、異次元とつながっていたのだ。邦訳は新潮文庫（現在は品切れ）。

『ザ・スタンド』
一九七八年刊の作品。軍が研究していた細菌によって、アメリカ全土が崩壊する。抗体を持つひとにぎりの人々は離れた場所にいながら不思議な夢を共有し、互いに励ましあっている。だが、彼らを脅かす「闇の男」のもとに、悪しき者どもが集結しつつあった。九四年にミック・ギャリス監督でTVドラマ化。邦訳は文春文庫（現在は品切れ）。電子書籍で入手可能。

『トミーノッカーズ』
一九八七年刊の作品。何百万年も前から地中に埋もれたままになっていた巨大宇宙船が、女性作家ロバーダにテレパシーを送ってくる。操られるままに宇宙船の発掘をつづけ、身も心も憔悴していく彼女。彼女を救うことができるのは、元恋人の酔いどれ詩人ジムだけだった。九三年に読みはじめのころはすごく違和感があるんですよ。チープなB級SF映画のガジェットみたいで。でも、キングはそれを最後まで押し通して、微塵も謎解きをしないんです。違和感だったものが、ひとつの存在感に転化していく。そこに、『グリーン・マイル』的な人生しみじみ話を絡めてみせるんだから、呆気にとられます。

山田　キング本人が「説明が嫌いだ」と明言しているよね。自分の作品で唯一説明をつけているのが『ファイアスターター』だ、と言っている。彼のなかでは、特殊な位置を占めている作品らしいよ。

牧　超能力がめざめたのは、薬物実験のせいだというのが、その説明なんですかね。

山田　それで説明をつけているというのもスゴイけれど（笑）。

牧　薬物実験が実施されたのは一九六九年という設定です。フラワーチルドレンのころで、背景にドラッグ・カルチャーも見えている。大学で志願者を募集して怪しげな実験をするというのも、いかにもありそうですよね。

ジョン・パワー監督でTVドラマ化。邦訳は文春文庫（現在は品切れ）。

『トワイライト・ゾーン』
アメリカで一九五九年〜六四年に放映された、SFのTVドラマ・シリーズ。日本では『ミステリー・ゾーン』というタイトルで放映された。脚本の多くをロッド・サーリング（一九二四―七五）が担当。

フラワーチルドレン
六〇年代後半のアメリカで、既成の価値観にとらわれずに生活をした若者たちのこと。とくにサンフランシスコに集まり、「自由と平和」を標榜した者のことを、フラワーチルドレンと呼ぶことが多い。

恩田　薬物実験のくだりで、解剖図にコンマのかたちの血痕がついている場面があるでしょ。あそこが好きですね。

牧　コンマという表現がいいですよね。さりげなく読者の脳裏に焼きつく。敵役になる秘密組織《店(ザ・ショップ)》というのも、ヴァン・ヴォクトの『イシャーの武器店』から採(と)ったネーミングだそうですね。このセンスもいい。

●時代感覚と日常的リアリティ

山田　キングに特徴的なのは時代感覚なんです。『ファイアスターター』だと、当時はまだニクソン大統領時代の余韻があって、政府が陰で何をやっているかわからないという危機感があった。一個人が体制に対抗するためにはどうすればいいのか。そこで、キングは物語の最後に、「ローリング・ストーン」の編集部を持ってくるんです。

牧　いま読むと、こんなことで恐ろしい敵と闘えるのかと思うんですが、当時は「ローリング・ストーン」誌だという意味が

A・E・ヴァン・ヴォクト
カナダ出身、アメリカで活躍した小説家（一九一二—二〇〇〇）。三九年「アスタウンディング」に「黒い破壊者」を発表し、SF作家としてデビュー。この作品を開幕篇として宇宙怪物・エイリアンとの闘いを描いた連作『宇宙船ビーグル号』、非アリストテレス哲学を身につけた超人が活躍する『非Aの世界』、ミュータントテーマの『スラン』などで、絶大な人気を博す。

『イシャーの武器店』
ヴァン・ヴォクトの代表作のひとつ。「アスタウンディング」に発表された連作をまとめ、一九五一年単行本化。現代の新聞記者マカリスターは謎の武器店を取材中、七千年後の未来世界へと移送されてしまう。そこでは不死人へドロックが、地球を壊滅の危機から救うべく奮闘中だった。『武器製造業者』とともに〈イシャー〉シリーズを構成する。邦訳は創元SF文庫（現在は品切れ）。

あったんですね。

山田 リアルタイムで読むと、「ローリング・ストーン」ってそういう雑誌なんだなと、リアリティがあるんです。

牧 そうした時代感覚という点、あと設定面も含めて、今回『ファイアスターター』を読み直して連想したのは、吉田秋生『BANANA FISH』ですね。

恩田 たしかにベトナム戦争の時代や薬物実験という点では共通項がありますね。

牧 『BANANA FISH』の主人公は超天才少年で戦闘能力も優れている。その点では、『ファイアスターター』のチャーリーと同じです。ただし、いかに飛び抜けた才能を持っていても、あくまで汚れた町の片隅に住む一個人にすぎない。

恩田 家族が弱みになるという点でも似てますね。

牧 それで、徒手空拳で権力や悪の巨魁(きょかい)と闘っていかなければならない。そうした構図に、山田さんが先ほど指摘されたマイノリティの感覚が重なりますね。

山田 たぶんキングは『ファイアスターター』のころは、マイ

吉田秋生『BANANA FISH』 ニューヨークのストリートキッズのボスにして天才少年アッシュ・リンクスが、マフィアとタカ派政治家、軍部が企むドラッグ開発の計画に敢然と立ちむかう。二〇一八年に内海紘子監督でアニメ化。初刊は小学館フラワーコミックス、のちに小学館文庫。現在、どちらの版でも入手可能。電子書籍もあり。作者の吉田秋生は漫画家（一九五六— ）。

ノリティのことは意識していなかったと思う。しかし、『骨の袋』あたりでは、はっきりと気づいてやっているね。それまでは、セールスマンの辛さとか売れない作家の悲哀とかいうかたちで表現されることが多かった。それにしても、キングは「そんなことをしているとマクドナルドで働くようになっちゃうよ」みたいなことを平気で書くんだ。日本ではとてもそんなこと書けないよね。アメリカではおそらく日常的にそんな会話がされているんだろうね。

恩田　転落の恐怖感がうかがえますよね。

山田　ぼくにもよくわかるんだ。むかしからいつも転落の予感に怯(おび)えてたから。アメリカの大衆のピリピリしているところを巧くついている。

牧　先ほど、『骨の袋』あたりから、キングが自覚的になったという話が出ましたが、そのあたりを説明してくれますか?

山田　キングはずっと無意識にマイノリティを志向してきたんだけれど、世界一のベストセラー作家になって、自分自身はどうしたってマイノリティの立場じゃなくなった。『骨の袋』あ

『骨の袋』
一九九八年刊の作品。ミステリ作家マイク・ヌーナンは、妻の死後、悪夢に苛まれるようになる。その夢の舞台となる湖畔の別荘「セーラ・ラフス」を訪れた彼は、過去の犯罪がからんだ怪奇現象に遭遇し、また地元の権力者と争うはめになる。ブラム・ストーカー賞を受賞。二〇一一年にミック・ギャリス監督でTVドラマ化。邦訳は新潮文庫(現在は品切れ)。

『不眠症』
一九九四年の作品。七十歳の老人ラルフは奇妙な症状に悩まされていた。毎日、前夜より一分ほど早く目覚めてしまうのだ。しだいに短くなる睡眠時間。朦朧とした意識のなかで、彼は町に厄災が迫っていることを知る。彼を中心とする老人たちの闘いがはじまった。邦訳は文藝春秋(現在は品切れ)。

たりからフェミニズムに非常に敏感になっている。大作家たる自分はもうマイノリティには戻れないけれど、マイノリティとしては、女性である奥さんが身近にいた、ということなんだろうなと思います。いまは女性というだけではなしに……『トム・ゴードンに恋した少女』では少女だし、『不眠症』では老人といった具合です。

●固有名詞・商品名の多用

牧 『呪われた町』を読むと、こんな時代に取り残された町は、アメリカのいたるところにあるんだろうなと思いますね。

山田 誰も指摘していないんだけど、『呪われた町』はヒッチコックの『サイコ』の設定を使っている。あの映画では、新しく国道ができたせいで、ルートから外れたモーテルが寂れてしまう。それをキングは、町全体に置き換えたんだ。そういう意味では、最初からホラーの趣向が強いのは当然なんだ。キングは、ホラー映画もそうなんだけれど、サブカルチャーに対する

アルフレッド・ヒッチコック
イギリスの映画監督（一八九九―一九八〇）。一九二〇年ごろから映画界で仕事をはじめ、三八年の『バルカン超特急』で成功をおさめ、ハリウッドに進出。四〇年、アメリカでの初作品『レベッカ』はアカデミー最優秀作品賞を受賞。その後、『裏窓』『めまい』『北北西に進路を取れ』『サイコ』『鳥』などの作品を監督し、サスペンス映画の第一人者となる。

『サイコ』
一九六〇年のアメリカ映画。監督はヒッチコック、原作はロバート・ブロック、主演はアンソニー・パーキンス。会社の金を横領して逃げた女が、宿泊したモーテルで刺殺される。モーテルを管理するのはひとりの青年。離れの一軒家にはその母親が住んでいるのだが、その姿は画面にはあらわれない。九八年にガス・ヴァン・サント監督でリメイク版が製作されている。

嗅覚が非常に鋭くて、意識しなくとも先行作品を巧く取り入れている。

恩田　キングが固有名詞を多用するというのは昔からいわれていたことだけれど、それも嗅覚のなせるわざなんでしょうね。

山田　キングはそれ以外の書き方を知らないんだろうね。自分の身近にあるものでしかリアリティを構成できない。文学的意匠をまとって、固有名詞を出さないとか商品名を隠してしまうやり方は、キングにとってまったく無縁なんですね。リアリティの水準が違う。

恩田　私たちが作品で固有名詞を書くと、校正者からチェックが入りますよね。

山田　そう。このまえ、「小宮悦子」「安藤優子」って書いて、ヒヤヒヤしていたんだけれど、それにはチェックは入らなかった。

恩田　商品名とか出すと、「ママ？　よろしいですか？」とか書かれちゃう。現実にあるものは使わないほうがいいという暗黙のルールがあるんです。

牧　それは企業からクレームがつくとかそういうトラブルを避けるためなんでしょうか？

山田　いや、そうじゃなくて、作品のクオリティが落ちると思ってるんじゃないかな。商品名や固有名詞を出すのは下品なことだと思ってるんじゃないでしょうか。

編　それは校正者もしくは編集者個人の気質の問題もあるかもしれません。そうしたことをあまり過剰に気にしない人もいます。

恩田　まあ、キングが広く読まれるようになって、固有名詞や商品名を出すのも、ひとつの手法という了解がされるようになってきましたが。

山田 それでも日本の作家は、「ビッグマックばかり食べていると脂肪過多で病気になるよ」なんて書けないよ。キングは平気で書くからね。

恩田 アメリカは訴訟社会だから、すぐに裁判沙汰になりそうですけれどね。

山田 「むかしは貧乏だったからトヨタがせいぜいだったけれど、いまは稼いでいるのでBMWに乗っているんだ」とかね。

牧 まあ、読んでいるほうは面白いですけれどね。アメリカ人の価値観がわかるから。

●B級の味わい

山田 固有名詞のこともそうだけど、キングは自分の知っていることしか書かない。だから主人公の職業だと作家がいちばん多い。『ミザリー』『ダーク・ハーフ』『骨の袋』……これだけ作家を主人公にしている人はそういない。ふつうは違うもの

『ミザリー』
一九八七年刊の作品。ロマンス小説《ミザリー》シリーズで知られるベストセラー作家ポールは交通事故を起こし、アニーと名乗る元看護師に助けられる。ポールの「ナンバーワンのファン」と自称するアニーは、身動きのできない彼を自宅に監禁し、《ミザリー》の新作を書くように強要する。九〇年にロブ・ライナー監督で映画化。邦訳は文春文庫（現在は品切れ）。電子書籍で入手可能。

を書こうとするんだけれど、キングは無頓着で同じネタで繰り返し書いてしまう。

恩田 編集者が嫌がりそうですよね。「え〜っ、作家が主人公なんですかぁ」なんて言いそう(笑)。

山田 そうじゃなければ少年時代の話ね。最近は青年時代になってきているか。どちらにしても、自分が見てきた世界です。

恩田 似たような話を何度も何度も書いてきて、それでも持ちこたえているのはすごい。なにがすごいといって、しかたなく焼き直ししているのではなく、本人がまだまだ書きたいと思って書いているのがすごい。全然飽きていない。

山田 キングはジム・トンプスンにふれて、「ものを書くのに躊躇(ちゅうちょ)がないのがいい」みたいなことを言っている。下品なことを下品に書けるペーパーバック・ライターが好きみたい。あと《悪党パーカー》シリーズのリチャード・スタークとか。

恩田 映画ではB級ホラーを偏愛していますよね。

山田 キング自身の作品も、映画化はあまり成功しているものはない。ところがテレビのミニシリーズだとけっこううまくい

ジム・トンプスン
アメリカの作家・映画脚本家(一九〇六―七七)。二〇年代から犯罪実話雑誌に寄稿をつづけるが、四二年に小説家に転向。五二年の『おれの中の殺し屋』が成功を収め、以来、ハードボイルド小説、パルプ・ノワールの書き手として活躍をつづけた。代表作に『残酷な夜』『死ぬほどいい女』『ゲッタウェイ』『ポップ1280』

《悪党パーカー》シリーズ
一九六二年刊の『悪党パーカー／人狩り』を第一作とするハードボイルド・シリーズ。現在までに二十篇あまりが書かれている。主人公のパーカーはタフで冷徹なプロ犯罪者で、素性も経歴も不明。邦訳はハヤカワ・ミステリ文庫(現在は品切れ)。

リチャード・スターク
アメリカの小説家(一九三三―二〇〇八)。本名のドナルド・E・ウェストレイクでも作品を発表しており、そのほか多数のペンネームを持つ。

っているんだ。『IT』とかね。

恩田　『IT』は映像が良かったなあ。

山田　かえって低予算で作るほうが、キング作品の味わいが出るんだ。『IT』もそうだけれど、『ザ・スタンド』も面白かった。逆に『シャイニング』みたいに立派な映画を作ると、「なに、これ?」となっちゃう。

恩田　でも、私はキングの映像化では、『シャイニング』がいちばん好きなんですけど。廊下にふたごの女の子がいて、エレベーターから血がワーッと……。

山田　あそこは怖かったなあ。

恩田　でも、キングはあの映画は気に入っていないんですよ。主人公がたんなるサイコになってしまったのが嫌なんだそうです。

●計算なしの超絶構成力

牧　山田さんはキングの作品では何が好きですか?

五八年ごろからミステリ雑誌に短篇を発表しはじめ、六〇年にウェストレイク名義で第一長篇『やとわれた男』を発表。九三年には、アメリカ探偵作家クラブ賞の巨匠賞を受賞。

山田　ベストスリーを選ぶと、『クージョ』『グリーン・マイル』『アトランティスのこころ』かな。
恩田　うーん、なかなか面白いチョイスですねえ。
山田　『クージョ』は、最初、あらすじを聞いてバカにして読まなかったんだ。だって、犬がクルマの前で待ちかまえていて外に出られないって話でしょ。そんなんで長篇一本っていうんだから。しかし、実際に読んで驚いた。飽きさせずに読ませるんだもの。そして、犬のうしろに何か超自然的なものまで感じさせてしまう。これはすごいなと思ったね。あと、いかにも嚙み殺されそうな人がノコノコやってきて、読者が「やられるぞ！」と思っていると、なにごとも起こらなかったり、逆に意外な人があっさり殺されてしまったり、そこらへんのハズしかたも巧い。
牧　読者をうっちゃる。
山田　『グリーン・マイル』もそうだよね。ズラしの連続でつづっていて、一冊目で話が途中で消えてしまってどうしたんだろうなあと思っていると、三冊目くらいで突然その続きが出て

『クージョ』

一九八一年の作品。ドナは息子のタッドとともに、狂犬病にかかったセントバーナードにおそわれ、バッテリーのあがったクルマに閉じこめられてしまう。犬はクルマを睨みつづけ、炎天下の車内でタッドは脱水症状に陥る。ドナの体力も限界に近づいていく。八三年にルイス・ティーグ監督で映画化（邦題は『クジョー』）。邦訳は新潮文庫（現在は品切れ）。

くる。そうした語りは、天性のものだろうね。真似しようと思っても、ちょっとできない。

恩田 『グリーン・マイル』はすごいと思いましたね。あの構成を計算しないでやっている。

山田 じっくり読みながら、どんな構成になっているか表にしてみたいと思うくらい。曲芸するネズミとか、ここのアイデアは最初から脳裏にあったと思うけれど、それをどう組み合わせてつなげていくのかというのは、書きながら自然にできている。

恩田 あまり下書きはしなそうですね。逆にいくら下書きをしたからといって、ふつうの作家にあんな話が組み立てられるわけはない。

山田 『アトランティスのこころ』で面白かったのは、ぼくたちの時代はアトランティス時代なんだと言い切っちゃうところ。キングは一九四七年生まれで、ぼくは一九五〇年生まれでほぼ同世代です。つまり六〇年代に青春を送ったわけだけれど、あれはアトランティス時代で、いまの時代とはまったく関係がない。そう言われると、「ああ、そうか！」と腑に落ちるんです。

●初期作品のバランス感覚

恩田 『クージョ』は確信犯という感じがしますよね。

山田　あれで自分の才能に自信を持ったんじゃないかな。オレが書けば、こんな話でも一冊になるんだ、って。しかも、子どもを殺してしまう。ふつうの作家ならば、子どもを助けて読者にカタルシスを与えるんですが、キングはそれを拒否する。残った夫婦も、奥さんが浮気をしているから、きっと離婚してしまうでしょう。ぜんぜん救いがない話なんです。それがベストセラーになったんだから、「何を書いても大丈夫」と思ったでしょう。

恩田　それ以前の作品は、まだそういう自信がつく前だったから、小説作りは慎重ですよね。そのぶんバランスがいい。なかでもよくできているのは、『ファイアスターター』と『デッド・ゾーン』ですね。いままでキングを読んだことのないという人に薦めるとしたら、この二冊でしょう。あとは『グリーン・マイル』かな。

山田　『デッド・ゾーン』は純愛が絡んできて、通俗的な部分でのアピール度が大きい。「あなたは二十年、ひとを愛せますか?」みたいな。

恩田　『デッド・ゾーン』は泣かせる話ですよ。映画も好きでしたね。なんといっても、主演のクリストファー・ウォーケンが……。

山田　くら〜い感じでね。

恩田　笑うと、やるせない表情でね。

牧　あの映画の監督が、デイヴィッド・クローネンバーグ。

恩田　えっ?　そうでしたっけ。あんまりクローネンバーグっぽくない。まだそれほど変態になっていないころなんですね。バランスのいい映画にしあがってました。

山田　先ほど、アメリカでは十年くらい前まで「キングは子どもの読むものだ」と思われていたという話をしましたね。この認識には一面の真実が含まれているんです。ハイスクールの生徒たちがこぞって読むというのは、それだけナマナマしい小説だからでしょう。ハイスクールの生徒たちにもやはり自分の周囲三百メートルぐらいのリアル感が非常に強い。キングと共通するところがある。とにかくキングは自分のまわり十メートルくらいのことはめちゃくちゃ詳しいけれど、それを外れてしまうと興味がわかない。そのリアリティは、ハイスクールの生徒たちの生きている世界そのものなんです。

恩田　想像力はありませんね。しかし、だからこそ特異な才能が発揮される。こんな作家はこれからもちょっと出てこないでしょうね。キングを読みたければ、キングの新作を待つしかない。

牧　いや、大丈夫ですよ。山田さんが、新しい『ＩＴ』を書い

デイヴィッド・クローネンバーグ
カナダの映画監督・脚本家（一九四三―　）。大学在学中より映画製作をはじめ、多くのＴＶ作品を手がけたのち、七五年『デビッド・クローネンバーグのシーバース』で劇場映画監督としてデビュー。以来、独特の作風でカルト的な人気を博す。代表作に『ヴィデオドローム』『ザ・フライ』『裸のランチ』『エム・バタフライ』『クラッシュ』『コズモポリス』などがある。

てくれますから。

恩田　わーいわーい。

山田　いや、ぼくはもう歳で、実は二十五年まえにすでに才能が尽きている。恩田版『レギュレイターズ』『デスペレーション』のほうに期待したい。

恩田　うーん。ま、いつかね。

牧　読者のみなさん、お楽しみに——というところで、今回の読書会はこのへんで。

編　今日はどうもありがとうございました。

司会・構成／牧眞司

萩尾望都　『バルバラ異界』

小学館

初出　SF Japan 2006 SPRING

バルバラ異界

外の世界から離れた島バルバラ。そこは、まだらゾウが海岸を守り、子どもは空に浮く、牧歌的なユートピアだった。青羽は、この場所で養母のマーちゃんの庇護のもと、幸せに暮らしていた。マーちゃんの妹ダイヤには実子のタカと養子のパインがおり、ふたりとも青羽の仲良しだった。平和な日々。青羽にとってバルバラが世界の中心だった。

ところがこのバルバラは、現実世界の十条青羽が見ている夢だった。青羽が九歳のときに両親が謎の死を遂げ、彼女はそのときから七年ものあいだ眠りつづけているのだ。彼女のまわりでは、ときにポルターガイスト現象がおこるが、最新の脳内イメージングスキャナーを用いても、その原因は究明できない。そこで駆りだされたのが、プロの「夢前案内人」渡会時夫である。トキオは、青羽の夢にもぐり、バルバラを体験する。

トキオには、元妻の明美とのあいだに、キリヤという息子がいた。キリヤはかつて精神的な避難所としてパソコン上にひとつの島をつくっていた。その島の名もバルバラといった。これは偶然なのか、なにかの関係があるのか。

トキオは謎を探るべく、青羽の祖母にあたる十条菜々実に会いに行く。菜々実によれば、青羽は「父と母のふたつの心臓を食べて満足してまるまると眠りこんでいる悪魔」だという。また、菜々実の最初の夫で、火星に関する予言を残して失踪したエズラ・ストラディが若返り研究をしていたことがわかる。それに用いられていた細胞活性薬の名も、バルバラだった。

十条家の心理カウンセリングを担当していた目白秀吉は、青羽を目覚めさせるには、トキオが夢に入りこみ、バルバラの平和をうち崩すしかないと助言をする。その矢先、キリヤの前に幻のような青羽が現れて、「夢に干渉しないで」と告げ、それと引き替えに「あなたをすてた世界をあなたの手にとりもどしてあげる」と約束をする。キリヤは、父トキオからは捨てられ、母の明美からは身勝手な愛を押しつけられて育った。青羽は、そうしたキリヤの境遇を知っているのだろうか。

やがて、青羽が夢みているバルバラは、およそ百年先の未来だということが判明する。そのころの地球は、火星人（かつて地球から植民した人たちの末裔）との戦争を経て復興期にあった。

ふたたびキリヤの前に現れた青羽は、彼に「火星の記憶」を見せる。何億年も前に火星には海があり、そこでは生命体はひとつで同時に全体だった。その記憶を青羽は受けついでおり、バルバラを完成させることで、「すべてひとつの世界がくる」と主張する。

一方、トキオはいくつかの出来事をきっかけとして、赤ん坊のころのキリヤと、いまのキリヤが同一人物でないかもしれないという疑念を抱き、それを解くカギをバルバラに求める。青羽の夢にもぐった彼は、バルバラに崩壊が迫っていることを知る。

はたしてバルバラは、ひとりの少女の意識のなかだけにあるものなのか、それとも現在の延長にある未来なのか、あるいは……。

〈牧〉

編　今回は、萩尾望都さんの『バルバラ異界』を取りあげます。この作品は萩尾さんの最新作ですが、過去の作品にも触れつつ、いろいろ語っていただければと思います。司会は牧眞司さんにお願いします。

牧　マンガを取りあげるのははじめてですので、小説とは違った表現性といったことも含めてお聞きしたいですね。日本では、SFとマンガはかなり親和性が高い。現代マンガのパイオニアである手塚治虫さんはもちろんのこと、SFを手がけているマンガ家はたくさんいますし、一方、SF作家の側でも小松左京さんや筒井康隆さんをはじめ、マンガを描かれる方がいる。自分で描くかどうかは別にして、SF界は第一世代からマンガに対する共感を持っていました。萩尾さんの作品もそうですが、これまでSFマンガの傑作も多く、その影響力も強い。日本のSF文化は、マンガなくしては語れません。

萩尾望都
漫画家（一九四九―　）。六九年「なかよし」に「ルルとミミ」を発表してデビュー。七二年から描きはじめた連作『ポーの一族』によって、幅広い層から支持を得る。「11人いる！」『ポーの一族』で小学館漫画賞を、『残酷な神が支配する』で手塚治虫文化賞マンガ優秀賞を、『バルバラ異界』で日本SF大賞を、それぞれ受賞。SFからラブコメまでをこなす幅広い作風と、抜群の画力・表現性で、漫画界の頂点に位置する。二〇一二年に紫綬褒章を受章。一九年文化功労者に選出。

『大脱走』
一九六三年製作のアメリカ映画。監督はジョン・スタージェス。出演はスティーヴ・マックイーン、ジェームズ・ガーナー、リチャード・アッテンボロー、ジェームズ・コバーン、チャールズ・ブロンソンと、個性的な顔ぶれが揃っている。第二次世界大戦中の一九四四年に、ドイツの捕虜収容所で実際に起こった脱走劇を

●小説より先にマンガを

牧　恩田さんはエッセイにもお書きになられていましたが、子どものころにマンガを描いていたそうですね。

恩田　感銘を受けたものがあれば、そのままマンガにしていましたね。映画の『大脱走』を観ればそれを基にしたマンガを描き、エラリー・クイーンを読めばミステリマンガを描き、萩尾さんの『11人いる！』が面白かったのでそれを換骨奪胎（かんこつだったい）してといった調子で、ホントにわかりやすい（笑）。

牧　どんなタッチの画風でした？

恩田　ストーリーマンガ系ですね。大人っぽい絵が好きでした。一生懸命に真似ようとしていたのは、一条ゆかりさんですね。とても、あれほど巧くは描けませんでしたが。

編　そのマンガの原稿は残っていますか？

恩田　いいえ。

編　残念！　残っていれば、「恩田陸お蔵出し」って企画がで

映画化したもの。

『11人いる！』
一九七五年に「別冊少女コミック」で連載されたSF漫画。宇宙大学の入試最終テストは、孤立した廃宇宙船が舞台だった。一定期間を乗りきれば合格となるが、受験生十人のはずが十一人いるという非常事態が発生する。「十一人目」をめぐる疑心暗鬼のなかで、トラブルが続出していく。初刊は小学館文庫。現在は、続篇・番外篇とともに作品集『11人いる！』（小学館文庫）に収録。電子書籍もあり。

一条ゆかり
漫画家（一九四九―　）。六八年「りぼん」新人漫画賞に「雪のセレナーデ」が準入選してデビュー。『有閑倶楽部』で講談社漫画賞を、『プライド』で文化庁メディア芸術祭マンガ部門優秀賞を受賞。そのほかの代表作に、『砂の城』『デザイナー』『こいきな奴ら』『正しい恋愛のススメ』『天使のツラノカワ』など

きたのに……。

恩田　とんでもない！（笑）。

牧　マンガはずいぶん読まれていたんですか？

恩田　私は少年マンガから入ったんです。叔父さんが手塚マンガをいっぱい持ってて、その蔵書を借りて読みました。『火の鳥』も最初の版で読んでいます。とりわけ好きなのは『ライオンブックス』ですね。ものすごいインパクトがありました。あと、『W3（ワンダースリー）』も好きだったなあ。手塚作品以外では、兄の本棚にあった石森章太郎の『サイボーグ009』や『幻魔大戦』ですね。

牧　SFばかりですね。

恩田　とくに意識したわけではないですけれど。自然に。

牧　山田さんはいかがでしょう。マンガは好きでしたか？

山田　もちろん。自分でも描いていました。

編　ええっ！　そのマンガは残っていますか？

山田　もうないよ。

編　残念！

がある。

『ライオンブックス』
一九五六年、「おもしろブック」の付録として描かれた「来るべき人類」を第一作としてはじまった、手塚治虫のSFオムニバス。第一期は付録形式で十二冊を数え、第二期は七一年～七三年「週刊少年ジャンプ」に掲載された。初刊は虫プロ商事ベストコミックス。現行本は講談社／手塚治虫文庫全集。電子書籍もあり。

『サイボーグ009』
一九六四年に「週刊少年キング」で連載を開始し、その後、さまざまな雑誌を舞台に描きつづけられたSF漫画。死の商人「ブラックゴースト団」によって改造された島村ジョー（009）は、仲間のゼロゼロ・ナンバー・サイボーグとともに脱出をし、正義の戦士として活躍をする。六六年に劇場アニメ化されて以来、何度かアニメ化されている。初刊は秋田書店サンデーコミックス。現行

牧　山田さんが影響を受けたのは、どんなマンガですか？

山田　ぼくは貸本マンガから入りました。

編　青林堂系ですか？

山田　もうちょっと前ですね。東京トップ社というところから出ていた『刑事』とか。あと「影」という雑誌もあったな。

牧　いわゆる劇画ですね。

山田　そう。だから、自分で描くマンガもそういう画風だった。読んで好きなものを自分でも描いてみるという感じですね。

恩田　追体験としての創作ですね。

山田　そうです。恩田さんとおなじで、ぼくも影響を受けた作品を真似るところからはじまったんです。

恩田　ＳＦマンガは描きましたか？

山田　ヴァン・ヴォクトの『宇宙船ビーグル号の冒険』で、ビーグル号のブリッジにモンスターが転送されるシーンがあるでしょう。それにヒントを得て、新宿に恐竜が放りこまれるというのを描いたな。二、三枚描いただけで終わっちゃったけれどね（笑）。読むほうでは劇画以外にも、もちろん手塚さんの作

本は秋田文庫。電子書籍もあり。

『幻魔大戦』
平井和正と石森章太郎との共作によるＳＦ漫画。一九六七年に「週刊少年マガジン」で連載、六八年単行本化。強大な力を誇り宇宙の破壊を目的とする「幻魔」と、地球の超能力者たちとの戦いを描く。初刊は秋田書店サンデーコミックス。現行本は秋田文庫。電子書籍もあり。

貸本マンガ
昭和二十年代後半から三十年代にかけて貸本屋むけに出版されたマンガ。「劇画」と呼ばれるスタイルは、貸本マンガから生まれた。

青林堂
青林堂は一九六二年設立の出版社。六四年に漫画雑誌「ガロ」を創刊し、貸本漫画の流れを汲む漫画家たちに作品発表の場を提供した。代表的な寄稿者として、白土三平、水木しげる、つげ義春、滝田ゆう、林静一、永島慎二などがあげられる。

品は読んでいた。『黄金のトランク』ってあるでしょう。
編　絵物語ですね。
山田　そう。あれが好きでね。大人っぽい感じがあって。それを読んでいるうちに、しだいに手塚さんの子ども向きの作品も好きになっていった。石森さんの『サイボーグ００９』もカッコいいなと思った。
恩田　カッコいいですよねえ。
山田　ぼくが読んでいたのは、ちょうど００９たちがブラックゴーストのところから脱出したところで、次から次に刺客が襲ってくるんだ。
編　テンナンバー・サイボーグですね。
山田　いろいろなタイプのサイボーグが出てきてね。面白かったなあ。そのころは、石森章太郎の絵を真似ていた。そのあとに永島慎二のマンガが好きになって……。
恩田　そこに行きますか（笑）。
山田　永島慎二まで行っちゃうと、ひとつの究極で、それから先が見えない。そこでマンガを諦めたんだね（笑）。

『宇宙船ビーグル号の冒険』
一九三九年から「アスタウンディング」「アザー・ワールズ」に掲載された連作。単行本は五〇年の刊行。人類の宇宙調査船ビーグル号がさまざまな宇宙生物と遭遇し、英知によってその脅威を退けていく。邦訳は創元SF文庫（沼沢洽治訳）。電子書籍もあり（能島武文訳）。

『黄金のトランク』
一九五七年に「西日本新聞夕刊」で連載、五八年単行本化された絵物語。地獄谷の霧のなかから黄金のトランクを持った男があらわれ、行く先々で黄金をバラまいて歩く。金の氾濫によって、世界は混乱をきたしていく。初刊は光文社。講談社／手塚治虫漫画全集に収録されたが、現在は品切れ。電子書籍で入手可能。

永島慎二
漫画家（一九三七―二〇〇五）。一九五二年、単行本『さんしょのピリちゃん』でデビュー。六一年の『漫画家残酷物語』は業界の裏側を描い

牧　それはいつぐらいですか？

山田　マンガを描きはじめたのは中学ぐらい。それからずっと描いていて、高校二年くらいに受験勉強をしなけりゃいけないなと思って描くのを止めたのかなあ。マンガばかり描いていたせいか、成績もメチャクチャ悪かったしね。こりゃマズイと思ったんだ。

牧　投稿はしなかったんですか？

山田　直接ではないけれど、一回、人を介して石森さんに見てもらったことがある。ぜんぜんダメで、それで諦めた。そのとき気づいたのは、自分はマンガはもちろん好きだけど、絵を描くことよりも物語を作るほうが好きなんじゃないかと。それで小説を書くようになった。

牧　小説を書くよりも先にマンガを描いていたんですね。

山田　そうです。

恩田　私もマンガのほうが先です。一時期マンガばかり描いてましたが、マンガ家になろうと思ったことは一度もなかったです。マンガを描くのは、感動の追体験だと自覚してたんで、す

て注目を集めた。『花いちもんめ』ほかで小学館漫画賞を、『漫画のおべんとう箱』で日本漫画家協会賞優秀賞を、それぞれ受賞。代表作『フーテン』は、自らの生活に基づいた私小説的な作品。

ごく醒めていた。

山田　ぼくもそれに早く気がつけばよかったんだよな。マンガを描けば、マンガ家になれるものだと思いこんでいた（笑）。

●萩尾作品との出会いと衝撃

牧　恩田さんは少年マンガから入ったということですが、萩尾さんの作品との出会いはいつですか？

恩田　最初に読んだのは、忘れもしない「ドアの中のわたしのむすこ」です。《精霊狩り》シリーズの第二作ですね。この作品が載っていた「別冊少女コミック」は、はじめて買ってもらった少女マンガ雑誌だったんですが、おなじ号のほかの作品はまるで記憶に残っていません。巻末に載っていたこの作品のインパクトが強すぎて。同時期に読んだ少女マンガでは、ほかに、一条ゆかりさんの「クリスティーナの青い空」が印象的でしたね。

牧　ということは、一九七二年ですね。「クリスティーナの青

「ドアの中のわたしのむすこ」
一九七二年「別冊少女コミック」に発表。「精霊狩り」の続篇。精霊のダーナが妊娠した。子どもの父親は過去にダーナと結婚した七人の人間の誰かだろう。しかし、精霊が出産するなどとは前代未聞。仲間たちは大騒ぎをするが……。

《精霊狩り》
一九七一年「別冊少女コミック」に発表された同題名の短篇に開幕する連作。舞台は未来。人間にまじって暮らしている「精霊」は外見は人間同様だが、きわめて長寿で、さまざまな超能力を持っている。人々は精霊を恐れて捕らえようとするが……。七六年単行本化された（小学館文庫）。現在は作品集『10月の少女たち』で読める（小学館文庫、電子書籍もあり）。

「クリスティーナの青い空」
一九七二年「りぼん」の別冊付録として発表された作品。スペイン戦争中、貴族の娘クリスティーナがたど

い空」は、たしか「りぼん」の別冊付録でした。

編 テレビで『海のトリトン』や『デビルマン』が放映されていたころですね。そのころの子どもは、ふつうにマンガを読んでいましたね。

牧 山田さんは、萩尾さんと同世代ですよね。リアルタイムで萩尾作品に接していましたか?

山田 だいぶあとですね。少女マンガは読んでいませんでしたから。光瀬龍さんの作品をマンガ化した『百億の昼と千億の夜』が、萩尾作品との最初の出会いです。「少年チャンピオン」の連載で読みました。「すごいな」と思って、それから以前の作品を遡って読むようになりました。ぼくはずっと少年マンガの文法に慣れてきたので、少女マンガを読むのに時間がかかるんですよ。

恩田 『百億の昼と千億の夜』は一九七七年ですね。もう『ポーの一族』が完結していましたから。

山田 ぼくは『百億』のあとに、『ポーの一族』を探して読んだ。『百億』を読んで以降、ぼくは意識して少女マンガを読む

る運命を描く。七三年『一条ゆかり長編傑作集3』(集英社りぼんデラックスコミックス)に収録されたが、現在は品切れ。電子書籍あり。

『海のトリトン』
一九七二年に放映されたTVアニメ。手塚治虫の同題名の作品を原作として制作された。主人公のトリトンは、海棲人類トリトン族の最後の生きのこり。味方のイルカたちと力を合わせ、オリハルコンの短剣を手に、七つの海を支配するポセイドン族と闘う。

『デビルマン』
一九七二年〜翌年放映されたTVアニメ。永井豪の同題の作品を原作としているが、内容は大幅に違っている。アニメ版では、デーモン族最強の勇者デビルマンが、高校生、不動明の肉体を借りて人間社会に潜入する。当初は地球征服をもくろんでいたが、同級生の牧村美樹に惹かれ、人間を守るためにデーモン族と闘うことになる。

ようになったんだけれど、その時期はなぜか少年マンガをほとんど読んでいないんだよね。

編　一九七〇年代後半というのは、萩尾さんたち「二十四年組」がやれるところまでやっていて、いまだったら少女マンガ雑誌に載らないような作品を発表していました。

牧　ひとつのエポックですね。「二十四年組」というと……。

編　萩尾さん、竹宮惠子さん、大島弓子さん、山岸凉子さん、青池保子さん。

恩田　みなさん、いまだ現役第一線で描きつづけているんだから、すごいですよね。

山田　そうした才能がひしめくなかで、萩尾さんは「モー様」と呼ばれていたんだよね。プロからも一目置かれる存在だった。いまの恩田さんがそうだよね。これからは「リク様」と呼ぼう（笑）。

恩田　よしてくださいよ（笑）。

山田　竹宮さんの『風と木の詩』あたりも、『ポーの一族』とおなじで、ぼくはあとになって読んだんだな。

『百億の昼と千億の夜』
一九七七年〜翌年「週刊少年チャンピオン」で連載された作品。同時期に単行本化されている。メインのプロットは光瀬龍の原作をなぞっているが、エピソードや登場人物など萩尾望都オリジナルの部分も多い。初刊は秋田書店少年チャンピオンコミックス。のちに秋田文庫、小学館／萩尾望都作品集に収録されたが、現在はいずれも品切れ。

『ポーの一族』
一九七二年〜七六年「別冊少女コミック」に断続的に発表された連作。七四年、単行本の第一〜三巻が一挙に発売され、ベストセラーとなる。七六年までに全五巻が刊行。吸血鬼一族の少年エドガーとその妹メリーベル、のちにエドガーによって一族に加えられたアランを中心として、二百年以上にわたる複雑なドラマが展開される。初刊は小学館フラワーコミックス。のちに小学館文庫に収録。現在、どちらの版でも入手可能。また、二〇一六年電子書籍もあり。

牧　恩田さんはそのあたりはリアルタイムでお読みになっているんですよね。

恩田　私は読んでいた雑誌が集英社系だったので、小学館系は単行本で追っかけていました。まあ、ほぼリアルタイムですね。

●手塚治虫の正統な後継者

牧　読みはじめたころから、萩尾さんはほかのマンガ家とは違うという感じがありましたか？

恩田　そうですね。萩尾さんと山岸さんは、レベルが違うという印象でしたね。萩尾さんはとにかく絵が巧い。デビュー当時から完成されているんです。たとえば、登場人物が塀を飛び越えているシーンでは、本当に動いているという感じがするんですね。キャリアを積むごとにタッチが変化なさっているんですが、最近はひとまわりして、また元に戻っているような気がする。『残酷な神が支配する』の後半から、初期のころの画風に回帰していて、私にとっては嬉しいですね。いずれにしても、

より新作が発表されている。

［二十四年組］
昭和二十四年（もしくはその前後）生まれの少女漫画家たちをさす。作風はさまざまだが、新しいスタイルの少女漫画を切りひらいてきたこと、互いに親密に交流があったことから、こう呼称される。

竹宮惠子
漫画家（一九五〇―　）。デビュー時は「竹宮恵子」だったが、八〇年ごろに「惠子」と改名。六八年「週刊マーガレット」の新人賞に佳作入選した「りんごの罪」でデビュー。ボーイズラブを描いた『風と木の詩』、本格SF『地球へ…』の両作が評価され、小学館漫画賞を受賞。そのほかの代表作に『私を月まで連れてって！』『イズァローン伝説』などがある。二〇一四年に紫綬褒章を受章。京都精華大学名誉教授。

大島弓子
漫画家（一九四七―　）。六八年

巧いことはたしかなんですが。

牧　マンガ一般で見ると、ここ十～二十年はテクノロジーが急速に進んで、巧い絵を描く人がどんどん出てきています。ただ、巧いというだけならアマチュアでもゴロゴロしている。しかし、「絵が巧い」イコール「表現力がある」ではないんですね。

編　たとえば、よく引き合いに出されるけれど、『カイジ』の福本伸行さんね。

山田　あれは、めちゃくちゃ面白いものなあ。彼を見いだした編集者は、見る目があるよね。

牧　『カイジ』は読ませますよね。ストーリーが面白いのはもちろん、けっして巧い絵ではないけれど、葛藤や緊迫感が表現できている。マンガというのは「記号」ですから、コマの流れとか、線やトーンの効果などでも、意味を生じさせることが可能なんです。

山田　ちょっと待って。マンガが「記号」だってことはしばしばいわれるんだけれど、かなり安易に考えられている気がしてならないんだ。たしか最初は、手塚さんが謙遜して「自分のマ

「週刊マーガレット春休み増刊」に「ポーラの涙」を発表してデビュー。繊細で独特な表現で、他に類のない境地を拓く。「ミモザ館でつかまえて」で日本漫画家協会賞優秀賞を、『綿の国星』で講談社漫画賞を、『グーグーだって猫である』で手塚治虫文化賞短編賞を、それぞれ受賞。そのほかの代表作に「F式蘭丸」『バナナブレッドのプディング』「夏のおわりのト短調」「四月怪談」などがある。

山岸凉子　漫画家（一九四七―　）。六九年「りぼんコミック」に「レフト アンド ライト」を発表してデビュー。日本古代史に独自の解釈を加えた『日出処の天子』で講談社漫画賞を、バレエを題材にした『舞姫 テレプシコーラ』で手塚治虫文化賞マンガ大賞を受賞。そのほかの代表作に『アラベスク』『妖精王』『ツタンカーメン』などがある。

ンガは記号だから」と言ったはずです。それを評論家たちが便利に使っている。しかし、マンガを描いている側は、きっと「記号」だとは思ってないはずですよ。そこを踏まえないと、見当外れの論評になってしまう。

牧　そうですね。絵の次元で評価するなら、ひとコマを切り出して、そこでどれだけの表現がなされているかを問うのがわかりやすいと思うんです。デッサンができているとか、描線がキレイだとかいうこともあるけれど、端的なのは登場人物の表情や身振り、いわば演技力です。萩尾さんの作品はそれが頭抜けている。絵が巧いだけでなく、高いレベルの表現力がある。ひとコマごとの情報密度が尋常じゃない。

山田　ところで、大友克洋さんの『AKIRA』以降、SFマンガは減っている気がするんだけれど、どうなんだろう。

恩田　なにをSFと言うかにもよりますよね。『バトル・ロワイアル』がSFならば、SFマンガもたくさん描かれています。

編　石森章太郎さんの作品がSFというなら、SFマンガは減SFは拡散しちゃったから、どこで線を引くのかが難しい。

青池保子
漫画家（一九四八－　）。六三年「りぼん」に「さよならナネット」を発表してデビュー。七六年からのナンセンス漫画『イブの息子たち』、七七年からのシリアスとギャグが混淆する『エロイカより愛をこめて』で人気を博す。『アルカサル－王城－』で日本漫画家協会賞優秀賞を受賞。

『風と木の詩』
一九七六年「週刊少女コミック」で連載を開始し、八二年に「プチフラワー」に発表の場を移して、八四年まで描きつづけられた作品。同時期に単行本化されている。十九世紀末のフランスの寄宿舎を舞台に、多感な少年たちの人間模様を描く。ボーイズラブを扱った漫画の先駆け。初刊は小学館フラワーコミックス。現行本は白泉社文庫。電子書籍もあり。

『残酷な神が支配する』
一九九二年～二〇〇一年「プチフラワー」で連載、同時期に単行本化さってないですよ。少女マンガにかぎってみると、萩尾さんに影響を受けて一時SFマンガがたくさん描かれていました。しかし、「SF的なマンガ」は多いけれど、「SFでしかないマンガ」は、萩尾さんを含めてごく一握りですね。

恩田　たしかにそうですね。

山田　萩尾さんは、手塚さんの正統な後継者だと思うんだ。萩尾さんのSFマンガというかたちで、手塚さんの精神が受けつがれている。ほかのSFマンガってちょっと違うでしょ。浦沢直樹さんの『PLUTO（プルートゥ）』だって、めちゃくちゃ面白いけれど、手塚さんを継ぐというものじゃない。

恩田　『PLUTO』は、エンタメですよね。

編　SFの特質を「世界に対する疑問」と規定するならば、浦沢さんにはそれはありませんね。

●萩尾版「ゴルディアス」

牧　さて、今回の課題図書である『バルバラ異界』について、

れた作品。母の再婚相手は温厚な紳士に見えたが、それは仮面にすぎなかった。少年ジェルミは義父からレイプを繰りかえされ、そのことを誰にも打ちあけられず心のバランスを崩していく。初刊は小学館プチフラワーコミックス。現行本は小学館文庫。電子書籍もあり。

『カイジ』の福本伸行　漫画家・漫画原作者（一九五八―）。七九年「月刊少年チャンピオン」に「よろしく純情大将」を発表してデビュー。八〇年代後半より、麻雀・ギャンブルものの漫画で注目を集める。『カイジ』は、九六年～九九年「週刊ヤングマガジン」で連載された『賭博黙示録カイジ』を第一部とし、以降、『賭博破戒録カイジ』『賭博堕天録カイジ』『賭博堕天録カイジ　和也編』『賭博堕天録カイジ　ワン・ポーカー編』『賭博堕天録カイジ　24億脱出編』（連載中）と描きつがれている。現行本は講談社ヤングマガジンコミックス。『賭博黙示録カイジ』は、講談社漫画賞

細かい感想をお聞きしていこうと思います。

恩田　いや、とにかくすごいなあ、と。第三巻が出たころだったかな。萩尾さんが「そろそろ終わります」とおっしゃっていると聞きました。えーっ、これで終われるのかよ、と思いましたね。話はまだまだ広がっているのに。

牧　単行本で言うと、最終巻である第四巻の途中まで新しい謎が出つづけていて、ストーリーも広がっていますよね。

恩田　そうなんです。最後の一、二回でそれをすべて収斂(しゅうれん)させている。

編　四巻で収めるのがもったいない。あと五巻は続く内容です。

牧　凝縮しているところがいい。

恩田　ミステリとしてみても、超絶技巧というべきでしょう。どうやって、これを考えたんだろう。最初にどこまでプロットができていたのか知りたいですね。どういう順番に考えたのか、お聞きしたい。

編　この作品、小説だと描きやすいですか？

山田　ムリですね。

を受賞。

大友克洋
漫画家・映画監督（一九五四— ）。七三年「漫画アクション」に「銃声」を発表してデビュー。『童夢』で日本SF大賞を、『AKIRA』で講談社漫画賞を、それぞれ受賞。二〇〇五年にフランスの芸術文化勲章シュバリエを受章。二〇一三年に紫綬褒章を受章。大胆な画面構成、ディテールを描きこむ画風は、のちの漫画界に大きな影響を与えた。

『AKIRA』
一九八二年～九〇年「週刊ヤングマガジン」に掲載され、同時期に単行本化された作品。第三次世界大戦後の猥雑な「ネオ東京」を舞台に、戦前から秘かに進められていた超能力プロジェクトが、外部に漏れはじめる。冷凍睡眠措置がされていたアキラが覚醒したとき、なにが起きるか？　八八年に作者自らが監督してアニメ化。初刊は講談社KCデラックス（全六巻、現在も入手可能）。

恩田　小説だったら、この倍以上の分量が必要になるし、どうしても説明過多にならざるをえない。

山田　わかりやすく書くしかなくて、だから何なのよという話になってしまう。

牧　『バルバラ異界』の物語構造としては、不死の話がもとから中核にあったんでしょうね。それがミステリとしての謎解きに深く関わっている。ただ、作品を通して重要なのは、「未来を夢みる」という発想でしょう。ぼくは、クリストファー・プリーストの『ドリーム・マシン』を思い出しました。

山田　アイデアは、小松さんの「ゴルディアスの結び目」に近いよね。眠りつづけている少女がおり、その夢のなかへと入っていく話ですから。「ゴルディアスの結び目」では、その深層で、宇宙的に抑圧されたものと遭遇する。トラウマというブラックホールに収縮していく。一方、『バルバラ異界』では、「ゴルディアスの結び目」から『火星年代記』へとつながり、世界が広がっていく。そこがユニークなんですね。

恩田　第四巻のオビに、脳学者の茂木健一郎さんが推薦文を寄

浦沢直樹
漫画家（一九六〇―　）。八三年に「ゴルゴ13別冊」に「BETA!!」を発表してデビュー。『YAWARA!』で小学館漫画賞、『MONSTER』で文化庁メディア芸術祭マンガ部門優秀賞、手塚治虫文化賞、小学館漫画賞を、『20世紀少年』で講談社漫画賞、文化庁メディア芸術祭マンガ部門優秀賞、小学館漫画賞を、『20世紀少年』『21世紀少年』で日本漫画家協会賞大賞を、『PLUTO』で手塚治虫文化賞、文化庁メディア芸術祭マンガ部門優秀賞を、それぞれ受賞。

『PLUTO』
二〇〇三〜〇九年「ビッグコミックオリジナル」で連載されたSF漫画。手塚治虫『鉄腕アトム』のエピソード「地上最大のロボット」のリメイク版だが、アトムをはじめとする手塚キャラクターが浦沢の画風で描き変えられており、ストーリーも大幅にアレンジされている。初刊は小学館ビッグコミックス（全八巻、現在

せています。「遺伝子のなかに記憶がある」というのが茂木さんの説ですが、それが『バルバラ異界』の設定に重なっているわけですね。もっとも、推薦文の内容は、そのこととは関係がありませんが。

山田　この作品からは、いろいろと読みとることができますね。たとえば、作中でプリオンに言及がある。プリオンにはふたつの発生系があって、一方はヤコブ病などを引き起こすのだけれど、もう一方はなんの害もおよぼさない。萩尾さんはそれをメタファーとして用いている。つまり、目の前に岐路があって、判断を間違えると未来はとんでもないことになってしまう、と。萩尾さんはこのメタファーを無意識のうちにやっているのか、あるいは途中でヤコブ病のことも出てくるので、意識のうちなのか。いずれにしても、プリオンと未来の選択を重ねあわせてみせるというのは、SFとしても斬新な感覚だよね。

も入手可能）。手塚治虫文化賞マンガ大賞、文化庁メディア芸術祭マンガ部門優秀賞を受賞。

クリストファー・プリースト　イギリスの小説家（一九四三―　）。六六年「インパルス」に短篇を発表してデビュー。七四年に、双曲面世界と化した未来の地球を舞台とした『逆転世界』を発表し、英国SF協会賞を受賞。そのほかの代表作に、世界幻想文学大賞受賞の『奇術師』（九五年）、英国SF協会賞およびアーサー・C・クラーク賞受賞の『双生児』（二〇〇二年）、英国SF協会賞およびジョン・W・キャンベル記念賞受賞の『夢幻諸島から』（一一年）など。奇想性と文学性が同居する作品を送りだし、SF界にとどまらない評価を獲得している。

『ドリーム・マシン』　一九七七年刊の作品。袋小路にある現在の社会を打開すべく考案された「ウェセックス計画」は、催眠投射装置によって、諸分野の専門家の夢

●二十四年組の意識

恩田　『バルバラ異界』には、タイムリーな話題も織りこまれていますよね。卵細胞を使っての実験だとか、若返りの話だとか。

山田　また、「系統進化が個体進化を繰りかえす」という説も、萩尾さんは念頭においている。ここらへんは扱いが難しくて、一歩間違えると優生学的な方向にいってしまうのだけれど、萩尾さんはきちんとコントロールしているね。

編　山田さんが先ほど指摘された「未来の選択」ということに関連して言えば、これまでの萩尾さんの作品でも、主人公がふたつの世界のうちどちらを選択するか迫られるというものがありましたよね。

恩田　『スター・レッド』がそうですね。

編　『銀の三角』もそういう話です。どちらの世界が正しいというわけではなく、登場人物はそのあわいで迷う。

を統合して未来の理想社会をつくりだすものだった。地質学者ジューリアはこの計画に参加し、牧歌的な未来社会を満喫していたが、権力欲の強い元恋人ポールが計画に割りこんできたことで世界が崩れはじめる。邦訳は創元SF文庫（現在は品切れ）。

「ゴルディアスの結び目」
一九七六年「野性時代」に発表された作品。なにかに憑かれポルターガイストを起こす十八歳の少女の深層意識を探るべく、精神分析医の伊藤は、彼女の精神に潜りこむ。そこは瘴気に満ちた沼に囲まれた森で、その中核をなすのが「情念のブラックホール」だった。現在は、短篇集「ゴルディアスの結び目」（ハルキ文庫、電子書籍もあり）に収録。

『火星年代記』
さまざまな雑誌に発表された連作をまとめて、一九五〇年に刊行された作品。レイ・ブラッドベリの代表作である。人類の火星探険から、先住

山田　『バルバラ異界』では、トキオがその選択をするのだけど、彼自身にとっては選んだ未来が正解とはいえない。だって、息子のキリヤがいなくなってしまうのだから。

恩田　最後のフレーズがいいですよね。「未来はきみらを愛しているか?」

山田　……愛されていないなあ。

恩田　なんですか急に（笑）。

山田　一気に自分に引きよせて考えてしまった（笑）。

恩田　ま、そういう読み方ができる作品ですけれど（笑）。

牧　SFの大仕掛けに、親子の関係など、いわゆる文学的テーマを巧く絡ませていますよね。

恩田　すごくまとまりがいい。ミステリ的な要素も違和感なく取りこんでいる。

牧　萩尾さんは、これまでの作品でも、親子の微妙な関係を巧く描いてますよね。萩尾さんご自身にとって切実なテーマでもあるのでしょうが、それをかなり客観的に扱っている。冷静な人ですね。

民族の全滅、核戦争で地球が壊滅し故郷を喪失した人々の悲哀、新しい歴史のはじまりまでを描く。邦訳はハヤカワ文庫SF。電子書籍もあり。

茂木健一郎
脳科学者・生物物理学者（一九六二―　）。ソニーコンピュータサイエンス研究所シニアリサーチャー。「クオリア」（感覚の持つ質感）に着目して心脳問題の研究をおこなっている。『脳と仮想』で小林秀雄賞を、『今、ここからすべての場所へ』で桑原武夫学芸賞を受賞。

『スター・レッド』
一九七八年～翌年「週刊少女コミック」で連載、八〇年単行本化された作品。ニュー・トーキョー・シティで暮らす少女、レッド・星（セイ）は、流刑地の火星で生まれた。それを隠して生活していたが、生誕地への想いが募り、不思議な少年エルグとともに火星へと旅立つ。初刊は小学館フラワーコミックス。現行本は小学館文庫。電子書籍もあり。

編　「二十四年組」の多くを育てた名編集者である山本順也さんが、「あのころの少女マンガ家のほとんどは、親との軋轢が あった」と証言していますよね。「オレはいろいろと知っているけれど、あまりに差し障りが多くて他人には言えない」って。二十四年組の人たちは、全共闘世代ですから「女性の自立」を強く意識していたはずですが、女や娘という以前に「私」という存在を描きとることが重要だったんですね。

山田　ぼくは同世代ですが、その当時の男性と女性では大きな違いがある。たとえば、東大紛争のときに「とめてくれるな、おっかさん」というフレーズが流行った。男にとって母親は疑問なしに自分を愛していて、とめてくれる存在なんだよね。しかも、その甘えを女性全般に投影していた。だから、ロックアウトしても、女性はお茶を運んだり、料理を作ったり、部屋の掃除をしたりで、男たちはそれがあたりまえだと思っていた。ふつうに考えれば、そんなことはありえないよね。女性はもっと先鋭的な意識を持っていたと思う。「いい子でいなければ母親に認めてもらえない」という現実の前で、いかに人間として

山本順也
編集者（一九三八―二〇一五）。六三年、小学館に入社。絵本編集部で『ジャングル大帝』復刻版を担当。六八年の「少女コミック」創刊以降、九九年に退社するまで、少女漫画の編集者として活躍。二〇〇四年、文化庁メディア芸術祭功労賞を受賞。

自立するか。二十四年組の人たちは、それをクリアに考えていたはずです。萩尾さんの『百億の昼と千億の夜』を読んで、ぼくはそれを感じた。阿修羅が上位の存在に闘いを挑むのは、そういうことなんだと。

牧　ぼくは『11人いる!』ですね。テスト生のひとりフロルが、「そりゃ女はきれいだよ。外見はね。でもそれきりだもん」「やっぱし生まれたからには男になってチヤホヤされてみたいや」って言いますよね。しかし最後には、ボーイフレンド(?)のタダに向かって、「おまえがそういうなら女になってもいいや」と、すごいコロシ文句をささやく。よく考えてみると、フロルは別に世間的な規範が求める「女の子」になると言っているわけじゃない。でも、見た目は、巻き毛ふわふわのかわい子ちゃんなんです。ここには単純に「二重性」とは言いきれない、微妙な含みがあって、面白いんですね。

編　それまでの少女マンガの主人公のひとつの典型が「可哀想な少女」でした。それに対して、萩尾さんは『ポーの一族』でも『トーマの心臓』でもそうですが、少年という要素を入れ、

『トーマの心臓』
一九七四年「週刊少女コミック」で連載され、翌年単行本化された作品。ギムナジウムのだれからも愛されていたトーマが投身自殺をとげた。彼からの最後の手紙を受けとったユーリは、その重さに苛まれる。そんなところに転校してきたエーリクは、トーマと瓜ふたつだった。初刊は小学館フラワーコミックス。現行本は小学館文庫。電子書籍もあり。

それに仮託して「自立」を描こうとしたといえます。その延長が、いまのボーイズラブになっている。

恩田　それはあるかなあ。

編　萩尾さんたち二十四年組の方々やその世代の女性にとっては、男は「ふがいない」存在なんでしょうね。

山田　いや、ちょっと違うと思う。これはたぶんそうじゃないかな、ということなんだけど、当時の女性は、いまほど男を仮想敵として見てなかったように思う。

恩田　久田恵さんがある座談会のなかで、自分たち団塊の世代について、「男の子は熱心に学生運動をしていても、卒業すれば一流企業に就職していった。しかし、私たち女子はずっと就職口がなかった。まるで違うと思った」という趣旨のことをおっしゃっていました。久田さんは、就職先が見つからずに、サーカスのスタッフをやっていたんですね。かたや、かつて一緒に闘った男性たちは、会社でどんどん出世している。

山田　当時、学生運動をやっていた女性は、言ってみれば二度敗北しているんだよね。一度目は体制に敗北して、二度目は男

久田恵
ノンフィクション作家（一九四七―）。『フィリッピーナを愛した男たち』で大宅壮一ノンフィクション賞を受賞。そのほかの代表作に、『ニッポン貧困最前線　ケースワーカーと呼ばれる人々』『家族だから介護なんてこわくない？』『シクスティーズの日々　それぞれの定年後』などがある。

たちに敗北している。

牧　男は「もう若くないさ」と言って、髪を切ればいい。企業戦士になって、ふと街角のポスターを見ると、過ぎさった昔が鮮やかによみがえる……って、まあ、いい気なもんです。でも、そういう詞を書いているのは、荒井由実という女性なんですね。一枚上手ですよ。萩尾さんにもそういうところがある。

●泣く男と怒る女

山田　『バルバラ異界』に話を戻すと、二組の家族が登場する。それぞれの人間関係が複雑なんだ。

恩田　明美さんが怖い！

山田　ああいう女性っているよね。

恩田　いる、いる！

山田　明美さんが神社の掃除をしているでしょ。ああいう女性って、なぜかそういうボランティアとか、自然食とかエコロジーとかが好きなんだよなあ。あのあたり、萩尾さんは巧いよね。

荒井由実
シンガーソングライター・作曲家・作詞家（一九五四―　）。七六年に結婚によって「松任谷由実」になる。愛称は「ユーミン」。十代半ばからスタジオ演奏、作詞、作曲の活動をおこない、七二年のシングル「返事はいらない」で歌手デビュー。七三年にはファーストアルバム『ひこうき雲』を発売。代表曲に「ルージュの伝言」「あの日にかえりたい」「翳りゆく部屋」「埠頭を渡る風」「守ってあげたい」などがある。二〇一三年に紫綬褒章を受章。

恩田　よく見てますよね。

山田　キリヤ君は、父親のトキオからも、母親の明美からも捨てられた存在です。父は罪の意識があるから泣くし、母はすぐに怒る。泣く男と怒る女。これが巧い。

牧　母子の関係は、いったん「イグアナの娘」で描ききっていますよね。

恩田　「イグアナの娘」は、よくできていますよね。

山田　ところが『バルバラ異界』は、母子の関係だけでなく、お祖母(ばあ)さん・その娘・孫という三代の関係が描かれる。さすがの萩尾さんも、これが描けるまでには時間がかかったと思うよ。「娘と孫が私を裏切った」という話でしょ。

恩田　お祖母さんの菜々実さんが、感情移入の対象なんですね。作者の視点が、菜々実さんの視点にいちばん近い。

山田　そう。だから、菜々実さんが若返ったりする。

恩田　細部が巧いですよね。たとえば、マーちゃんのキャラクターとか。

牧　話しているうちに、興奮してきてだんだん表情が怖くなっ

「イグアナの娘」
九二年「プチフラワー」に掲載された作品。母親から「イグアナのようだ」と言われ、疎んじられて育ったリカは、年頃になってもボーイフレンドがつくれない。しかし、大学で知りあった牛山一彦には心が許せた。卒業と同時に結婚し幸せな家庭を築くが、突然、母の訃報が飛びこんでくる。現在は作品集『イグアナの娘』（小学館文庫、電子書籍もあり）に収録。

ていくあたり。

恩田 「地獄ってみたことある?」

山田 まわりが取りなしてね。「みんな同じ目にあったのよ」。これは大塚英志が指摘しているんだけれど、「二十四年組」はマンガの登場人物に内面というものをつくった。石森章太郎が絵でやろうとしたことを、「二十四年組」は吹き出し以外のト書きを使ってやっている。でも、そこに注意をして『バルバラ異界』を読むと、ト書きがあんまりないんだよね。

恩田 でも、少ないなかで、効果的に使っていますよ。たとえば、菜々実さんが元夫のことを話す場面。夫は菜々実さんの叔母さんと浮気をしていて、菜々実さんは「強度のマザコンだったのですわ」となじっている。でも、叔母さんの絵の横に「永遠の少女」って手書き文字で書かれているんです。

牧 緊迫のシーンに気の緩む要素を入れたり、シリアスな場面にユーモアを加えたり、そのあたりの加減が絶妙ですよね。

恩田 あと印象に残っているのは、キリヤがヒコバエ保育園を訪ねていくところ。かつての保母さんが、キリヤが給食でエビ

大塚英志
評論家・小説家・漫画原作者(一九五八—)。「漫画ブリッコ」編集長などフリー編集者として活躍後、八〇年代後半より漫画を中心におたく文化についての評論活動を開始する。現在は国際日本文化研究センター教授も務めている。『戦後まんがの表現空間』でサントリー学芸賞を受賞。そのほかの代表作に『物語消費論』『少女民俗学』『キャラクター小説の作り方』『サブカルチャー文学論』などがある。

のアレルギーが出て大変だったと話をする場面で、手書き文字で「おもいだしちゃう新米のころ」と添えてある。

牧　愉快ですよね。

●物語の構築力

編　甲殻類のアレルギーっていうのが、実は重要な伏線になっている。これがサラッと描かれていて、巧妙ですよね。

山田　あれはどこから思いついたんだろう?

恩田　このごろアトピーが多くなっていますしね。それに、蕎麦(そば)アレルギーの子が、給食を食べて亡くなった事件とかありました。そういうのがヒントになったのかな。

山田　アレルギーを「世界に対する拒絶」と捉えるのは、すごいな。

牧　萩尾さん自身がアレルギーあるのかな。ぼくはアレルギー性の喘息(ぜんそく)なので、「世界に拒絶されている」という感覚はよくわかるんですよ。

恩田　喘息って本当に不条理ですよね。

牧　先ほど、編集氏が、SFの特質を「世界に対する疑問」て言ったけれど、小児喘息だった人間にとっては切実なことなんです。

山田 『バルバラ異界』は重層的な読み方ができるんだけれど、いちばん単純に読みとると、世界に拒絶されている女の子が、眠りのなかで「自分が生きられる世界＝バルバラ」を夢みている。そのバルバラに対して、いろいろな人がそれぞれの意味を与え、それがバルバラを変えていく。そういう話じゃないかな。

恩田 萩尾さんらしいモチーフですよね。しかし、先ほども言いましたが、エンタメとして完成されている。連載前にどこまで考えていたんだろう。ぜひ知りたい。

山田 物語の本筋に関わらない部分では、描きながらアイデアを投入していったところはあるでしょうね。たとえば、途中、姉のマヒルと弟のマシロが入れ替わるところがあるじゃない。

牧 これもまたミステリ的な仕掛けなのかと思って読むと、そうじゃない。

恩田 私は、あの部分は、萩尾さんらしいなと思ったんです。

編 メインストーリーには関わっていませんよね。

恩田 うん。でも、読み手の印象に残るところですよね。ほら、私もそこに付箋(ふせん)をつけている。

編 お、細かく付箋つけてますね。

恩田 あと、第二巻での、ライカちゃんとパリスの会話。「キリヤには青羽って子のノロイがかかっているだけ」「ノロイ？　ノロイってコイですか」「うんそうか。恋なんだ」。

山田　恋は呪いだってのは、すごいよね。オレはよく知らないけれど（笑）。

恩田　「恋なんだ」って、女の子が言うのがね。

牧　ライカって、直情型で行動的な女の子ですよね。いい味が出ている。彼女は、物語全体のなかでは、狂言回し的な脇役を担っている。しかし、それだけかと思って読んでいると、最後の謎解きのキーになっている。あっ、ヤラれたなって感じですよね。

恩田　アフリカの種族の秘密が未来へとつながる。ライカの妹のサチコが出てきたところで、あれっと思いましたね。バルバラのなかの誰かなのかな、って。

牧　そうそう。そう思いますよね。

恩田　前の巻に戻って、探しちゃった。

山田　アフリカのくだりは、さすがに最初から構想にあったとは思えないね。描いているうちに出てきたんだろうね。

牧　ただ、心臓を食べるのが記憶のメカニズムに関わるというのは、最初から伏線がありますよね。

山田　うん。それはあるけれど、ライカの両親が出てきて「忘れよう。そして誰にも言わない」というところは、きっと、あとから思いついたんだよ。

牧　あの場面はゾッとしますね。

山田　途中で、キリヤの同級生で眼鏡の太った男が出てきて、タンパク質の分解について話をするところがある。あれも、キレイに伏線になっている。

牧　秋紫野くんですね。

山田　さっき、萩尾さんが手塚さんの正統な後継者だって言ったけれど、その最大の資質は「辻褄（つじつま）あわせの巧さ」かもしれないな。

恩田　あやかりたい！（笑）。

一同　（大爆笑）。

山田　（笑）。いやあ、いまフォローしようかと思ったけど、あんまり身につまされるんで言葉が出てこなかった。

恩田　いつも苦労してますもの（笑）。

山田　お互いに（笑）。

牧　やっぱり、そこに来ますか。

山田　手塚さんがエッセイで書いているよね。自分は発端しか考えていないんだけれど、どういうわけか辻褄あわせが巧くて、最後に大河ドラマがぴっちりはまる。

恩田　『W3（ワンダースリー）』なんか、そうですよね。

編　なにげなく描いたところを、あとから拾って、伏線にしてしまう。

恩田　小説家もそうで、書きながら「これは伏線になりそうだ」と思ったりする。しますよね？

山田　するね。なにかあとで役に立つだろうって。

恩田　そういうの入れていきますよね。

山田　でも、そもそも入れたことを忘れちゃう（笑）。

恩田　（笑）。

山田　『W3（ワンダースリー）』で、宇宙から来た三匹が三人の登場人物であるなんて、絶対途中で思いついたことでしょ。キレイにはまるんだけれど、あんなこと最初から考えつくはずがない。

恩田　「ヘソがないんだよ、オレ」

山田　そう。その台詞（せりふ）も最後のほうでしょ。最初から考えていたなら、もっと前のほうに出てくるはずだもの。萩尾さんが手塚さんの正統な後継者だというのは、「物語を最後まで構築する力」だよね。

編　あと手塚さんと似ているのは、短篇型でもあり長篇型でもあることでしょう。

山田　オールマイティってことね。

編　あんまりいないんですよね。

恩田　そうですね。

山田　萩尾さんは『ブラック・ジャック』みたいな作品、描いていなかったっけ？　毎回読み切りみたいな。

編　まあ、『ポーの一族』がそうだとも言えますけど、ちょっと違いますね。連作といえば、『メッシュ』がそうかな。

恩田　『バルバラ異界』も、一回ごとにキレイにまとまっていますよ。密度も高く完成度も高い。それに、毎回の章題がすごく巧い。

山田　「彼の名は絶望　彼女の名は希望」とか。キャッチーだよね。萩尾さんは昔からタイトルのつけ方が巧かった。

●「祖母文学」がはじまる

編　恩田さんにとって、萩尾作品のフェイバリットはなんですか？

恩田　うーん。やっぱり『トーマの心臓』かな。これを読んで「贖罪（しょくざい）」という意味がわかった。あと『訪問者』もおなじくらい好きです。

編　『ポーの一族』はどうですか？

恩田　くらべると『トーマ』ですけど、『ポー』も好きですよ。とりわけ「ランプトンは語る」は忘れがたい。

『ブラック・ジャック』
一九七三年～八三年「週刊少年チャンピオン」で連載された作品。天才無免許医師ブラック・ジャックが難病に立ちむかう。医学界の旧弊な体質や悪質な患者の問題なども取りあげられる。九六年の出崎統監督による劇場アニメなど、何度か映像化されている。初刊は秋田書店／少年チャンピオン・コミックス。この版のほか、講談社／手塚治虫文庫全集、秋田文庫でも入手可能。電子書籍もあり。

『メッシュ』
一九八〇年～八四年「プチフラワー」に断続的に発表された作品。主人公の少年メッシュは、本名は「フランソワーズ」という女性名である。この名をつけた母親は、彼が幼いときに駆け落ちをし、父親はメッシュが実子かどうか疑っている。そんな環境のなかで不安定な感情を抱えた彼は、贋作画家ミロンと出会い、新しい人生を歩みはじめる。初刊は白泉社。のちに小学館／萩尾望都作品

山田　「半神」はどう？　ぼくは好きなんだ。わがことのように思えて。何がわがことなのかは自分でもよくわからないけれど。

恩田　「こんな夜は涙がとまらない」ですか？　あのあたりの作品は、痛い感じがしますね。あと、「イグアナの娘」とか。

山田　あの作品を評価する人は多いよね。テーマが前面に出ているし。

牧　純文学のように読まれているんでしょうか。

山田　母親と娘の話は共感を呼ぶんだ。これが父親と息子の話だと、ハードボイルドになって、わかりやすいけど嘘なんだよね。さっきも話したけれど、『バルバラ異界』は、お祖母さんから見た娘・孫の話でしょ。これって新機軸なんじゃないか。

恩田　『赤毛のアン』という作品がありますけれどね。

山田　娘がいなくて、お祖母さんと孫の話っていうのはよくあるでしょ。頑（かたく）ななお祖母さんの心を孫が溶かすというような。でも、祖母が、娘にも孫にも捨てられているというのは、あまり類がないんじゃないかな。『バルバラ異界』は、祖母文学の

集、白泉社文庫に収録されたが、いずれも現在は品切れ。電子書籍で入手可能。

「半神」
一九八四年に「プチフラワー」に発表された作品。身体がつながって生まれた双子。「私」は痩せ細り不健康に見えるが、実は栄養の供給を担っている。それに対して、妹は美しく健康に見えるが、知的障害があり、なにもかも「私」に頼りきりだ。やがて、「私」がついに力尽きてふたりとも動けなくなると、両親は手術を決断する……。現在は作品集『半神』（小学館文庫、電子書籍もあり）に収録。

『赤毛のアン』
カナダの小説家ルーシー・M・モンゴメリー（一八七四―一九四二）が一九〇八年に発表した長篇。主人公のアンは、児童養護施設からカスバート家に引き取られる。彼女の十一歳からクィーン学院を卒業するまでの五年間を、瑞々しい筆致で描く。

嚆矢になるかもしれない。

恩田　伝統的にはあるような気がしますよね。紫式部とか、祖母文学に近いかもしれない。

編　現代の女性作家でいますかね？

恩田　文学を書こうという人は、お祖母さんじゃいられませんよ。現役ですよ。

牧　『バルバラ異界』の菜々実さんも現役じゃないですか。

山田　新藤兼人さんがつくった『鬼婆』という映画がある。戦国時代の話で、娘のところに若い男が通ってくるのを、母親が嫉妬して鬼婆になってしまう。そこでは、女の性が、老いてなお情念のほむらに燃えてしまう我執、醜いものとして描かれているんだ。しかし、『バルバラ異界』はまったく違って、ごく自然なものとして扱われているでしょ。それが新しい視点だと思う。

恩田　リアルですね。

山田　孫がいる女性が恋をするって、あたりまえのことだもんね。否定的に捉えられることじゃない。

モンゴメリーの手で多くの続篇が書かれている。邦訳は文春文庫（松本侑子訳）、新潮文庫（村岡花子訳）など、いくつもの版がある。前出の二冊はいずれも電子書籍あり。

新藤兼人
映画監督・脚本家（一九一二―二〇一二）。下積みから映画人としての人生をスタートさせ、五〇年に独立プロダクションの先駆けとなる近代映画協会を設立。五一年『愛妻物語』で監督デビューを果たす。きわめて作品数が多く、九七年には、長年の映画製作が評価され文化功労者に選ばれた。二〇〇二年、文化勲章を受章。

『鬼婆』
一九六四年の日本映画。新藤兼人が監督・脚本・美術を担当している。主演は乙羽信子。舞台は戦国時代。息子が戦に駆りだされ、生活に困った母と嫁は落武者を殺し、その武器や鎧を売りさばいている。ある日、息子が殺されたという知らせが舞い

恩田　トキオが菜々実さんに最初に会ったとき、内心で「若いなア。このごろの高齢者は」と思っていますよね。
山田　あったね。そんな場面が。
恩田　実際いまはそうです。娘と姉妹と思われたいと思っている母親が多いといいます。

こむ。それを伝えに来た男は嫁と恋仲になり、それを知った義母は嫉妬のあまり般若の面をつけてふたりを襲う。

●現代／未来を結ぶサイクル

山田　ところで、『バルバラ異界』の最後のエピソードで出てくるグールドの『個体発生と系統発生』って、その前に出てきた？
恩田　いちばん最初に出ていますよね。青羽ちゃんがページを食べちゃう。
山田　ああ、あの本だね。
牧　核心の部分はそこで仕掛けられているんですね。
恩田　読みかえしてみると、みんな最初の一、二回に出ている。
山田　あの本を未来郵便で送るんだね。そうか、キレイにサイクルを描いているんだ。

恩田 美しいです。

山田 うーん。構造を考えてもよくわからないんだよね。

恩田 しつこいようですが、どこまで考えて描きはじめたんでしょうか。すごすぎる。

編 『銀の三角』では、巻末にプロット表が載っていましたよね。どういうふうにストーリーをつなげていくか。

恩田 えっ、ありましたっけ？

編 最初に出たハードカバーです。

山田 かなり綿密なんですか？

編 そうだったと思います。

山田 パインは、カーラーが保管している心臓を食べて、将来バルバラに行きつくわけだよね？

恩田 はっきりは描かれていないけれど、バルバラが存在しているというのは……。

山田 そういうことになるよね。じゃあ、タカが見ている夢って何なの？

牧 でも、タカとキリヤは入れ替わっていますよね。そこでタカはバルバラからは外れている。

山田 でも、トキオはキリヤを助けようとして、タカが寝ているところに行きつくよね。

ということは、タカが見ている夢が現実なのかな？　そこらへんがすごく複雑なんだ。誰か時間軸でまとめてくれないかな（笑）。

恩田　複雑ですよ。もしかすると、サチコかもしれない。

牧　解釈の余地は残されていますよね。単純な「時間の輪」ではない。

編　では、本日はここらへんで。どうもありがとうございました。

構成／牧眞司

『原点』との邂逅

特別対談：萩尾望都＆恩田陸

初出　SF Japan 2006 AUTUMN

●強烈な出会い

恩田　はじめまして。本日はよろしくお願いします。

萩尾　こちらこそ、どうぞよろしく。

恩田　子どものころからのファンなので、今日は本当に夢のようです。萩尾さんにお会いできるというので、昨日の夜から本棚をひっくりかえして、サインをいただく本を選んでいたんですよ。

萩尾　ええ、そんな（笑）。

恩田　いろいろと悩んで決めたのが、『トーマの心臓』と『精霊狩り』です。

萩尾　『精霊狩り』は、雑誌発表から本になるまでちょっと時間がかかったんですよ。出したときは「古い作品だからはたして売れるかな？」という気持ちでしたね。

恩田　そうだったんですか。でも、ロングセラーになりましたよね。小学館漫画文庫の最初のころで、あれが文庫で漫画を出すはしりでした。

萩尾　そうそう。違う方に表紙を描いてもらって、書店では小説と同じ棚にまぎれこませる。それで、間違って買う人が出るんじゃないかと、そういう作戦でした（笑）。

恩田　「ＳＦ　Ｊａｐａｎ」の山田正紀さんとの読書会のときにも話したし、エッセイにも書いたんですが、私の原点は、《精霊狩り》のなかの一篇「ドアの中のわたしのむすこ」なんです。少女マンガを雑誌で読むようになったのは、小学校に入ってからですが、そのほとんど最初の一冊が「ドアの中のわたしのむすこ」が載っていた「別冊少女コミック」でした。

萩尾　小学生のときですか？

恩田　一九七二年ですから、七歳か八歳ですね。

萩尾　ひゃぁ！　はあ……（笑）。

恩田　「ドアの中のわたしのむすこ」は、私にとって〝刷り込み〟といっていい。全ページ覚えていますもの。しかし、おなじ号に掲載されていたほかの作品はまったく記憶にないんですよ。「ドアの中のわたしのむすこ」の印象があまりに強くて。

萩尾　奇想天外なお話だと思われたんじゃないですか？

恩田　ミュータント・テーマですよね。もっとも、そのころの私は、そんな言葉さえ知りませんでしたが。ただ、叔父が手塚治虫さんをいっぱい持ってたんで、ＳＦマンガはすでにたくさん読んでいました。

萩尾　「ドアの中のわたしのむすこ」もそうですし、その前篇の「精霊狩り」も、SFを意識して描いたんですよ。その前からSFが描きたくて、ずっと編集さんに言っていたのですが、なかなかOKがもらえませんでした。私が子どものころは、少女マンガでけっこうSFがあったんですよ。それがひとところ一掃されてしまって、私がデビューしたころは「SFはダメ」っていう風潮が編集部にありましたね。「精霊狩り」のときは、短篇だからいいかって、予告を描いちゃいました。

恩田　「ドアの中のわたしのむすこ」では、SFの設定もストーリーの面白さもインパクトがありましたが、絵も素晴らしいと思いました。主人公のダーナの着ている服がセンスが良くて。そのままモード画といっても通用するくらいに。萩尾さんは、ファッションモデルの女の子を主人公にした作品もお描きになっていますよね。

萩尾　実を言うと、私はもともと服にはぜんぜん興味がなかったんですよ。服が描けるようになったのは、専門学校で二年間勉強した成果です。

恩田　たしか、服飾のデザインを勉強なさったんでしたね。

萩尾　マンガの参考になると思って、専門学校に通いました。学校は違うのですが、姉が商業デザインを勉強していて、「デッサンやクロッキーなど教えてもらえるよ」と言うので、それはいいと思ったのがきっかけですね。真剣にマンガ家をめざしていたので、デッサンの勉強がしたかったんです。八頭身はどう描くのかとか、学校で教えてもらいました。

それ以外にも、服装の歴史なども教わることができて、面白かったですよ。

恩田　もうひとつ萩尾さんの絵で印象的だったのは、「動き」でした。ほかの少女マンガに比べて、圧倒的に動いているんです。とにかく「ドアの中のわたしのむすこ」に出会って、私の人生は変わってしまった。

萩尾　七歳で？

恩田　はい。

萩尾　………。

●『ポーの一族』のころ

恩田　萩尾さんのデビュー作「ルルとミミ」は、当時の典型的な少女マンガですが、これは狙って描かれたんですか？

萩尾　いいえ。デビュー前にはそういう計算はまったくできませんでした。「自分にあるものを出す」っていうかんじですね。編集部を訪ねて絵を見てもらったら、「二十枚か二十四枚でな

「ルルとミミ」　一九六九年「なかよし」に発表された萩尾望都のデビュー作。ふたごのルルとミミが教会のケーキ・コンクールで巻きおこす騒動を描く。現在は作品集『ルルとミミ』（小学館文庫、電子書籍もあり）に収録。

にか描いてみてよ」と言うんで、さっそく描いたのが「ルルとミミ」です。ふたごシリーズで、ずっとアイデアを練っていたものだから……。

恩田 ふたごというのは、萩尾さんの作品によく出てきますよね。

萩尾 もうひとりの自分というかんじですね。似ていても似ていなくとも、自分を見つめるのにいちばん早い方法です。

恩田 《精霊狩り》が単行本になるまで間があったので、私にとって次に出会った萩尾さんの作品は『ポーの一族』なんです。マンガ雑誌は、すぐに集英社系のほうに行ってしまったので、それ以外は単行本になってから手にするだけだったので。

萩尾 『ポーの一族』が本になったのは、小学館が少女マンガの単行本を出しはじめたばかりのころです。『ポーの一族』は雑誌に発表した時点では、読者アンケートでもそれほど人気がなかったんです。それをどうして単行本にしてくれたのか、いま考えると不思議ですね。

恩田 単行本は大ヒットしましたよね。

萩尾 人気が出たのは、単行本になってからなんです。三冊いっぺんに出せば売れるんじゃないか、と編集さんは判断したのかも。

恩田 たしかに『ポーの一族』は、それぞれのエピソードが響きあって、さらなる効果をあげますから、まとめて読んだほうが感動が深まります。パラパラ読んだだけじゃ、わからない部分もありますね。年代記ものの醍醐味というか。私は『ポーの一族』のなかで、とりわけ「ランプトンは語る」が好きなんです。年表が出てきますよね。あそこに痺れる。「そうだよ、やっぱり年表だよ」と思いましたね（笑）。

萩尾　私も『ポーの一族』をまとめて出してもらえたのは、とても嬉しかったですね。いまでこそ、書店にコミックス・コーナーがあるけれど、その当時は雑誌に載って終わり、というのがふつうでした。出版社はマンガは読み捨てだという認識で、まさか単行本で読む人がいるとは思っていなかったんですね。だから、私も好きなマンガは雑誌を切りとって残していましたね。

恩田　どんな作品がお好きだったんですか？

萩尾　空想的なものはずっと好きでしたね。子どものころから、手塚治虫さんや石森章太郎さんのSF、ファンタジーは読んでいました。ですから、自分がマンガ家になってからもずっとSFが描きたいと、ことあるごとに編集さんに話していたんです。でも、なかなかOKが出ませんでしたね。『11人いる！』を描いたときも、「前後編で百二十枚」と言われて、じゃあ恋愛ものでも描こうかなと思っていたら、「SFでもいいよ」と言われて「あっ、やりますやります」（笑）。

恩田　『11人いる！』は、『ポーの一族』のあとですよね。『ポー』が大ヒットしたので、描きたいものが描けるようになったということはありますか？

萩尾　ぜんぜん。やはり闘いが（笑）。

●ブラッドベリと川端康成

恩田　活字のSFもたくさんお読みになっていますよね。

萩尾　「SFマガジン」も読んでいましたが、ブラッドベリとかブラウンとか単行本で出ていましたので、お小遣いができるとそれを買って読んでいましたね。

恩田　私もブラッドベリは大好きなんですが、もともとは萩尾さんの作品を通じてブラッドベリ的な要素に惹かれたんです。二次的にブラッドベリを感じていて、そのあとに実際のブラッドベリ作品を読みました。

萩尾　ブラッドベリはいいですよね。本当に美しい作品です。私はもともとエドガー・アラン・ポオのような幻想性が好きだったんですが、ブラッドベリはそれをもっと透明にしたかんじ。私がブラッドベリを知ったのは二十歳すぎですが、「こんなことが書けるんだ」と思いました。

レイ・ブラッドベリ
アメリカの小説家・詩人（一九二〇―二〇一二）。四一年「スーパー・サイエンス・ストーリーズ」に、ヘンリー・ハースとの共作「振り子」を発表してデビュー。五〇年刊の連作集『火星年代記』によって、「宇宙時代の吟遊詩人」との名声を得る。そのほかの代表作に長篇『華氏451度』『たんぽぽのお酒』、短篇集『10月はたそがれの国』などがある。二〇〇四年、ナショナル・メダル・オヴ・アーツ（日本の文化勲章に相当）を受章。

フレドリック・ブラウン
アメリカの小説家（一九〇六―七二）。四〇年ごろからパルプ雑誌に小説を発表。四七年、『シカゴ・ブルース』でアメリカ探偵作家クラブ賞を受賞。SFとミステリの両分野で活躍をするが、日本ではとくに『宇宙をぼくの手の上に』などのショートショートで人気が高い。そのほかの代表作に『火星人ゴーホーム』『発狂した宇宙』などがある。

恩田　萩尾さんはブラッドベリ作品をマンガ化されていますが、それ以外の作品でもブラッドベリの匂いのするものがありますね。「金曜の夜の集会」とか「花と光の中」とか。

萩尾　ブラッドベリは子どもを題材にした小説が多いですよね。

恩田　いっけん美しいけれど、かなり猟奇的なものを秘めている。ブラッドベリと川端康成は似ているというのが、私の持論なんです。二人とも本質的に怪奇作家なんだけれど、上澄みがすごく綺麗。

萩尾　川端康成は人から薦められて短篇を途中まで読んだのですが。今度はちゃんと読んでみようかな。

恩田　かなり怪奇な人だと思いますよ。『雪国』とか綺麗なイメージでとらえられていますが、底のほうには怖いものがある。いま、ちくま文庫で東雅夫さん編の《文豪怪談傑作選》が出ていて、その第一巻が川端康成です。巻頭に入っている「片腕」が傑作です。

エドガー・アラン・ポオ
アメリカの小説家・詩人（一八〇九―四九）。三三年、ボルティモアの地元紙の懸賞募集に応募した「壜のなかの手記」で作家として出発。四一年発表の「モルグ街の殺人」は史上初の推理小説と言われる。その一方で「ハンス・プファアルの無類の冒険」「メエルシュトレエムに呑まれて」など、SFに連なる作品も残している。怪奇小説の分野でも多くの秀作がある。

「金曜の夜の集会」
一九八〇年「SFマガジン」に発表された作品。小さな町に住む少年マーモは、すてきな人たちに囲まれて楽しい日々を送っていた。やさしい姉さん、天文部の仲間のダッグ、巻毛がきれいなセイラ……。このままの日常がすぎていくと思っていたが、八月最後の金曜日、マーモは大人たちのひそかな集まりに出くわす。現在は作品集『半神』（小学館文庫、電子書籍もあり）に収録。

●『バルバラ異界』の舞台裏

恩田　萩尾さんが感銘を受けたSF作家というと、ブラッドベリのほかに……。

萩尾　アシモフですね。

恩田　『宇宙気流』を読んでSFファンになったと、エッセイにお書きになってましたね。

萩尾　そうそう。アシモフの宇宙観に魅せられましたね。そのあとに『鋼鉄都市』を読んだのですが、これもまた傑作で。アシモフにはハマりましたね。「あそび玉」などは、もろにアシモフの影響を受けています。

恩田　アシモフから「あそび玉」ですか。発想の膨らませかたがすごいですね。どんなふうに考えているのか、ぜひ知りたい。

萩尾　私も恩田さんに、それをうかがいたいです（笑）。

恩田　めっそうもない。萩尾さんにはとうていかないません。『バルバラ異界』の読書会のときも、山田正紀さんと話したん

「花と光の中」
一九七六年「週刊少女コミック」に発表された作品。六歳のとき、少年ルーの目の前で仲良しの少女イザベルが死んだ。それから彼は、イザベルの面影を追いつづけて生きる。大学で知りあった恋人にも「きみがイザベルだ」と言いつのる。現在は作品集『10月の少女たち』（小学館文庫、電子書籍もあり）に収録。

川端康成
小説家（一八九九―一九七二）。大学在学中の一九二〇年に同人誌活動をはじめる。二六年、第一短篇集『感情装飾』を刊行。『雪国』で文芸懇話会賞を、「故園」「夕日」などで菊池寛賞を、『千羽鶴』で芸術院賞を、『山の音』で野間文芸賞を、『眠れる美女』で毎日出版文化賞を、それぞれ受賞。六八年にノーベル文学賞を受賞。

東雅夫
アンソロジスト・文芸評論家（一九五八― ）。八二年「幻想文学」を

ですよ。萩尾さんは、いったいどこまで設定を考えて描きはじめたんだろう、って。

萩尾　すみません。あの作品は、描きながら考えていったところが多いです。

恩田　いや、それがすごいんです。そうやって描いていて、最後にすべてが収まるところに収まっている。とても真似ができない。

萩尾　私は、たいていの場合、最後まで考えておいて、それから描きはじめるんです。しかし、『バルバラ異界』はそういうふうには行かなかった。絵を描いてみたら、子どものキャラクターに感情移入ができなかったんですよ。それで、もともと予定していたそれ以降の話を、捨てることにしました。それで急遽（きゅうきょ）登場したのがキリヤくんなんです。

恩田　子どもというのは、バルバラ島の……。

萩尾　そう。最初考えていたのは、渡会さんが死んだ息子をバルバラ島で見つける話でした。でも描きはじめて、これはダメだ、バルバラに私は行けない、と思って。

創刊し、編集長として采配を振る。以来、ホラーや怪奇幻想に関わる数多くの出版企画に携わり、この分野の第一人者と目されるように。著書に『ホラー小説時評 1990―2001』『怪談文芸ハンドブック』『文学の極意は怪談である』『クトゥルー神話大事典』、編著に『妖怪文藝』『闇夜に怪を語れば』『血と薔薇の誘う夜に』などがある。

《文豪怪談傑作選》
二〇〇六年から独自編集でちくま文庫から刊行された怪奇小説名作集。『川端康成集』『森鷗外集』『吉屋信子集』『泉鏡花集』『百物語怪談会』『柳田國男集』『三島由紀夫集』『文藝怪談実話』『小川未明集』『室生犀星集』『鏡花百物語集』『太宰治集』『折口信夫集』『芥川龍之介集』『幸田露伴集』『明治篇　夢魔は蠢く』『大正篇　妖魅は戯る』『昭和篇　女霊は誘う』の十八冊が上梓。

『宇宙気流』
一九五一年刊の作品。惑星フロリナ

恩田　それで現実界にキリヤが出てきたわけですか。

萩尾　キリヤくんとお父さんとの葛藤ですね。

恩田　書いてみないとわからないというのはありますよね。予定していても、なんか違う、みたいな。

萩尾　脇役だった人が、急に真ん中に出てきちゃうとか。

恩田　そうそう。よくありますよね、そういうこと。

萩尾　私は、そういうことはめったにないんですが……。

恩田　……私はしょっちゅうです（笑）。

萩尾　（笑）。『バルバラ異界』は例外でしたね。予定は狂いっぱなしで、頭はタコ足配線。もう、これは私の最高駄作になるだろうと覚悟していました。「まあ、人生で一回くらいそういう作品を描いてもいいんじゃないか」と開きなおっていましたね。

恩田　とんでもない。大傑作じゃないですか。この密度の濃さ。よく四巻で終わりましたね。最近のマンガって、どちらかというと引き延ばす傾向にあるじゃないですか。『バルバラ異界』は、クライマックスまで話を広げておいて、最後の最後ですべ

で下級労働者として働いていた地球人リックは、過去の記憶をしだいに取りもどしていく。かつて自分は空間分析家として宇宙気流を研究していた。リックにつきまとう司政官テレンスの思惑とは？　彼はなぜ記憶を失ったのか？　宇宙的な危機と、星間の陰謀があきらかになる。邦訳はハヤカワ文庫ＳＦ（現在は品切れ）。

「あそび玉」
一九七二年「別冊少女コミック」に発表された作品。ティモシーは学校で流行っている「あそび玉」で十九回連続でストライクをとり、クラスメイトを驚かす。それがきっかけで、彼は追われる身となる。この星では超能力者は排斥されるのだ。ティモシーが行くべきところはどこか。現在は作品集『10月の少女たち』（小学館文庫、電子書籍もあり）に収録。

てが収まる。本当にすごい。

萩尾　取りまとめは得意なんです（笑）。先が見えないままにとにかく描いていたら、うまくつながってきた。たとえば、キリヤくんが桜の木の下で眠っているところがありますよね。最初は、彼はお父さんとコミュニケーションしたいのだから、こんな場面は不要だ、省いてしまおうと思ったんです。でも、気になってしかたがないので、入れたんです。そうしたら、あとで繰りかえしその場面が出てきて、これはキリヤくんが桜の木の下で、なにかを囁(ささや)いたのかな、と。

恩田　あるシーンを描いたとたん、「これで物語が終われる」と思ったことはありませんでしたか？　私自身はそういうことがあるんですが。

萩尾　うーん。そういうのとは違うかもしれませんが、節目みたいなものはありますね。バルバラにいる男の子が、渡会さんになついてきて、渡会さんはその子のほうがキリヤくんよりもかわいいと思うくだりがあって、彼は「そんなこと思っちゃダメだ。夢と現実が入れ替わってしまう」と自分の気持ちを打ち消します。私がこの場面を描いたときには、ただの台詞(せりふ)だけで、夢と現実を入れ替えるつもりはなかったんですね。でも、本当に入れ替えることになる。

恩田　そこも当初の予定とは違っているんですね。

萩尾　そうです。ただ、入れ替えると決めたものの、どうやって入れ替えたらいいか、すぐに思いつきませんでした。そういうことはほかにもあって、明美さんが渡会さんと離婚したのも、最初は「結婚してみたけれどやっぱり違うなと思って別れた」くらいにしか考えていなかったんですが、描いているうちに彼女にはトラウマがあったということがわかってきた。それに、青羽ちゃんを目覚めさせるかどうかも、最後の最後まで決められませんでしたね。

●作者の直感

恩田　『スター・レッド』もかなり複雑な設定の作品ですが、あちらは最初から結末が決まっていたんですか？

萩尾　『スター・レッド』も付け焼き刃です（笑）。いきなり「連載してくれ」と言われたものですから。ただ、描いてみるとエルグが動いてくれて、ストーリーがうまくつながりました。最初は、「地球で育てられた火星人の子が火星に帰るまでの話」という構想だけでした。

恩田　そうか、そうなのかあ。萩尾さんを鑑（かがみ）にして、私も……（笑）。私はいつも見切り発車なので。

萩尾　ええっ、そうなんですか？

恩田 はい。

萩尾 ドキドキしますよね。

恩田 いつもドキドキです（笑）。怖いこわい（笑）。

萩尾 津原泰水さんとお話をしたとき、彼も「あらかじめ考えて書きはじめるが、書いているうちにどんどん変わっていってしまう。そのほうが話が面白くなる」とおっしゃってました。でも、それをやるのは勇気が要りますね。

恩田 心臓に悪いです（笑）。でも、そういうふうにしか書けないんです。ちゃんと考証しておいて書くということができない。

萩尾 「ここでこのネタ使うかな、でもなんか違うよな」と思いながら、締切に迫られて、そのままにしちゃうとか。

恩田 なんとなく「これ入れておこうかな」。

萩尾 それがダメなんですよねえ。

恩田 ……いえ、私はわりとよく（笑）。

萩尾 そうなんですか？

恩田 ええ（笑）。でも、使えそうな気がするという勘ってあ

津原泰水
小説家（一九六四― ）。八九年、津原やすみ名義の『星からきたボーイフレンド』でデビュー。ティーンズ小説で活躍していたが、九六年の『妖都』でホラー作家へと転身。ペンネームを津原泰水と改める。そのほかの代表作に『蘆屋家の崩壊』『ペニス』『少年トレチア』『ブラバン』『バレエ・メカニック』『ヒッキーヒッキーシェイク』などがある。

るんですよ。萩尾さんが先ほどおっしゃった桜の木の下で眠っているというイメージと似たようなこと、私も何度も経験しています。

萩尾　わかりますわかります。私はそんなとき、「この直感が間違っていませんように」と祈るような気持ちで描いている（笑）。

恩田　そのときはひたすら祈る（笑）。そしてあとになって、なんとかする（笑）。それしかない。

萩尾　入れておいたのに使わなかったら、「これはなんなの？」と読者から言われる。

恩田　そういうときは横を向いて知らないふりをする（笑）。ごめんなさいごめんなさい、単行本にするときに直しますから、とか。

萩尾　美内すずえさんは、『ガラスの仮面』を本にするときにだいぶ手を入れています。かなり前に、単行本にするときに、どうしても入れたいエピソードがあるんだけれどどうしようと相談されて、私は「いいんじゃない。美内さんの作品なんだか

美内すずえ
漫画家（一九五一—　）。六七年「別冊マーガレット」に「山の月と子だぬきと」を発表してデビュー。七六年に『ガラスの仮面』の連載を開始。『妖鬼妃伝』で講談社漫画賞を、『ガラスの仮面』で日本漫画家協会賞優秀賞を、それぞれ受賞。

『ガラスの仮面』
一九七六年「花とゆめ」で連載がはじまり、いまだ描きつづけられている作品。主人公の北島マヤは貧しい家庭にそだった平凡な少女だったが、演劇への情熱と、異能とも言える演技の才能を持っていた。彼女は伝説の舞台「紅天女」の主演をめざす。現行本は白泉社／花とゆめコミックス、白泉社文庫。電子書籍もあり。

ら思ったようにしたほうがいいよ」と勧めたんですね。それから、どんどん手を入れるようになって、いまでは原稿を切り張りするほどだそうです。「すごい楽しいよ」と言ってました（笑）。

恩田　さすがに私はその境地には達していませんね（笑）。

萩尾　みんなで集まったとき、『ガラスの仮面』がどんなふうに終わるのか、それぞれに予想して完結篇を描いたらどうだろうという話になったんですよ。

恩田　それは面白そう。萩尾さんが描く『ガラスの仮面』最終回！

萩尾　いろいろ話が出たなかで面白かったのは、みな思ったような演技ができないので、ついに月影先生が業を煮やして「『紅天女』は私が演ります」と宣言する。誰にもくれない（笑）。

恩田　（大爆笑）。いいなあ。それで、幕とともに大往生する（笑）。

萩尾　壮絶ですね（笑）。でも、あんなに演技力のある二人なんだから、どちらか選ぶなんてせずにダブルキャストにすればいい。まあ、ダブルキャストというのは、これまでもやっているので、美内さんとしては違う展開にしたいようです。

恩田　観客としては、どちらの『紅天女』も観たいところですよね。

萩尾　『パンドラの鐘』は、ひとつは野田秀樹が演出して、もうひとつは蜷川幸雄が演出して、おなじ時期にべつべつに上演したじゃないですか。あれとおなじようにすればいい。

恩田　興行的にも大成功。
萩尾　ですよね。人の作品だと思って、勝手なことばかり言ってますが（笑）。

●演劇・音楽・映画

萩尾　私は実際の演劇も好きなんです。演劇にかぎらず、舞台ものには惹かれますね。なまものが動いているというライブ感、そこから伝わってくる熱。おなじ時間にいて、同じ空気を吸っているというのは、格別なものがあります。
恩田　お気に入りのダンサーとかパフォーマーはいますか？
萩尾　一時、ベジャール・バレエ団のジョルジュ・ドンにハマっていました。
恩田　すごい人でしたねえ。
萩尾　そうでしょ。
恩田　バレエを小説で描くのは難しいですが、ピアニストを扱った小説はいつか書いてみたいですね。

野田秀樹
俳優・劇作家・演出家（一九五五―　）。高校在学中の七二年、最初の戯曲「アイと死をみつめて」を自作自演。大学在学中の七六年「劇団夢の遊眠社」を結成。九二年の解散までに四十三回の公演をおこなう。『野獣降臨』で岸田國士戯曲賞を受賞。そのほか戯曲、舞台作品で数多くの賞を得ている。二〇〇九年に大英帝国勲章OBEを受章。一一年に紫綬褒章を受章。

蜷川幸雄
演出家・映画監督・俳優（一九三五―二〇一六）。五五年に劇団に入り俳優として活躍するが、六九年に演出家としてデビュー。七四年『ロミオとジュリエット』で商業演劇に進出。演劇関係の受賞多数。二〇〇一年に紫綬褒章、〇二年に大英帝国勲章、〇四年に文化功労者、一〇年に文化勲章を受章。没後の一六年に従三位。映画監督としての作品には、『青の炎』『嗤う伊右衛門』『蛇にピアス』などがある。

萩尾　いいですね。私は音楽を題材にした作品が好きなんです。最近だと篠田節子さんの『讃歌』が面白かったですね。篠田さんは以前から演奏家を主人公にした作品を書かれていますよね。『カノン』とか『ハルモニア』とか。

恩田　篠田さんご自身がチェロを弾かれてますからね。萩尾さんは楽器はいかがですか？

萩尾　できたらカッコいいんですが、私はもっぱら聴くばかりです。

恩田　萩尾さんは映画もお好きですよね。作品のなかにＦＦって出てきて、あっ、フェデリコ・フェリーニだって。

萩尾　フェリーニを観たときはびっくりしましたね。こんな撮りかたがあるんだ、と。あと感激したのは、リドリー・スコットの『ブレードランナー』。原作であるディックの『アンドロイドは電気羊の夢を見るか？』は、暗く、救いようのない話なんだけど、映像にするとこんな綺麗なものが出てくるのか、と思いましたね。

恩田　詩情がありますよね。

ジョルジュ・ドン
アルゼンチン出身のバレエ・ダンサー（一九四七—九二）。六三年にモーリス・ベジャールの二十世紀バレエ団に入団、ほどなくして主役ダンサーとなる。八一年に映画『愛と哀しみのボレロ』に出演し、世界でもっとも有名な男性バレエ・ダンサーのひとりとなった。

篠田節子
小説家（一九五五—　）。九〇年「小説すばる」新人賞を「絹の変容」で受賞してデビュー。以来、ＳＦ、ホラー、サスペンス、ミステリなどジャンルを超えて作品を発表している。『ゴサインタン』で山本周五郎賞を、『女たちのジハード』で直木賞を、『仮想儀礼』で柴田錬三郎賞を、『スターバト・マーテル』で芸術選奨文部科学大臣賞を、『インドクリスタル』で中央公論文芸賞を、『鏡の背面』で吉川英治文学賞を、それぞれ受賞。そのほかの代表作に『聖域』『夏の災厄』『ハルモニア』『弥勒』『竜と流木』などがある。二

萩尾　ハリウッドって、ディックが好きなのかな？

恩田　好きでしょう。あの世界は、まさに現在のアメリカだから。

萩尾　『マイノリティ・リポート』も良かったですね。古い街並みと新しい都市が対照的に描かれていて。

恩田　萩尾さんご自身の作品の映像化についてはいかがですか？　『11人いる！』など、いまアジア資本で撮ったら、面白そうだとか考えるんですが。

萩尾　撮りたいと言ってくれる監督さんはいるんですが、資金がなくて具体化しないんですよ。

恩田　どの作品ですか？

萩尾　『訪問者』です。撮りたいと言っているのは佐藤嗣麻子さん。ドイツを舞台に。

恩田　それは実現してほしい。ドイツで『訪問者』を撮る。いいですねえ。あの作品だったら、映画になっても、観客はまさか原作が日本の漫画だとは思わないでしょうね。

萩尾　恩田さんの場合はいかがですか？

〇年に紫綬褒章を受章。

『讃歌』
二〇〇四年～翌年『朝日新聞』で連載、〇六年単行本化された作品。かつて天才ヴァイオリニストといわれた柳原園子が、中年になってヴィオラ奏者として活躍をはじめる。彼女の演奏は大衆の心をゆさぶり、ちょっとしたブームとなるが、その裏には秘かな作為が働いていた。はたして感動は本物か、それとも虚像なのか。初刊は朝日新聞社。のちに朝日文庫に収録されたが、いずれも現在は品切れ。

『カノン』
一九九六年の作品。むかし愛した男が、ヴァイオリンでバッハのカノンを演奏しながら自殺した。高校の音楽教師であり、平凡な主婦でもある主人公は、彼の死をきっかけに、意識の奥にある過去といやおうなく直面することになる。音楽が紡ぐ異色ホラー。初刊は文藝春秋。のちに文春文庫に収録されたが現在は品切れ。

恩田　私は、原作のテイストさえ大切にしてくれれば、あとはお任せでいいという考えかたです。実は『ロミオとロミオは永遠に』を、誰か舞台にしてくれないかなあと思っているんですよ。

萩尾　ああ、舞台って手もありますよね。

●短篇と長篇

恩田　今後SFをお描きになる予定は？

萩尾　SFじゃないんですが、いま現代幻想ものを、毎回十六ページで描いているんですよ（「フラワーズ」掲載の《ここではない★どこか》シリーズ）。たまったら単行本にしましょうと言っているんですが、十回でも百六十ページしかないんで、まだまだ先になりますが。

恩田　十六ページというのは描きやすいですか？

萩尾　ひとひねりですむから、アイデアさえできればあとは描くだけです。長いものになると、つけ加えたり、整えたりとい

電子書籍で入手可能。

『ハルモニア』
一九九六年〜翌年「鳩よ！」で連載、九八年単行本化された作品。浅羽由希は言葉と情緒を欠如しているが、音楽においては卓越した才能を示す。いくつかの事件をきっかけに、彼女はサイコキネシスのような能力を発現させるが、むしろ短期間で難曲を弾きこなすことのほうが奇蹟的だ。九八年にTVドラマ化。初刊はマガジンハウス。のちに文春文庫に収録されたが、現在は品切れ。電子書籍で入手可能。

フェデリコ・フェリーニ
イタリアの映画監督・脚本家（一九二〇―九三）。五〇年より映画監督として活躍をはじめ、五四年の『道』で国際的な名声を得る。五九年の『甘い生活』以降は、リアリズムを逸脱した独特の映像感覚を発揮。そのほかの代表作に『フェリーニのアマルコルド』『そして船は行く』などがある。

うことがありますから、ちょっと手間がかかります。

恩田　ネタを考えるとき、短篇むきのものをとか意識しますか？

萩尾　そうですね。ただ、短篇だと思っていたのに、描きはじめると収まらなくてということはありますね。この前もそういうことがあって、急遽別な話に差しかえて、だから予告とはまったく別なものを載せることになりました。

恩田　萩尾さんはデビュー当時は短篇をお描きになっていて、『ポーの一族』は連作だから別格とすると、本格的な長篇は『トーマの心臓』ですね。

萩尾　『トーマの心臓』は、あの作品になる前に、断片的にちょこちょこと描いていたものがあったんです。発表を意識せずに、個人的趣味として。

恩田　はあ。

萩尾　そういうのってありません？

恩田　いやあ。それは理想ですね。好きなものを好きなふうに書くのって。やってみたいですが、現実には、その余裕がない

リドリー・スコット
イギリス生まれ、ハリウッドで活躍する映画監督（一九三七— ）。七七年『デュエリスト／決闘者』で監督デビュー。『エイリアン』『ブレードランナー』など特異な映像感覚で、カルト的な人気を博す。近年の作品には『悪の法則』『オデッセイ』『エイリアン：コヴェナント』『ゲティ家の身代金』がある。

『ブレードランナー』
一九八二年のアメリカ映画。主演はハリソン・フォード。酸性雨が降りやまぬ未来のロサンゼルスに、人間とおなじ外見をもつ六人の脱走レプリカント（人造人間）が逃げこんできた。彼らを狩る役目を負ったリック・デッカードは、不愉快な追跡と闘いに身を投じる。

『アンドロイドは電気羊の夢を見るか？』
一九六八年刊の作品。核戦争後で緩慢な死を迎えつつある未来の世界。植民惑星を脱走し地球へと潜入した

ですね。

萩尾　恩田さんはいますごく活躍していらっしゃるから、しかたないですね。私はその当時、自分の趣味でタラタラと描いているものがいっぱいあって、そのうちのひとつが『トーマの心臓』だったんです。たらたら描いているものだから長いんですよ。

恩田　長篇と短篇とどちらがお好きですか？

萩尾　どちらも好きです。ただ、長篇は体力を使いますね。

恩田　同感です。でも、短篇って難しくないですか。私はデビュー以来、純粋な短篇というのは、ほんのひと握りしか書いていません。

萩尾　私の場合、十六〜五十ページくらいの長さが、描きやすい。それ以上の長さになると、キャラクターを長篇用にしっかりつくらないといけない。そこが難しい。何百ページも描くなら、キャラクターや設定に、マラソンを走れるような体力がないといけない。

恩田　いちばん長い作品は『残酷な神が支配する』ですよね。

八体のアンドロイドを、賞金稼ぎのリック・デッカードが追う。奴らを首尾良く始末したら、支給された金で本物の生きた羊を買うのだ。いま飼っている電気羊などではなく……。邦訳はハヤカワ文庫ＳＦ。電子書籍あり。

『マイノリティ・リポート』
二〇〇二年のアメリカ映画。原作はフィリップ・Ｋ・ディックの同題の短篇、監督はスティーブン・スピルバーグ、主演はトム・クルーズ。犯罪予知システムによって殺人がなくなった未来。ジョン・アンダートンは犯罪予防局のチーフとして活躍していたが、ある日、システムはジョンが三十六時間以内に殺人を犯すと予知をする。一転して追われる立場になった彼は……。

「訪問者」
一九八〇年に「プチフラワー」に発表された作品。『トーマの心臓』の前日譚にあたる。不貞の妻を殺害して逃亡中の父グスターフと、それに

萩尾 あれは全四巻くらいで収まるはずだったんです（笑）。
恩田 ほんとですか（笑）。
萩尾 はい（笑）。
恩田 あの作品は、重い話なので、描くのもシンドそうですよね。
萩尾 いえ、快感でした。悪い人を描くって快感なんですよ（笑）。
恩田 たんに悪い人を描くだけじゃなくて、物語としては傷が回復するまでを描ききらないといけないから、そこが大変だったんじゃないかと……。
萩尾 そうかあ。だから、主人公のジェルミがぜんぜん動いてくれなかったのかな。私はときどき動かないキャラクターをつくってしまうんです。マラソンを走ってくれない？　ジェルミもそうですが、『マージナル』のキラも動かなくて、難儀しましたね。『残酷な神』は、傷の回復までは無理にしても、お母さんに話ができるところまでは持っていこうと思って描いていました。

従う息子オスカーとの放浪の旅を描く。現在は作品集『訪問者』（小学館文庫、電子書籍あり）に収録。

佐藤嗣麻子
映画監督・脚本家（一九六四—　）。九二年、『ヴァージニア』で東京国際ファンタスティック映画祭、アボリアッツ大賞を受賞。そのほかの代表作に、『エコエコアザラク』『エコエコアザラクⅡ』『K—20 怪人二十面相・伝』などがある。TVドラマの『YASHA 夜叉』『動物のお医者さん』『八つ墓村』『宮本武蔵』では脚本を担当。

《ここではない★どこか》
二〇〇六～一二年に「フラワーズ」に掲載されたシリーズ。一回ごとの読み切りで（一部に分載もあり）、萩尾版「奇妙な味」が堪能できる。現在は『山へ行く』『メッセージ』（小学館文庫、電子書籍もあり）の二冊に収録。

●夢のコラボ

恩田　萩尾さんは小説もお書きになってますよね。そちらのほうで、今後またなにかというお考えはありませんか？

萩尾　私が書いているのは、小説というほどのものではないんですよ。今後ですか？　最近はだいぶ手が弱ってきているので、いよいよダメになったら、マンガ家から原作提供者に転向しようかなんて考えています。

恩田　はいっ、はーい！（いきおいよく手をあげながら）まず私に原作を提供してください！

萩尾　えー、いいんですか（笑）。

恩田　萩尾さんの原作で、小説を書きたい！　原作を手がけるとしたら、やっぱりSFですか？

萩尾　SFです。

恩田　このマンガ家だったら、原作を提供してもいいという人はいますか？

『マージナル』
一九八五年〜八七年「プチフラワー」で連載、同時期に単行本化された作品。男だけしか生まれなくなった未来の地球。出産できるのはただひとり「マザー」だけだが、このところ、彼女が産む子どもの数が激減してきた。異様な社会のありさまが、マザーの暗殺計画や、歴史の裏面にひそむ謎などを絡めて描かれる。初刊は小学館プチコミックス。現行本は小学館文庫。電子書籍もあり。

萩尾　作家さんにとって褒め言葉かどうかわかりませんが、あまり癖がなくて、画面構成がキチッとしている人がいいです。
恩田　逆に、自分でマンガ化してみたい作品とかありますか？
萩尾　すぐには思いつきませんが……。私がではなく、別な人が漫画化してくれたらというのはあります。たとえば、大島弓子さんが『ツァラトゥストラかく語りき』をマンガにしてくれたら、すごくわかりやすくなるんじゃないか、とか。
恩田　それは読んでみたい！
萩尾　でしょ。
恩田　やっぱり、萩尾さんには原作提供よりも、漫画家としてずっと活躍していただきたいですね。子どものころからのファンとしては、それがいちばんの願いです。ところで、このごろ萩尾さんの画風はむかしに戻っているかんじがするのですが。
萩尾　目と手が弱ってきたせいでしょうか。いちばん描きやすいところにいくんですね。絵というのは不思議なもので……。
恩田　不思議ですね。でも、私が言うのもおこがましいのですが、萩尾さんの絵は最初から完成されていましたよね。

『ツァラトゥストラかく語りき』
ドイツの哲学者フリードリヒ・ニーチェ（一八四四―一九〇〇）が一八八五年に発表した著作。冒頭に「神は死んだ」という強烈な言葉が語られ、自律的存在としての「超人」や永劫回帰の思想について説かれる。邦訳は河出文庫（電子書籍もあり）。そのほか、邦題表記が微妙に異なるいくつもの版がある。

萩尾　Gペンは硬い順から、タチカワ、ゼブラ、ニッコーとあるんです。私はずっとタチカワを使っていたんですが、『マージナル』を描いたころから腱鞘炎(けんしょうえん)にかかって、ゼブラに替えました。「シャープじゃないなあ」と思いながら使っていたんですが、最近ではゼブラで描いていても痛くて、ついにニッコーに替えました。

恩田　職業病ですね。

萩尾　いよいよとなったら、サインペンで描こうかと。惣領冬実さんはサインペンを使っていらっしゃいますね。岡野玲子さんもサインペンで、どこのメーカーのどの製品という指定があるそうです。

恩田　その人にあった道具というのがあるんですね。

萩尾　惣領さんや岡野さんは、サインペンを使って、ああいう線を描くのだからすごいですね。私ももしサインペンを使うとしたら、構図とか表情の出しかたとか、あらためて工夫をしなければなりません。

恩田　新境地ですね。ファンからすれば、そういうことも含め

惣領冬実
漫画家（一九五九―　）。八二年「別冊少女コミック」に「陽だまりの訪問者」を発表してデビュー。『ボーイフレンド』で小学館漫画賞を受賞。そのほかの代表作に『ピンクなきみにブルーなぼく』『MARS』『ES』などがある。

岡野玲子
漫画家（一九六〇―　）。八二年「プチフラワー」に「エスタープリーズ」を発表してデビュー。『ファンシイダンス』で小学館漫画賞を、『陰陽師』（夢枕獏作品の漫画化）で手塚治虫文化賞マンガ大賞を、それぞれ受賞。そのほかの代表作に『両国花錦闘士（りょうごくおしゃれりきし）』『コーリング』『妖魅変成夜話』などがある。

て、ますます萩尾さんのご活躍に期待したいです。今日はどうもありがとうございました。

萩尾　こちらこそ楽しかったです。

司会・構成／牧眞司

恩田陸　《常野物語》

『光の帝国』『蒲公英草紙』『エンド・ゲーム』

ゲスト：笠井潔

集英社文庫

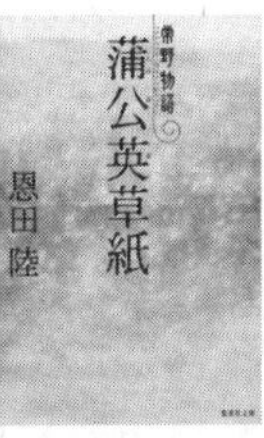

集英社文庫

集英社文庫

初出　SF Japan 2006 AUTUMN

光の帝国

常野一族という、不思議な能力を持つ人たちがいる。穏やかで、知的で、権力を志向せず、世の中と同化して、ひっそり生きている。

春田光紀の一家の能力は〝しまう〟ことだ。本や音楽を、心のなかに完全に保存できる。小学四年生の光紀は両親や姉よりももっと大きな引き出しを持っているが、まだ成長の途中だ。彼は、ひとりの老人が道ばたで倒れたところに遭遇し、人間そのものをじかに〝しまい〟、さらに〝響く〟ことを体験する。

拝島暎子は娘の時子とふたり暮らし。夫は強力な能力を持っていたが、〝裏返されて〟しまった。以来、暎子は身を潜めて生きてきたが、彼女のもとにも『あれ』がやってくる。『あれ』はさまざまな見え方をするが、暎子にとってはおぞましい植物の姿だ。暎子はとっさに相手を〝裏返して〟ことなきを得る。だが、それは悪夢のはじまりにすぎなかった。

十篇が収録されているが、共通するのは常野一族の物語ということだけで、それぞれ主人公が違い、その能力も境遇も異なる。〈牧〉

蒲公英草紙

ときは二十世紀を迎えたころ。語り手の峰子は小学校に上がる春、隣のお屋敷の聡子様の話し相手となる。聡子様は峰子よりひとつ歳上で、優しく頭の良い方だが、心臓が弱く長く生きられないと言われていた。

お屋敷には御家族のほか、発明家の池端先生、洋画家の椎名様、仏師の永慶様、真面目な書生の新太郎さんなどが住みついており、そのほか短期滞在の人が引きもきらなかった。そのなかに春田一家がいた。ご主人の葉太郎様、奥様、姉の紀代子さん、弟の光比古さん。村の大きな催しである天聴会の日、お屋敷に伝わる書見台にふれた光比古さんは、ぴくりとも動かなくなってしまう。葉太郎様は光比古は大きく〞響いて〟しまったと言い、家族全員の能力を駆使して彼を呼びもどす。

　そんな不思議な事件のあと、楽しい夏がすぎ、運命の秋がやってくる。聡子様と峰子が幼い子どもを集めてお話をしていたとき、豪雨が降りはじめた。ふたりはみなを避難させるべく尽くすが、濁流が迫ってくる……。

〈牧〉

エンド・ゲーム

大学生の拝島時子は、母の暎子が会社の研修旅行先で倒れたと連絡を受ける。そのとき彼女が思いだしたのは、ずっと自宅の冷蔵庫にマグネットでとめられていたメモだ。かつて父が自分に何かあったら、ここに連絡しろと言い残した電話番号。母は父が〞裏返された〟あとも、躊躇して連絡をしなかった。だが、いま見るとそのメモがなくなっている。

　時子は両親の能力を継いでおり、小学生のときから『あれ』が見えた。彼女の目にはボウリングのピンとして映る。そのイメージには封じられた記憶が関わっているらしい。

　時子が記憶していたメモの電話番号にかけてみると、そこは薬局であり、「洗濯屋」の火浦を紹介される。「洗濯屋」は〞裏返された〟人間を洗うのだという。しかも、火浦は、時子の父のゆくえを知っているらしい。

　はたして火浦は味方か。母の身には何が起こったのか。そもそも〞裏返す〟とはどういうことなのか。時子の前で、現実は何度も反転し、迷宮のような世界が立ちあらわれる。

〈牧〉

編　今回は、恩田陸さんの《常野物語》です。以前に山田さんの『神狩り』を取りあげましたので、今回はリターンマッチというのもちょっとヘンですが、恩田さんの作品というわけです。『神狩り』のときと同様、スペシャルゲストとして笠井潔さんに参加していただきます。恩田さんは幅広い文芸ジャンルにわたって執筆なさっていますし、ひとつの作品で複数のジャンルをまたいでしまう場合さえある。そのなかで、とくにSF色の強いものをと考えて、今回は《常野物語》のシリーズ――つまり『光の帝国』『蒲公英草紙』『エンド・ゲーム』の三冊――を選びました。司会は牧眞司さんにお願いします。

牧　なにしろ三冊ありますから、語ることはたっぷりあると思います。しかも今回は、笠井さんのお宅にうかがって泊まりこみですので、時間を気にする必要もない。朝までぞんぶんに話しましょう。しかし、すでに酒盛りの気配がただよっていますので、しらふのうちに読書会を進めてしまったほうがいいですね。みなさん、よろしくお願いします。

●デビュー時から注目

牧 作品に入るまえに、恩田陸という小説家に注目したきっかけをうかがいましょう。山田さんは、いかがですか？

山田 『光の帝国』が出たころですね。いつごろでしたっけ？ 単行本が出たのは。

恩田 いつだったっけなあ。だいぶ前ですよね。

牧 奥付によると、一九九七年十月です。

山田 そうだ。やっぱりそのころです。それまでも恩田さんの評判は耳に入っていたのだけれど、『光の帝国』は、SF関係者のあいだで話題になっていて、これは読まなければならないと思ったんだ。読んで、これはすごいと思った。

笠井 なんだ、山田さんはずいぶん遅いんだね。ぼくは『六番目の小夜子』が出たときから、恩田陸には注目していたよ。

山田 むむっ。

牧 『六番目の小夜子』は、ファンタジーノベル大賞の最終候

『六番目の小夜子』
一九九一年、第三回日本ファンタジーノベル大賞最終候補となり、翌年新潮文庫で刊行された作品（現在も新潮文庫で入手可能）。その高校には奇妙なゲームが伝わっていた。無作為に選ばれた「サヨコ」が秘密裏に行動をする。「六番目のサヨコ」の年、ひとりの転校生がやってくる。彼女は不慮の事故死を遂げた「二番目のサヨコ」とおなじ名前だった。二〇〇〇年にTVドラマ化。電子書籍もあり。

補になった恩田さんのデビュー作ですね。一九九二年の出版です。

笠井　綾辻行人に「ホラーで面白い新人がいるから、ぜひ読んでください」と言われたのが最初。それから恩田さんの作品は、ずっと読んでいる。最近は読書スピードが落ちているので、すべては追いきれなくなっているけれど、大部分の作品は読んでいるはずです。

牧　『小夜子』は、ぼくのまわりでは三村美衣がすぐに目をつけて、みんなに薦めていましたね。ファンタジー系の新人作家がほかにもデビューしていたけれど、SFファンのあいだでは、恩田さんの注目度は高かったと記憶しています。

笠井　しばらくはホラーの作家という印象だったよね。『光の帝国』が出て、あっ、SFも書くのかと思った。

山田　『光の帝国』は連作短篇集で、それぞれの作品ごとに視点を変えているでしょ。よく書き分けられるなと舌を巻いた。あと、そのころはまだ、恩田さんは人前に出ていなくて、関係者以外は正体を知らなかった。「作品のこの論理性は、女性と

綾辻行人
小説家（一九六〇―　）。大学在学中の八七年、『十角館の殺人』でデビュー。彼の登場が、新本格ミステリ隆盛の契機となる。『時計館の殺人』で日本推理作家協会賞を受賞。そのほかの代表作に『霧越邸殺人事件』『どんどん橋、落ちた』『暗黒館の殺人』『Ａｎｏｔｈｅｒ』『奇面館の殺人』などがある。二〇一八年に日本ミステリー文学大賞を受賞。

は思えない。きっと男性だ」と断じていた人もいたくらいです。ぼくはそうは思わなかったけれど。

牧　恩田さんが公に姿をあらわすようになったのは、この本が出たあとですよね。

恩田　『光の帝国』が出て、ぼちぼち取材の依頼がきていたので、そんなに積極的ではないけれど応じていました。

牧　『光の帝国』が出た翌年に、ぼくが仲間たちとやっていたSFセミナーに来ていただいて。SFセミナーが五月のあたまで、恩田さんはその直前に会社を退職なさったばかりでしたね。

恩田　そうです。

牧　そのときにうかがった話では、勤めていたときは小説を書いていることを内緒にしていて、編集者が会社に電話をかけてくると、あやしいやりとりになったとか。

恩田　まるで借金取りに追われているような（笑）。

●ヘンダースンと柳田國男

牧　ところで、『光の帝国』を書くことになったきっかけは？

恩田　編集者から「短篇を書きませんか？」と言われて、第一作の「大きな引き出し」を書きました。続篇のことはなんにも考えずに書いたんですよ。この作品が私の短篇デビューです。

牧　ご自分が好きだったゼナ・ヘンダースンの《ピープル》シリーズに想を得て。

恩田　第一作を書いているときは、それほど強く意識していなかったかもしれない。連作にしようと考えたときに、《ピープル》シリーズでいこうと思ったことは確かです。でも、あとで見てみると、「大きな引き出し」は、《ピープル》の第一作「アララテの山」とおなじように、学校の先生と生徒、その家族の話になっている。

牧　SFファンならば、なるほどと思いますよね。

恩田　『光の帝国』が本になったときに、《ピープル》シリーズに影響されていると言うと、SFファンの人たちから「おおっ！」というような反応が返ってきたんです。みんな、あのシリーズが好きなんだと思って、ちょっと嬉しかったですね。

牧　SFファンは、恩田さんがヘンダースンを読んでいると知って、「さすが恩田陸。わかっているじゃないか」と思ったたん

ゼナ・ヘンダースン
アメリカの小説家（一九一七—八三）。五一年「F&SF」に「おいで、ワゴン！」を発表してデビュー。《ピープル》シリーズをはじめ、しっとりとした風合いの短篇SFを書きつづけた。

《ピープル》シリーズ
一九五二年「F&SF」に発表された「アララテの山」に開幕するシリーズ。母星の爆発により脱出した異星人の集団が、地球にちりぢりに住んでいるという設定。のちに『果てしなき旅路』『血は異ならず』にまとめられた（邦訳はハヤカワ文庫SF、どちらも現在品切れ）。七二年には第三作「ヤコブのあつもの」が、「不思議な村」としてTVドラマ化。

ですね。

恩田　ところで、最初の作品は、「大きな引き出し」という題名ですが、担当の編集さんはあまりピンとこなかったらしいです。でも、私はこれでいいだろうと。内容にも合っているし。

牧　「大きな引き出し」って、考えてみるとヘンダースンっぽいですね。

恩田　あ、そうですね。「なんでも箱」ってありましたよね、ヘンダースンの作品に。

牧　あと「ページをめくれば」とか「おいで、ワゴン！」とかも、感覚的に近いんじゃないでしょうか。

編　先ほどのお話ですと、「大きな引き出し」の時点では、シリーズ化して、それで一冊にしようという明確な構想はなかったんですね。編集者としては、腕試しにまず短篇ひとつというような気持ちだったのかな。

恩田　そうでしょうね。次の作品を依頼されたときに、同じシリーズだけど、まったく登場人物や設定を変えて、と思ったのが運のつきでした。あんなに苦労するとは思わなかった（笑）。

山田　先ほどもちょっと言いましたけれど、視点が次から次へと変わっていく。恩田陸というのは、小説づくりにすごい自信を持っている人だろうなと思いました。

恩田　げっ。そうですか。

山田　そうじゃなければ、一篇ごとにテイストを変えるなんてことはできないよ。第一作を書いたときはシリーズ化は意識していなかったということですが、「常野」という言葉は最初から出ているんですよね。

恩田　あまり深く考えたわけではないんです。

笠井　柳田國男に『遠野物語』という民俗学の著作があって、この人はまた〝常民〟という概念をだしている。そこらを踏まえて「常野」になったんだと思っていたのだけど。

恩田　おっしゃるとおり、柳田國男は頭のどこかにありましたね。前々から面白いなと思っていました。

牧　なるほど。そう考えてみると、「常野」というのは、字面(じづら)や響きの良さもさることながら、意味性においても作品のコンセプトに合っていますよね。

恩田　実際はそこまで考えて決めたわけじゃないですが。まあ、終わりよければすべてよし……みたいなかんじですか（笑）。

柳田國男
民俗学者（一八七五―一九六二）。農商務省をはじめ、役人として働くかたわら、各地の習俗に関心を持ち、調査・著作活動をおこなった。「日本民俗学」の祖といわれる存在。

『遠野物語』
一九一二年刊。岩手県の遠野に伝わる説話をまとめたもので、これが柳田民俗学の出発点となる。現行本は角川ソフィア文庫、角川文庫ほか。電子書籍もあり。

●連載を本にするまで

牧 『光の帝国』を刊行した時点では、『蒲公英草紙』や『エンド・ゲーム』の構想はあったんですか?

恩田 ないですね。「新作をお願いします」と言われてから、考えました。しかし、続きを書くとしたら、春田家の昔の話と、拝島親子の話だろうなとは思っていました。前者が『蒲公英草紙』になり、後者が『エンド・ゲーム』になったわけです。

笠井 『蒲公英草紙』が去年(二〇〇五年)、『エンド・ゲーム』が今年の出版だけど、間をおかずに執筆したんですか?

恩田 いいえ。『蒲公英草紙』は二〇〇〇年に雑誌に書いていたんです。月刊連載はこの作品がはじめてだったかな。そのときは、ほかにもいっぱい仕事を受けていて、すごくきつかった。無我夢中で書いていたという印象しかないんです。なので、連載が終わったときも自己嫌悪があって、これは寝かしておいていずれ直そうと思ったんです。結局、長いこと寝かせっぱなしになってしまったんですが(笑)。『エンド・ゲーム』は二〇〇四年から翌年にかけての連載です。だから、この二作の執筆時期は、だいぶあいているんですね。

笠井 そうか。本になったのが、たまたま同時期ということなんだね。

牧　じゃあ、『蒲公英草紙』は本にするときに、そうとう手を加えたんですか？

恩田　それほどじゃないです。決定的な箇所では手直しをしていますが、大幅改稿というわけではありません。ただ、作品を冷静に見られるようになるまで、時間が必要だったということです。連載が終了した時点では、自分では「ダメだあ」と思っていたので。

牧　『エンド・ゲーム』のほうは、そういう時間は必要なかった？

恩田　そうですね。わりと客観的に見られましたね。

牧　それはどういう事情なんでしょう。連載ということに慣れてきたということなんですか？

恩田　それもあるでしょうが、自分の作品を突きはなして見ながら、書けるようになったというのが実感ですね。

●伝奇小説の新展開として

牧　笠井さんは、『光の帝国』を読んだとき、どんなことを思いましたか？　それまでのホラー系の作品にくらべて、ここが違うということはありましたか？

笠井　恩田陸は何を書いても恩田陸なので、ジャンルによる違いはあまり感じないね。『光の帝国』を読んで思ったのは、伝奇小説の変化ということです。八〇年代伝奇――それ以前から書かれているけれど——には、隠れた一族、しばしば超能力を持っている一族という設定が、すでにあるよね。ぼくの解釈だと、それらの作品における〝敵〟は天皇制であり、隠れた一族は野にあって抵抗をするわけだ。しかし、昭和天皇が死んだことによって、この設定では想像力を喚起できなくなってしまったのか、その手の作品がとたんに書かれなくなる。伝奇そのものは、上遠野浩平の学園伝奇のようなかたちで書かれていくのだけれど、隠れた一族というようなものではない。そんなところで『光の帝国』を読み、ああ、また違ったかたちで隠れた一族が扱われていると、興味ぶかかった。

牧　八〇年代伝奇とは、どう違うのでしょうか？

笠井　『光の帝国』では闘わないもんね、基本的に。

牧　そこらへんは、ゼナ・ヘンダースンの遺伝子ですよね。

恩田　そう。『光の帝国』を書いているときは、半村良とかぜんぜん念頭にありませんでしたね。

牧　《ピープル》シリーズでは、設定の謎が早い段階で解けるじゃないですか。一族のルーツは宇宙旅行中に地球に漂着した

上遠野浩平
小説家（一九六八—　）。電撃ゲーム小説大賞受賞作『ブギーポップは笑わない』で、九八年デビュー。これを第一作とする《ブギーポップ》シリーズで絶大な人気を博す。その後、ライトノベル以外のSFやミステリにも進出。そのほかの代表作に《ナイトウォッチ》シリーズ、《ソウルドロップ》シリーズ、《製造人間》シリーズなどがある。

異星人だったという。しかし、《常野物語》では、そうした設定はずっと宙ぶらりんのままですよね。そこは計算してやっているんですか?

恩田　いや、あとで考えようかなと思っているうちに、そのままになって(笑)。説明してもしょうがないとも思いますしね。どこから来たのか、どういう歴史を歩んできたか、そういうことを求めるのは、もういいだろう。それが私の感覚なんですね。

●SF的設定と日常性

牧　SFというくくりで考えるとどうでしょう? つまり、オラフ・ステープルドンの『オッド・ジョン』や、A・E・ヴァン・ヴォクトの『スラン』から、最近ではスティーヴン・キングの諸作にいたるまで、超能力というアイデアは書きつくされています。そのなかで、《常野物語》のオリジナリティは、どこにあるのでしょう?

山田　『光の帝国』で言えば、最初の「大きな引き出し」は読

オラフ・ステープルドンの『オッド・ジョン』
一九三五年刊の作品。天才少年ジョンは成長につれて人類に絶望し、荒野をさすらいながらテレパシーなどの超能力を開発していく。彼は自分とおなじような新人類が世界各地にいることを知り、太平洋の孤島に新社会を築こうとするが……。邦訳はハヤカワ文庫SF(現在は品切れ)。電子書籍で入手可能。作者オラフ・ステープルドンはイギリスの哲学者・小説家(一八八六—一九五〇)。

『スラン』
一九四〇年に「アスタウンディング」で連載、四六年単行本化された作品。すぐれた知能・体力と読心能力を備えた新人類スランは、人類の仇敵とみなされていた。スランの少年ジョミーは迫害を逃れながら、仲間を探しつづける。超能力テーマの古典。邦訳はハヤカワ文庫SF(現在は品切れ)。

書のメタファーですよね。それがあとの作品に行くほど、腐りかけの苺が炸裂したりと、不思議なイメージが出てきて、しかもそれがどういうことか一切説明をしていない。これが半村さんの作品ならば、先ほど笠井さんが指摘されたように天皇制との闘いという図式で捉えられる。しかし、『光の帝国』は、相手のこともわからないし、自分のことだってわからない、そんな世界を描いている。そこが新鮮ですね。また、半村さんにしても筒井康隆さんにしても、超能力が使われる異常な世界に読者を引きこむために、まず日常を描くところから出発していた。しかし、恩田さんは最初から異常な世界を描いてしまう。『光の帝国』について言えば、SF的設定と日常生活が表裏一体となっている。こういう書き方があるんだなと思いましたね。

牧　「しまう」や「裏返す」など、ごくごく日常的な言葉で、超能力を表現しているのが巧いですよね。

山田　「響く」とかね。個人的に言えば、いちばん身に沁みたのは、最初の「大きな引き出し」で、あれは本が大好きな少年少女が読むことにめざめていく話と理解することができる。本を読むことぐらいしか能のないぼくにとっては、ジーンときますね（笑）。あんな書見台があったら、ぼくももっと生きやすかっただろうな、と（笑）。

恩田　ああ、やっぱり、なんだかやりにくいなあ。自分が書いたことをサカナに話されるのは（笑）。

笠井　そう？　早く酔っぱらっちゃったほうがいいよ（笑）。ビールだけじゃなくて、ワインもありますよ。
恩田　あ、シークワーサーの果汁を持ってきたんですよ。これをビールに入れると、けっこうイケるんです。試してみてください。
笠井　なに？　柑橘類なの？
恩田　沖縄で穫れるんですけど、すごく酸っぱい。スーパーでも売ってますが、お酒で割るならかならず果汁一〇〇パーセントかどうかを確かめて買うのがポイントです。
笠井　ほほお。ほかに日本酒もウィスキーもあるので、なんでも遠慮なく言ってください。
山田　ぼくはそろそろワインをいただこうかな。
牧　この吟醸酒も美味しそうですね。
編　わあ。酒盛りがはじまってしまった。まってください、まだ読書会終わってませんからね。司会の牧さんまで調子に乗っちゃダメですよ。

●超能力テーマの変遷

牧　では、気を取りなおして。さっき筒井さんの名前が出ましたが、《七瀬》シリーズからの影響はありましたか？

恩田　あるでしょうね。とくに最初の『家族八景』が大好きだったんです。あとの『七瀬ふたたび』や『エディプスの恋人』は、ちょっと別な方向へ話がいっちゃいますが、『家族八景』は一話ごとにまとまっていて、どれも面白い。

牧　《七瀬》シリーズも、あまり背景の説明がありませんよね。主人公の過去とか、どういうわけで超能力を持っているのかとか。

恩田　そうなんです。とくに意識はしていませんが、そうした書きかたのところで、《常野物語》は筒井さんの影響を受けているかもしれませんね。

笠井　SFの歴史のどこかで逆転があったと思うんだ。むかしのSF、たとえば『オッド・ジョン』や『スラン』では、人類進化の最前線としての超能力者が描かれ、そうした存在が旧人類に迫害されるという構図があった。それが、超能力者というのはいにしえの血筋の末裔(まつえい)だというコンセプトに変わってきた。きちんと考えたことはないけれど、どこかで大きな逆転が起こった気がする。

《七瀬》シリーズ
テレパス火田七瀬を主人公とするシリーズ。一九七二年刊の第一作『家族八景』では、お手伝いさんの七瀬が、さまざまな家族の裏面を垣間見る。第二作『七瀬ふたたび』では、超能力者狩りをおこなう特殊部隊との死闘が描かれる。第三作『エディプスの恋人』では、七瀬と不思議な少年との恋物語が、少年の母との精神的な争いへと発展していく。初刊はいずれも新潮社。現行本はいずれも新潮文庫。電子書籍もあり。

牧　それは日本SFの特質に関わってくるのでしょうか？　端的なのは半村良の『産霊山（むすびのやま）秘録』ですよね。

笠井　そうだね。

山田　半村さんや平井和正さんあたりが題材にしているのは、進化論的な超能力者ではないよね。何というか、一族とか血縁とか、そうした、いわゆる血筋から生まれる超能力者のような気がする。

恩田　欧米では、そうした古い血筋という設定はないんでしょうか？

牧　そうですね。肯定的にせよ否定的にせよ、人類進化や突然変異という扱いが多いですね。《ピープル》シリーズの場合は、べつな惑星に由来するわけで、あれは移民国家のアメリカではごくふつうの感覚なんでしょう。

恩田　ヴァンパイアものはどうですか？　いにしえの血筋というかんじに近いのでは。

牧　それが顕著になったのはアン・ライス以降ですね。ブラム・ストーカーからつづくヴァンパイア小説の主流では、辺境

アン・ライス
アメリカの小説家（一九四一―　）。七六年『夜明けのヴァンパイア』でデビュー。これを第一作とする《ヴァンパイア・クロニクルズ》で絶大な人気を獲得する。主にホラーの分野で活躍するが、物語にゴシック趣味・耽美趣味を取り入れている点が特徴。そのほかの代表作に『ザ・マミー』『魔女の刻』『幻のヴァイオリン』などがある。

ブラム・ストーカー
イギリスの小説家（一八四七―一九一二）。一八七二年から創作活動をはじめ、九七年の『吸血鬼ドラキュラ』で広く認められる。そのほかの邦訳作品に、長篇『七つ星の宝石』、短篇集『ドラキュラの客』がある。

の地からやってきた禍々(まがまが)しい存在というのが常套(じょうとう)だったと思います。アン・ライスといえば、彼女の『夜明けのヴァンパイア』から少し先行して、萩尾望都が『ポーの一族』を描いていて、大昔から伝わる血筋というところが共通します。

恩田 あとの世代に大きな影響を与える作品が、おなじ時期に出てきたというのは、面白いですよね。

笠井 時代的な背景でいえば、生物学的進歩主義としての進化なんて、誰も信じなくなって、リアリティを感じなくなったということが大きいと思うけどね。

●善悪二元論への不信

牧 進化論的な図式が成立しなくなったということは、世界を敵―味方という単純な関係で捉えられないという事情にもつながってくるように思います。『光の帝国』のなかの「オセロ・ゲーム」では、〝裏返す〟か〝裏返される〟かの攻防があるのですが、あれも絶対的な敵―味方ではない。だいたい相手がな

『夜明けのヴァンパイア』
「私がヴァンパイアとなったのは、二十五歳、一七九一年のことだ」男はそう話しだす。アメリカからヨーロッパへ、歴史の闇を歩きつづけた二百年もの歳月、自分をヴァンパイアに変えた主人のこと、聖少女クロウディアとの生活、そして苦い破局。九四年に『インタビュー・ウィズ・ヴァンパイア』として映画化。邦訳はハヤカワ文庫NV（現在は品切れ）。

にものなのかもわからない。それが続篇の『エンド・ゲーム』では、さらに徹底されていますよね。

恩田　とくに9・11以降は、二元論はまったく成りたたなくなったという実感があります。とにかく敵―味方というのは相対的なものでしかない。そういう考えかたが、『エンド・ゲーム』を書いたときのベースになっています。

山田　作中では、白血球のメカニズムに喩（たと）えられていて面白いと思ったんですが、しかし、それでも説明しつくされていない気がする。恩田さんの別の作品『月の裏側』では、侵略する側と侵略される側が逆転していくでしょ。『エンド・ゲーム』もそれがあって、ひっくり返ってひっくり返って、どんどん奥に進んでいく感じなんです。さらに先があるというか、これではまだ終わっていないというか……。『光の帝国』がとても収まりのいい作品だったので、これは意外でした。ふつうシリーズものだと、あとの巻は収斂（しゅうれん）の方向へむかうのに、《常野物語》の場合は逆なんだ。

牧　ぼくも『エンド・ゲーム』と『月の裏側』は根本的なとこ

『月の裏側』
一九九八年～翌年「PONTOON」で連載、二〇〇〇年単行本化された作品。九州の水郷都市、箭納倉で謎の失踪事件が続発していた。消えた人々は失踪中の記憶を喪失して戻ってくるのだ。この事件に興味を持った主人公たちは調査を進めるうち、この失踪事件はいまにはじまったことではないと知る。初刊は幻冬舎。現行本は幻冬舎文庫。電子書籍もあり。

ろで共通していると思いました。『月の裏側』は、外見上は侵略SFなんだけれど、それまで書かれてきた侵略テーマの作品をすべて無化してしまう。侵略というのは、エンターテインメント小説を成立させるための虚構にすぎない。『月の裏側』は、それをあっさりと突きつけていて、「ああ、恩田さんにとってはこれがあたりまえの感覚なんだな」と思いましたね。それとおなじで、『エンド・ゲーム』も、エンターテインメントが期待される水準には収まりきらない。

山田　ミステリの分野でも、本質的な悪などなくて、ただシステムが悪を発生させてしまうという発想の作品は書かれています。悪を突きつめようとしても、なんだかわからなくなってしまう。『エンド・ゲーム』はSFだけれど、そうしたミステリの潮流とパラレルだという気がするね。というか、そもそも恩田さんに「絶対」という発想がないのかもしれない。

牧　『エンド・ゲーム』の場合は、システムですらないですよね。

山田　うん。感覚とか反射神経とか、そんな感じだよね。

牧　『光の帝国』には、「草取り」という作品も入っていて、あれも能力のある者にしか見えない異質のものがあって、それが植物としてイメージされます。感覚的には「オセロ・ゲーム」に近いなと思ったのですが、ストーリーとしてつながっているわけではないんですね。

恩田　まったく別ですね。「草取り」は、「小説すばる」の臨時増刊号に読み切りのホラー短篇として書いたんです。《常野物語》の一篇としてではなく、独立して読めるようにもなっています。

牧　そう言われてみれば、あの作品だけは、語り手が「私」で、能力を持っている人が「彼」で、ほかの作品のように個人名で書かれていませんね。

恩田　『光の帝国』を本にするときに、これを入れても違和感がないから、シリーズに組みこんだんです。

牧　ところで、「オセロ・ゲーム」では、拝島親子を裏返しにきた牛乳屋のおばさんには悪意などなく、ただなにかに憑依されているということですよね。ところが、『エンド・ゲーム』では、裏返しにくる存在には、独立した意識があるという設定です。この違いはどうなっているんでしょうか?

恩田　とくにこだわって書いていませんね。考えたのは、正義だとか悪だとかいうのは、あくまで主観にすぎないということです。そうした思いは「オセロ・ゲーム」のときからあったんですが、それがどんどん強くなってきて『エンド・ゲーム』ではああいうかたちになったんです。

笠井　『エンド・ゲーム』は超能力SFだけど、娘の視点に立てばサスペンスとしても読めるし、またエスピオナージュとしても読める。そうした諸ジャンルをすべて消化し、恩田陸エンターテインメントとしか呼べないものになっています。

恩田　笠井さん、そろそろまとめに入っていますね（笑）。

笠井　えっ、まだ話すの？（笑）。

編　まだ三十分しか経ってませんよ！

牧　宴はもうちょっとおあずけです（笑）。

●時代を描くための苦労

笠井　ぼくは『蒲公英草紙』がすごく面白かったんですね。「明治大帝の御代だ」という叙述もあって、そういうひっかかりも含め、読んでいていろいろと考えました。ぼくは時代小説が書けないんですよ。描写する場合、ぼくは映像を文章になおしている感覚なんです。頭のなかに絵が見えないと描写ができない。昔の時代って見たことないから、書きようがないんですね。書いて書けないことはないけれど、やたら時間がかかるばかりなので、やめたほうがいいと思ったわけ。それに対して、さすが恩田陸、『蒲公英草紙』はサラサラと書いている。

恩田　いやあ……（苦笑）。

牧　サラサラ書いているんですか？　ぜんぜん苦労をしていない？

笠井　いや、苦労を見せないのが恩田陸じゃないか。

恩田　たしかにむかしのことは資料でしかわからないわけですから、古い写真などで雰囲気をつかむところから取りかかりました。笠井さんは映像とおっしゃいましたが、私の場合は雰囲気が命なんですね。『蒲公英草紙』では、最後まで雰囲気をつかみきれずに書いていて、そこが辛かったですね。

笠井　やっぱり恩田陸も苦労するんだ。むかし横光利一の『日輪』という小説を読んだんだけれど、そこでは卑弥呼が漢文書きくだし調で喋るだけで、描写というものがぜんぜんない。それで、ぼくは「こんなものは時代小説じゃない」と怒った覚えがある。司馬遼太郎も、絵が見えてなくても書いちゃう人だった。逆に、三島由紀夫は絵が見えないと書けないタイプですね。

牧　恩田さんは、『蒲公英草紙』を書いたときに、絵が見えるようになるための工夫とかなさいましたか？

恩田　ひたすら明治時代の写真を集め、それを身の周りにおいて執筆しましたね。連載だったので、いったん離れては、またそこに戻ってくるのが大変でした。締切が近づくと、明治に戻

横光利一の「日輪」
一九二三年「新小説」に発表された作品。不弥国の王女、卑弥呼を主人公にした官能的な古代幻想譚。現在は、短篇集『日輪・春は馬車に乗って』（岩波文庫、電子書籍もあり）に収録。作者の横光利一は小説家・俳人（一八九八―一九四七）。

司馬遼太郎
小説家（一九二三―九六）。「司馬史観」と呼ばれる独自の歴史観に基づいた歴史小説で知られる。新聞記者をしながら文筆活動をはじめ、五六年に「ペルシャの幻術師」が講談倶楽部賞を受賞して文壇にデビュー。『梟の城』で直木賞を、『竜馬がゆく』『国盗り物語』で菊池寛賞を、それぞれ受賞。九一年に文化功労者に選ばれ、九三年には文化勲章を受章。

っていく。すごく辛かったですね。

笠井 ぼくが唯一書いた時代小説は『群衆の悪魔』で、十九世紀半ばのフランスが舞台です。なぜ書けたかというと、フランスでは社会史が盛んで資料が豊富にあるんです。一般的に歴史というと、それは政治史ですよね。それに対して、社会史というのは、ふつうの人間がどんな服を着て、どんなものを食べていたか、家族がどんなかたちだったのか、というような研究です。それがあったんで書けた。

恩田 山田さんはどうなんですか？ たくさん時代小説を書かれていますよね。

山田 ぼくは文章ですね。その時代の文章をたくさん読んで、言いまわしが頭に入ったと思ったところで、作品に取りかかります。ぼくの時代小説は、偉い人ではなく、たいてい庶民を主人公にしています。そうした人たちの生き方を書くうえで、ぼくが若いころに見た外国の人たちの姿が役立つんですね。たとえばネパールの街のようすを思いだして、江戸時代の日本に重ねあわせるとか。でも、そうした世界に入っていくのには、三～四日はかかりますね。時代小説は疲れますよ。

恩田 身体（からだ）に良くない（笑）。

山田 ほんとにそうだね。まあ、そもそも小説を書くという作業が身体によろしくない。自分で書くより笠井さんや恩田さんの小説を読んでるほうが百倍も楽しいんだけどなあ（笑）。

恩田　『ねじの回転』を書いたときも大変でした。二・二六事件を扱った映画がけっこうあるので、ひたすらそれを観て、雰囲気をつかもうとしましたね。

笠井　じゃあ、いまの話を書くほうが楽なんだ？

恩田　それはもう。情景が目に浮かびますしね。

笠井　ぼくが『バイバイ、エンジェル』を書いているときは、リアルタイムのパリの街をそのまま描写していた。しかし、それから三十年が経っているので、いま取材に行っても建物がなくなっているし、街のようすも変わっている。東京よりは変わり方が少ないとはいえ。ようするに、もう頭のなかにしか残っていないんだよね。しかし、シリーズの新作を書くときに、前の作品とおなじ場所ばかり出すわけにはいかないから、そこは苦労するんだ。

山田　『蒲公英草紙』を書くときに、明治の資料を集めたということだけど、それはどんなものですか？

恩田　明治時代の写真集があって、それが役立ちましたね。あと、明治大正の家庭史みたいな本からは、どんなお菓子があったのかとか、なにが流行したのかとか、そうした知識を得ることができました。その本は最初から最後までしっかりと目を通しましたね。

牧　だいぶ苦労なさったようですが、しかし明治を舞台にしたことで、現代ものでは成立しない感覚や感情が表現できていますよね。

恩田　『蒲公英草紙』は、もともとの予定では二〇〇〇年か二〇〇一年に単行本化するつもりだったんです。ちょうど百年前の世界と現在とをシンクロさせたかった。

牧　あっ、だから作中で「にゅう・せんちゅりぃ」がキーワードになっているのか。

恩田　そうなんです。二十一世紀のいま、さかんにグローバル化ということが言われていますが、十九世紀から二十世紀に移りかわる時期も、べつな意味でのグローバル化を迎えていた。それを対比させたかったんです。

●ユートピアとしての明治

笠井　『蒲公英草紙』の村は、山形ですよね。

恩田　あのあたりの宮城との県境で、蔵王が見えるあたりという設定です。

笠井　蔵王が南に見えるという平地というと、これは宮城ではなく山形だろうと。

恩田　ひええ、そこまで推察されるとは（笑）。

笠井　福島は旧会津藩だから、明治はじめに長州から厳しい県令が来て苛烈な支配をした。それに対して、山形は穏やかな土地柄だった。ぼくは、そういうイメージで、あの作品を読んだんだけど。

恩田　そこまで企（たくら）んでいたわけじゃないですよ。

笠井　まあ、読者は勝手なこと思いながら読むものだから。あの作品のクライマックスで、お嬢さんが自分を犠牲にして子どもたちの命を救って、「お父様、お母様、聡子はがんばりました」と言うでしょ。いまじゃ、誰もそんなこと言わないよね。

牧　明治という背景があるから、読者もあそこですんなりと感情移入できるんです。

笠井　というか、ぼくや山田さんの世代が、そういうものをぶちこわしたんだけどね。

牧　『蒲公英草紙』では常野一族は前面に出てくることはあまりなく、狂言まわしというか、物語をうまく運ぶための……。

恩田　いわば触媒ですね。

牧　ところで、あの作品は最後に太平洋戦争直後の話があって、悲惨な余韻で幕を閉じます。厳しい終わりかただと思いました。

恩田　無邪気な時代は終わったということなんですね。『蒲公英草紙』を本にするときに、いちばん書き加えたのが、まっすぐな気持ちの書生が「吾が国が一等国になれるのならば、私はなんでもします」と語るくだりなんですね。その言葉を聞いた年輩の男が、「君のような人間が、吾が国を一等国に引き上げるだろう。けれども、同時に、君の一途さ、無垢さが、吾が国を地獄まで連れていくに違いない」とつぶやく。このシーンができたときに、この作品が完成したと思いましたね。

牧　うーん。その話をうかがうと、『蒲公英草紙』と『エンド・ゲーム』が対になる作品だと思えてきました。『蒲公英草紙』が無邪気でありえた奇跡的な瞬間と、それがはかなく喪失するであろう予感を作品化したのに対して、『エンド・ゲーム』は確かな価値観が成立しない現在の状況を描いている。

●辻褄（つじつま）よりも世界のふくらみ

笠井　風の又三郎が、常野一族だったというのはどうだろう。そんなイメージはない？

恩田　そういえば、私の叔父が『小夜子』を読んで又三郎を連想したと言っていました。

牧　じゃあ、不思議な力を持っているキャラクターは、みんな常野一族ってことで（笑）。そうすると、恩田さんの小説のかなりの部分が《常野物語》につなげられる。ところで、すごく素朴な疑問があるんですが。『光の帝国』では、常野一族のさまざまな人たちが描かれますよね。春田一家のように、一族のなかで一定の役割を担っている人たちもいれば、拝島親子のよ

風の又三郎
宮沢賢治（一八九六―一九三三）の短篇小説「風の又三郎」の登場人物。小学校に転校してきた不思議な少年、高田三郎を、級友たちは伝説の風の精「風の又三郎」だと思う。作品は『童話集　風の又三郎　他十八篇』（岩波文庫、電子書籍もあり）に収録。

うにひたすら逃げつづけている人たちもいる。まるっきりバラバラなのかと思えば、「国道を降りて……」で描かれているように、常野一族が集まる機会もあるらしい。ツル先生のように、一族の運命を優しく見守っている存在もいる。となると、常野一族はどんなふうにつながっているのか、その全体像が気になります。これまでの三作では、まだ埋まらないピースがたくさんあると思うのですが……。

恩田 それはおいおい（笑）。いやあ、そういうことを訊かれるだろうと覚悟はしていましたが（笑）。

牧 ということは、このシリーズの新作の構想がある？

恩田 まだ具体的にはありません（笑）。いずれ書くかもしれませんが。漠然と書きたいなあと思っているのは、『光の帝国』に入っている「黒い塔」の続篇ですね。

牧 予知能力を持ちながら、自分でそれを封じこめ、抑圧的なＯＬ生活を送っていた亜希子の物語ですね。彼女は実は、「大きな引き出し」に出てくる春田記実子と高校のクラスメイトで……という因果も絡んでくる。さらに、べつな作品「二つの茶碗」にもつながっています。その続篇となると、ずいぶん複雑そうで期待できますね。

恩田 考えているのは、それぞれ別々だった登場人物が合流してきて、やがて社会の表に出ざるをえなくなるというような話です。半村さんの『岬一郎の抵抗』みたいになるかも。まあ、書くとしても、ずいぶん先のことになるでしょうが。

編　お、『岬一郎』。この読書会でもかつてとりあげた作品ですね。

牧　うーん、読みたい。すぐに書いて（笑）。でも、それで《常野物語》の全貌が明かされるのでしょうか。もちろん、文学というのは作品ごとに独立していて、そのなかでのつながりを読めばいいんです。しかし、ＳＦは設定の小説であって、シリーズを通じての世界観や見取り図を、読者は期待するんですね。

恩田　すみません。この次までに考えておきます（笑）。

笠井　そういうことはわからないままに中絶したシリーズを多数持っているＳＦ作家もいるわけだから、それでいいんだよ（笑）。

山田　えーと、まあ何だ、あれだ、『光の帝国』のときから、それほど厳密に整合性を持たせようとしていないよね。あまりピッタリやろうとするとつまらなくなってしまう。

恩田　そういう気持ちもあります。

山田　恩田さんのほかの作品、とくに『ユージニア』に顕著な

『ユージニア』
二〇〇二年〜〇四年「ＫＡＤＯＫＡＷＡミステリ」「本の旅人」で連載、〇五年単行本化された作品。古都の大量殺人事件は、犯人の自殺によって解決したかに見えた。しかし、二十年あまりを隔てたいま、新しい調査がはじまる。矛盾する複数の証言が錯綜し、物語はいっそう深い藪のなかへと進んでいく。日本推理作家協会賞を受賞。初刊は角川書店。現行本は角川文庫。電子書籍もあり。

んだけれど、整合性よりも作品のふくらみに重点をおいている。これは一般論だけど、整合性ばかりを追求すると、作品が痩せてしまうんだよね。たしか、中井英夫も、自分の『とらんぷ譚』に関して、そういうことを言っていた。

●〝語り部〟たる資質

笠井　前もおなじようなことを言ったかもしれないけれど、恩田さんというのは〝語り部〟だと思うね。自我が強すぎると、理想的な語り部にはなれない。語り部というのは器ですから、私があってはいけない。『古事記』の語り手である稗田阿礼は男だったか女だったかわからないんだけれど、五木寛之氏とその話をしていたら「それははっきりしている。男が物語るときに女装をしたんだ」と言うんだ。まあ、それが語り部というものなんです。自分の記憶の底に膨大な量の物語をしまっているが、普通の意識状態で自由に出すことはできない。トランス状態に入るために、日常とは反対の服装をする。まあ、そのさい

『とらんぷ譚』

一九七九年に平凡社から刊行された作品集。ここにまとめられているのは、七〇年～七七年「太陽」に発表された連作の幻想譚であり、先行して『幻想博物館』『悪夢の骨牌』『人外境通信』『真珠母の匣』（いずれも平凡社、のちに講談社文庫に収録）の四冊に収録されている。それぞれがスペエド、クローバ、ハート、ダイヤという見立て。一冊本では、ジョーカーの二篇が加えられている。のちに創元ライブラリ／中井英夫全集に収録されたが、現在はいずれも品切れ。講談社文庫の四冊本は電子書籍で入手可能。

に半意識状態で、「これはこう語ったほうが面白いな」とか「ここはつまらないから端折(はしょ)ってしまおう」とかいう脚色はあるにしても。で、文字のオリジナルがあるわけじゃないから、その語り部の言葉を、つぎの語り部も記憶に保存しておいて、また語る。そのズレが、オリジナリティだったり個性というもの。小説も、そういうものでしょ。本が本を書くのであって、作家というのはしょせんあいだに挟まっている栞(しおり)みたいなものです。

山田 それは、ぼくも同感だなあ。「大きな引き出し」というのは、まさに語り部たることを象徴している話だよね。ぼくは、まあ、栞にしてもずいぶんボロボロになっちゃったしなあ。もうすぐ読者から捨てられちゃうんだよなあ（笑）。

編 山田さん、もう自虐ネタでウケを狙うの、禁止です（笑）。あ、思い出しました。恩田さんの『禁じられた楽園』を担当させてもらったとき、ぼく、帯の惹句に「現代の語り部」という表現を使っているんです。

牧 おお、それは編集者的直感のなせるわざだね。

『禁じられた楽園』
二〇〇一年〜翌年「問題小説」で連載、〇四年単行本化された作品。大学生の平口捷は、世界的天才美術家として知られる烏山響一から招待され、熊野の大自然のなかに作られた巨大な「野外美術館」へと赴く。そこで待ちうけていたのは、むせかえるような自然と不思議な野外芸術、そして危険な罠だった。初刊は徳間書店。現行本は徳間文庫。電子書籍もあり。

笠井　まあ、語り部を賞揚しながら、ぼくも我の強い人間であって、自分は語り部にはなりきれない。だから、理想の語り部である恩田さんの小説を読むと、ひじょうに心が和むわけです。これからも頑張ってください。

恩田　細く長く書いていきたいと思います。

牧　と、まとまったところで、ぼくが用意してきた話題もだいたい網羅できました。このあとは心おきなく宴会へ突入しましょう（笑）。

編　みなさん、どうもありがとうございました。さっき冷蔵庫に入れた新しいビールも、ほどよく冷えたころです。出してきましょうか？

一同　お願いします！

構成／牧眞司

『読書会』刊行記念特別企画
打ち上げ大放談
SPECIAL

★参加者一覧★

山田正紀 作家

恩田 陸 作家

牧 眞司、三村美衣、日下三蔵 SF評論家、歴代の司会者

編集部O SFJ前編集長

編集部K SFJ編集長（当時）

初出 SF Japan 2007 SUMMER

編集部K　本誌の山田正紀さんと恩田陸さんの連載対談が、単行本『読書会』にまとまりました。おかげさまで好評です。今日は、打ち上げということで、関係者の皆様に集まっていただきました。みなさん、大いに飲み、かつ大いに語ってください。

三村　「語ってください」って、それをまた「SF Japan」に載せるつもりなんでしょ。

牧　打ち上げに名を借りた企画だね。いい根性してるなあ。

編K　ばれましたか（笑）。いやあ、まあ、読者も、山田さんと恩田さんのお話を楽しみにしてると思いますし。今日は、対談の楽屋裏やこぼれ話なども披露していただければ、と。

●でも私は飛行機が怖い

牧　そもそもこの対談は、どんな感じではじまったの？

編K　企画を立てたのは、ぼくだったかな、それとも前編集長のOさんだったかな……。

すいません、記憶が曖昧(あいまい)です。

編集部O　おれも曖昧(笑)。

牧　そのときはすでに、山田さんと恩田さんはツーカーの仲だった?

山田　いや、そのときまでは、あまり顔を合わせる機会もなかったですよね。初めてお会いしたのは、ぼくが京大の推理研に呼ばれてイベントに行ったとき。

恩田　私は『月の裏側』の取材のために柳川へ出かける途中で、幻冬舎の編集者とともに、京都で山田さんと食事をご一緒させていただいた。

山田　あの夜は痛飲したなあ。次の日のイベントに差し支えるんじゃないかというくらい、ベロベロになりました。

恩田　そうでしたっけ。そうそう、私はそれで柳川に行って、帰路で初めて飛行機に乗ったんです。あれがトラウマになって……。

三村　ええっ、じゃあ、恩田さんの飛行機嫌いって、そのときからなの?

恩田　いえ、もともと嫌いだったんですよ。だけど、もしかして乗ってみたら大丈夫なんじゃないかって思って。で、乗ってみたら、ちっとも大丈夫じゃなかった。

一同　(笑)。

恩田　乗っているあいだ、ずっと怖い。

牧　でも、そのあと海外へ行ってますよね。

恩田　全部仕事です。怖くて怖くて。眠れないし、お酒を飲んでも酔えない。緊張しっぱなし。
編K　この前、南米に行かれたそうですね。
山田　南米までだと、二十時間くらいかかるかな。
恩田　もっとかかりました。
三村　乗り換えは？
恩田　十一回。
三村　ひえーっ。飛行機嫌いなのに、よく途中でくじけないね。
恩田　とにかく日本に帰りたーい、その一念でずっと我慢してました。
編K　小説の取材ですか？
恩田　ＮＨＫの「失われた文明」という番組があって、それにあわせて私が本に紀行文を書くことになったんです。ロサンゼルスからメキシコシティに入って、ユカタン半島をまわって、そのあとグアテマラ、ペルーと、ぜんぶで二週間ほどの旅程です。旅そのものは面白かったですけど、とにかく飛行機がつらかった。
牧　そういえば、恩田さんの『上と外』は南米が舞台でしたね。
恩田　それが縁で紀行文を書くことになったわけです。『上と外』では地下水路をたどるというエピソードがあるんですが、最近の調査で、ユカタン半島のマヤ遺跡には実際に地下水路があることが判明したそうです。スタッフの人に「なぜ知っていた?」と驚かれましたが、あくまでも偶然です。

●『読書会Ⅱ』の企画

編K ところで、『読書会』で取りあげた課題書以外で、語り合ってみたい作品はありますか?

山田 そういう話はちょこちょこ出ていたよね。たとえばブラッドベリとか。

恩田 手塚治虫さんの『火の鳥』。

山田 そうだ。ずっと『火の鳥』をやろうよって言ってたよね。

編O 全巻読まれていますか?

山田 もちろん。読書会でやるとなったら、全部読み直しますけれどね。『火の鳥』については、ぜひ話がしたいな。あと、筒井康隆さんの作品も候補にあがってなかったっけ?

牧 スティーヴン・キングの回のときに、超能力テーマつながりで《七瀬》シリーズの話になって、じゃあ、いつか取り上げようと。

山田 そうだったね。山田風太郎もやりたいと何度も話に出たよね。

日下 ぜひやりましょう。いまならかなり文庫で読めますので。

牧　いまは何度目かの風太郎ブームみたいだよね。仕掛け人としての日下三蔵の功績は大きい。

日下　もっとやりたいんですけどね。

山田　だんだん思い出してきたぞ。埴谷雄高の『死霊』をやろうという話もあった。ぼくはあの作品を読み返したいと思っているんだけど、読書会のような機会がないと、なかなか手が出ないのでね。

恩田　実は、私は読んでいません。読もうと思って文庫版を買っているんですが。やはり傑作ですか？

山田　最初のほうは素晴らしいですよ。後半になると、ちょっと弛（ゆる）んできますが。

三村　『死霊』については、ル・グィンの回に話が出たんですよ。で、私は「それはいい。だけど司会は別な人にして」って言ったんだ（笑）。

編K　だいぶ候補があがってきましたね。『読書会Ⅱ』できますよ。

日下　出た！　逞（たくま）しい編集者魂（笑）。

編O　この前、山田さんと、意外と読み落としていることってあるよねって話になったんですよ。たとえば源氏鶏太とか三浦哲郎とか。

山田　三浦哲郎は読んだけど、源氏鶏太はほとんど読んでない気がする。獅子文六は読んだけど。

編O　そこらへん、三十年くらい前は、文庫で簡単に手に入った作家じゃないですか。でも、いまはあまり読まれていない。

恩田　いわゆる中間小説ですよね。

山田　『読書会』でも、そうした作品はときどき話題に出てきていたよね。五木寛之の『戒厳令の夜』とか。

恩田　あの作品は面白かったですね。あと、五木寛之ならば『風の王国』とか。

三村　『戒厳令の夜』はいま、新刊で手に入らないんですよ。『風の王国』のほうは、新潮文庫で読める。ところが、この前「横組み版」というのが出て……。

恩田　なんですか、あの横組みは。本屋で見て悩みました。

三村　だよねえ。なに考えてるやら。

山田　『戒厳令の夜』は、最初に新聞記事が出てきたりして、ああいう構成は、ぼくも恩田さんもけっこう影響受けているんだよね。

恩田　あ、それはそうかもしれません。

三村　いいですよね、あれ。頭のほうに一人ずつの写真が出ていて、最後は黒枠になる。

山田　あと『裸の町』も良かったなあ。

編O　そうした、意外と読まれていない作品を、あえて読書会で取りあげるってのは？

牧　なに言ってんの。「SF　Japan」で、そんな企画やってどうすんの。SF誌でしょ？

編О　（無視して）恩田さん、中間小説誌とか読んでいました？

恩田　いやあ、読んでませんでしたね。

三村　女の子は中間小説誌は読まないよね。

山田　男の子だって読まない。ぼくも読んでなかったよ。

恩田　じゃあ、誰が読んでるの？

日下　おじさんですね。

編О　「オール讀物」とか「小説現代」とか買ってませんでした？

恩田　買いませんよ。せいぜい単行本で梶山季之を読んだくらい。

牧　高校生のころ、中間小説誌は古本屋で買っていたなあ。安かったし。

恩田　渋いなあ。渋すぎる。

三村　おじさんだ。高校生のころからおじさんだったんだ（笑）。

※記録者註　以下、しだいに話題に脈絡がなくなり、オフレコのネタが頻出。宴もますます無礼講へ。採録不能。

あとがき

山田正紀

じつに楽しい経験をさせてもらった。そのことに心より感謝したい。

ぼくには部活の経験がない。集団行動が苦手で、対人関係のストレスに極端に弱い人間なので、高校時代も大学時代もクラブ活動に近づかなかった。

けれども本とか映画の話をするのは大好きなので、いま考えると、どうして読書サークルか映画サークルに入らなかったのだろう、とそのことがふしぎに思える。ＳＦ、ミステリ、映画の話であれば、とめどもなしに話すことができるので、そうしたサークルに入っていれば、もうすこし有意義で楽しい学生時代を送ることができたのではないだろうか。

後悔、というほど大げさなものではないが、時々、そのことを残念に思う。失敗したな、とひとり舌打ちすることがある。

そんなぼくだから、この読書会のチャンスをいただいたのは、なにより嬉しいことだった。長く生きていると、こんなふうにご褒美をもらうこともあるんだな、としみじみそう感じた。

恩田陸さんという、とびきりの才能を持った天性のストーリーテラーと、お酒をいただきながら、好きな本の話をする。しかも毎回の司会をしてくださった牧さん、三村さん、日下さんが本についてはじつに何でもご存知で、ゲストの笠井さんにいたっては本読みのプロともいうべき人なのだ……これが楽しくないはずがない。

ぼくはなにしろ歳をとって頭が硬くなってしまっている。目も弱った。若いころに比べて本を読む力はかなり衰えているのではないかと思う。

そのうえ最近では、本を読みはじめると、ものの三十分もしないうちに眠くなってしまう、という情けない状態になってしまっている。自分では本を読んでいるつもりで、じつは夢をみているということが多い。

いや、それよりも何よりも、もともと恩田さん、笠井さん、牧さん、日下さん、三村さんのような本を読むために生まれてきたような方々と太刀打ちできるような才能に恵まれた人間ではないのだ。

それでも歳をとったためか多少の自惚れはあって、最初のうちは何とか互角にわたりあおうと知ったかぶりで話をすることがあったが、そのうちに、これはダメだ、と自分に見切りをつけてしまった。読書会をほんとうに楽しめるようになったのはそれからのことだった。

とりわけ恩田さんの柔軟な思考、繊細にして豊かな感受性に触れることができたのは、最大の収穫だったように思う。これから何年、小説を書きつづけることができるか自分でも心もとないところがあるが、恩田さんと話をさせていただいたことで、多少は作家生命がのびたのではないだろうか。

ぼくは生まれつき人の気持ちに鈍感なところがあって、それが作家として致命的な弱点にもなっているのだが、それをあらためて気づかせてくれた恩田さんには最大限の感謝と敬意をささげたい。

最後になったが、毎回、読書会をセッティングしてくださった編集者氏のご苦労にお礼を申しあげたい。

ありがとうございました。

解説

大森　望

近年、世間では、空前の読書会ブームらしい。アメリカでの流行ぶりについては、映画化もされたカレン・ジョイ・ファウラーの長編小説、『ジェイン・オースティンの読書会』(白水社)にくわしい。カリフォルニアに住む六人の男女が、ジェイン・オースティンの長編小説六作品を月に一冊ずつ読む会を開くという、ただそれだけのお話だが、『エマ』や『説得』や『高慢と偏見』のストーリーとともに、メンバーそれぞれの過去が語られ、六人の人物像がしだいにくっきりと浮かび上がり、やがてほのかな恋愛模様も見えてくる……。

著者のファウラーは、かつては気鋭のSF作家だった女性。そのバックグラウンドを生かして(?)、この小説にも、唯一の男性メンバーとして四十代のSFファンが登場する。彼が畑違いのオースティン読書会に参加したのは、あるSF大会が開かれたホテルのエレベーターで、読書会を主催する女性と出会ったのがきっかけ。オースティン好きの女性たちに、彼がル・グィンを薦める場面もあったりして、なかなか芸が細かい。オースティンに興味がなくても、読書会好きのSFファンならきっと楽しめるはずだ。

『ジェイン・オースティンの読書会』で描かれるとおり、アメリカ式の読書会はホームパーティの延長――というか、そのバリエーションのひとつ。メンバーのだれかの自宅に集まり、ワインと料理を楽しみながら課題の本について語り合う。このなんとも優雅なスタイルのせいか、主に女性たちのあいだで流行しているらしい。このブームの火付け役になったのがオプラ・ウィンフリーのTVトークショー。視聴者代表とともに番組内で読書会を実演し、それがウケて、たちまち読書会が全米に広がったんだとか。

日本でも、最近は、mixiなどのSNS（ソーシャル・ネットワーク・サービス）やウェブ掲示板、Twitter等々で簡単にメンバーを集められるようになったこともあり、各地で読書会が花盛り。TVの情報番組なんかでときどき紹介されるのを見るかぎり、マニアの世界を離れ、本好きのあいだに広く浸透しはじめているようだ。

もっとも、住宅事情か生活習慣か、日本では、自宅ではなく、喫茶店や居酒屋の個室、公民館の会議室などが利用されるケースが多い。共通の本を読んでいれば、見知らぬ相手ともすぐ意気投合して話が盛り上がる。つまり、読書会は、社交のツールとして活用されているのである。白水社の読書会特集ページに「読書会ノススメ」を寄稿している白水Uブックス研究会の南野うららさんいわく、「心から、読書好きなあなたにお薦めします。合コンなんかより、出会い系なんかより、絶対、効率がよいですよ！（↑何の？）」

かくいうわたしも、まんざら読書会と縁がないわけでもなくて、学生時代には、当時、大学院生だった若島正氏が主催する英米文学科有志の読書会（毎月、英語の短篇一本を読む）に参加していた。あいにくわたしはとくに新しい〝出会い〟には恵まれなかったんですが、当の若島氏が結婚した相手は、その読書会のメンバーだった。思えば三十年近く前から読書会は効率がよかったわけである（↑何の？）。

ＳＦファンのあいだでも、昔から、読書会は盛んに行われている。三十年前には、昼なお暗い喫茶店の片隅に集まった男たちが世の中にほとんど知られていないＳＦについてぼそぼそ低い声で語り合う——というイメージだったが（というか、京都大学ＳＦ研究会の読書会がまさにそれだった）、最近は女性参加者も多く、温泉旅館に泊まったり、レストランに集まったり、優雅な読書会ライフが営まれているようだ。いまや読書会は、紳士淑女のたしなみなのである。

……と、リアル読書会に関する前置きがすっかり長くなりましたが、読書会は読書会でも、本書は自分で参加するんじゃなくて、字で読む読書会。しかも、そんじょそこらの読書会とはわけが違う。なにしろ、当代の作家の中でも、ジャンル小説に関する読書量では一、二を争うふたり、山田正紀と恩田陸がレギュラー・メンバーなのである。書き手としても読み手としてもプロフェッショナルの作家が（主にＳＦの）名作を肴に、ざっくばらんに（ときには丁々発止と）語り合う。

豪華ゲストとして参加するのは、泣く子も黙る武闘派の論客・笠井潔と、漫画界の女神・萩尾望都。さらに、牧眞司・三村美衣・日下三蔵と、SF・ミステリ・ファンタジーを代表する博覧強記の書評家が司会として参加し、読書会をナビゲートすると同時にデータ面を補強する。これだけ贅沢な読書会はめったにない。

さらに、〝読む読書会〟ならではのサービスとして、課題図書のあらすじ紹介のほか、牧眞司による詳細な脚注が入る至れり尽くせりのサービスぶり。かゆいところに手が届くような一冊なのである。

小説の中身をめぐるSF談議が面白いのはもちろんだが、あれやこれやのこぼれ話がまた面白い。たとえば、開巻冒頭に披露される、恩田陸の早稲田大学在学中の『妖星伝』初体験エピソード。高田馬場さかえ通りの奥にある飲み屋でアルバイトしていたとき、常連だった女性客から薦められたのがきっかけで半村良の『妖星伝』を読みはじめたという。

ちなみに学生時代の恩田さんは、早稲田大学ハイソサエティオーケストラとワセダミステリクラブ（こちらは半年ぐらいしか在籍しなかったらしい）に所属していた。『夜のピクニック』の続編ともいうべき青春小説『ブラザー・サン　シスター・ムーン』を読むと、その当時の雰囲気がなんとなく伝わってくるんですが、この『妖星伝』の話なんか、小説の中の一場面だったとしてもおかしくない。

一方の山田さんは、生前の半村良さんから弟子と見込まれ、さまざまなアドバイスを受けた秘話を披露する。いわく、「つきあう編集者を選べ」、「ポルノを書けば小説の腕が上がる」、「出版社に借金をしろ」。きわめつきは、（いま結婚話が進んでいる相手とは）「結婚しちゃいけない」。年上はよしなさいということだったらしいのだが、山田さんは結局その女性と結婚して、子供をもうけ、長くしあわせな家庭生活を送っている（推定）。ことほどさように、半村さんのアドバイスがまったく役に立っていないのが無闇におかしい。

とまあ、こんなのはほんの一例。本の話がいつのまにか話者の人格の話に結びついてくるのも読みどころで、たとえば『家畜人ヤプー』にまつわるＳＭ談議から山田正紀が喜国雅彦『月光の囁き』を持ち出すと、恩田陸が〈あれは良い作品ですよね。切なくて好きだなあ〉と受け、最終的に、「山田正紀はマゾである」という結論が導かれたり。

山田さんは〈痛いのはイヤだ〉としきりにマゾ説を否定するのだが、この読書会の中では、〈最近は才能枯れてるし、体力衰えてるし、いつもいつも眠たいし〉などなど、マゾヒスティックなぼやきをどんどん連発するようになり、恩田陸に〈なに言ってるんですか、もう〉と突っ込まれたかと思えば、最後は編集部から、〈山田さん、もう自虐ネタでウケを狙うの、禁止です〉と引導を渡されてしまう。こういうキャラの立った掛け合い漫才の楽しさも、本書の大きな魅力だろう。

一方、小松左京『果しなき流れの果に』をとりあげた回では、〈『果しなき……』は、小松さんの青春への決別宣言でもある。しかし、それでいながら、作品がこれほどみずみずしいのは、青春を捨て切れていないからなんです〉と、山田正紀が持ち前の分析力を発揮する。〈歴史が正しい方向にむかうためには多少の犠牲は仕方ないというのが、『果しなき……』の一方のテーマです。しかし、もう一方のテーマとして、「そんなことがあっていいものか。生きているオレたちが歴史のために刈り取られるなんて許せない」という思いがあるんです。そのふたつの対立なんです〉

対する恩田陸は、〈『果しなき……』は、どこかナイーブなんですよね。宇宙的なスケールを冷徹に描きつつ、その癖、登場人物に圧倒的な感情移入をしてしまう。私は読んでいる最中に、サリンジャーの『ライ麦畑でつかまえて』を連想しました。（中略）反抗の仕方とか、とってもサリンジャー的ですよ〉と応じ、『果しなき流れの果に』の、青春小説としての側面にスポットが当てられる。

こういう新しい視点のおかげで、ＳＦ読者以外にもすんなり話が通じる、開かれた読書会になっている。

作家ならではの着眼点もユニークで、たとえばスティーヴン・キングについて、恩田陸いわく、〈（マイクル・）クライトンはまずアイデアがあってそこから広げていくんですが、キングは外堀から埋めていく書き方なんですよ。みんなそれを真似るようになった〉。あるいは、〈（ディーン・）クーンツはみんなのために書いているけれど、キングは個人的ですよね。自分のために書いている〉など、目からウロコが落ちる鋭い指摘のオンパレード。

小説を深く理解するうえでも、たいへん実りの多い読書会なのである。

　かくいう私も、敬愛する先輩書評家の北上次郎氏と、ロッキング・オンの季刊誌〈ＳＩＧＨＴ〉誌上で、主に新刊の小説を対象とする対談というか書評漫才というか、一種の読書会を開催していたんですが（『読むのが怖い！　２０００年代のエンタメ本２００冊徹底ガイド』『読むのが怖い！　帰ってきた書評漫才　激闘編』『読むのが怖い！　Ｚ　日本一わがままなブックガイド』の三冊にまとめられている）、意見がすれ違ってばかりで、なかなかこううまくは行きません。そう言えば、『読むのが怖い！』を読んだ山田さんから、それは北上さんの意見に対するリスペクトが足りないからだとこんこんと説教されたこともありますが、うーん、尊敬してるんだけどなあ……。この『読書会』における恩田さんの態度を見習っていきたい。

　もちろん、山田正紀と恩田陸のあいだでも意見が食い違うことはあるんですが、それがまた面白い。男女差／年齢差による受けとり方の差異が明らかになるのは、《ゲド戦記》をとりあげた回。一巻目の『影との戦い』を評価する恩田陸に対して、山田正紀は（自虐ネタを交えつつ）四巻目の『帰還』がいちばん泣けたと語る。

山田　主人公のゲドが魔法をなくして帰ってくるでしょ。あれを読むと、自分がもう少し年をとって小説が書けなくなったときのことが重なるわけ。(中略) 男にとってはこの四巻目がいちばん理解しやすいね。年をとってスキルをなくした男に、女の冷たい視線が突き刺さる。スキル、というか、生活の基盤をなくした男ってのは、ある意味ファンタジーをなくした男だと思うんだ。(中略) むかし大賢者だった男が能力をなくしてぼやいてばかりいる。ところが女は生活が大事だから、それがうるさくてしょうがない。これがものすごく身につまされて。いやもう、ファンタジーもへったくれもないね。

恩田　ただのリアルライフ (笑)。

山田　ル・グィンは (中略) まわりで男たちが自分の仕事のこととか、人生についていろいろ言うのが煩わしいっていうかな、なにをいまさらって思うわけよ。それで、うるせえや、ごたごた言ってないで自分の使った食器のあとかたづけくらいしろ、って思ったんだよ。(中略) いやあ、あれはほんとにこたえるね。自分の皿は自分で洗え、っていうの。

編　家で言われてますか。

山田　自分で洗ってるよ。これを読んだあと息子にも言ったんだ、皿は自分で洗えって (笑)。

三村　皿さえ洗ってればいいと思うのが間違いなのよ。

恩田　って、ル・グィンだったらぜったい言うよね。

三村　いや、世の妻はみんな言うと思います（笑）。

いやもう爆笑です。その合間にも、竜と魔法に関する大きな価値の転換をめぐり、《ゲド戦記》が孕（はら）む矛盾を指摘しながら、「竜とはなんだったのか」という問題について突っ込んだ考察がくりひろげられる。読書会の語りは、まさに硬軟自在、融通無碍。

課題図書を読んでいなくても楽しく読めるが、これ一冊を読むうちに、読みたい本がどんどん増えてくるはず。読んで読んで読みまくり、楽しい読書会ライフを満喫してください。

二〇一〇年八月

改題新装版のためのあとがき

恩田　陸

落ち込んだ。

改題新装版を出すにあたり、この本を読み返した私の反応はそのひとことであった。

最近、記憶力の減退がシャレにならないほど激しい。すごく面白い、これは新しいと興奮した本でも、たちまち中身を忘れてしまう。読書メモをつけているので、それを読み返せば、なんとかかろうじて思い出せるのだが、それが一年経ち二年も経つと、綺麗さっぱり記憶から消えている。単行本で読んだ本格ミステリを文庫になってから初読のように新鮮に読める、という体験を何度か繰り返しているうちに、こんなに忘れてしまうのに、果たして私はこれらの本を「読んだ」と言えるのだろうか、とまで考えるようになってしまった。

そこに、この本である。

全く覚えていない。

いったいなんの根拠があってこんな発言をしたのか。業界の泰斗を前に、なんだってまたこんなにエラソーなのか。そして、何よりも衝撃だったのは、読書会で扱った本の一部の内容が全く思い出せないことだった。

ひどい。ひどすぎる。

ところが。

「えっ、これ、覚えてない」「この本、どういう話だったっけ」と焦るいっぽうで、「ふうん、これ面白そうだな」「読んでみたいな」（何度も読んでるんだが）と思っている自分にも気付くのであった。

開き直って言うのだけれど、本の良さというのは、何度も読み返せることである。しかも、読み返す時期によって全く異なるように読める（だからこそ、出会う時期はとても大事だ）。

この読書会で読んだ時も大部分の本は再読だったわけで、当時既に若い頃とは異なる読み方になったと言っている。なるほど、読書会というのは、本の再読も面白いが、読書会そのものの再読も、当時の自分の読み方を振り返れるという点で、歳月を経てから読むと実に味わい深いのだ。

私の小説の読み方も、緩やかに変化している。今、半村良や小松左京を読むとどう感じるのか、もはや想像がつかないし、その想像のつかないところが面白い。

読書会で、「私だったらどう書くか」と言及している部分が幾つかあり、これもまた興味深かった。当時の私のテクニックだったら確かにこうするだろうが、今の私ならこうは書かないな、今ならどうするかな、と考えるのも一興だった。

対談の最中に、これから出る本やこれから書きたい本の話が出てくるのも懐かしい。ああ、この時にはまだ影も形もなかったんだ、とか、『神狩り2』に化粧品ネタが使われないと聞いてガッカリしたな、とか。

それにしても、なんて豪華な司会とゲストなんでしょう！

皆様、本当にその節はどうもありがとうございました。

しかも、皆様、今もますますご活躍で何よりです。まさか平成の世の次が令和になり、萩尾先生の『ポーの一族』の新作が読めるなんて！

そして、山田正紀先生。

私も最近になって、老師「ゲド」の心境が、うっすら理解できるようになってきました。機会があれば、一緒にお皿を洗いながら語り合いたいものです。

二〇二一年八月　　コロナ禍下の東京オリンピック開催中の猛暑日に

参加者プロフィール

●山田正紀（やまだ・まさき）
小説家。1950年生まれ。74年『神狩り』でデビュー。『地球・精神分析記録』『宝石泥棒』『機神兵団』などで星雲賞、『最後の敵』で日本SF大賞、『ミステリ・オペラ』で本格ミステリ大賞、日本推理作家協会賞をW受賞。その他の著書に『マヂック・オペラ』『神君幻法帖』『神獣聖戦　Perfect Edition』『イリュミナシオン』など。SF、冒険小説、本格ミステリ、時代小説など、多ジャンルで活躍。現代エンターテインメント小説界を代表する作家。

●恩田陸（おんだ・りく）
小説家。1964年生まれ。『六番目の小夜子』が日本ファンタジーノベル大賞最終候補になり、92年デビュー。『夜のピクニック』で吉川英治文学新人賞、本屋大賞をW受賞。『ユージニア』で日本推理作家協会賞を受賞。『中庭の出来事』で山本周五郎賞を受賞。『蜂蜜と遠雷』で直木賞、本屋大賞をW受賞。その他の著書に『木曜組曲』『禁じられた楽園』『チョコレートコスモス』『木洩れ日に泳ぐ魚』『私の家では何も起こらない』など。

●笠井潔（かさい・きよし）
小説家・評論家。1948年生まれ。79年「野性時代」に『バイバイ、エンジェル』を発表してデビュー。同作品で角川小説賞を受賞。『オイディプス症候群』『探偵小説論序説』『探偵小説と叙述トリック　ミネルヴァの梟は黄昏に飛びたつか？』で本格ミステリ大賞を受賞。その他の著書に、小説『ヴァンパイヤー戦争』『巨人伝説』『天啓の宴』、評論『機械じかけの夢』『テロルの現象学』などがある。

●萩尾望都（はぎお・もと）
漫画家。69年「なかよし」に「ルルとミミ」を発表してデビュー。72年から描きはじめた連作『ポーの一族』によって、幅広い層から支持を得る。「11人いる！」『ポーの一族』で小学館漫画賞を、『残酷な神が支配する』で手塚治虫文化賞優秀賞を、それぞれ受賞。SFからラブコメまでをこなす幅広い作風と、抜群の画力・表現性で、人気実力ともに、漫画界の頂点に位置する。『バルバラ異界』で、日本SF大賞を受賞。2012年紫綬褒章受章。19年文化功労者選出。

●牧眞司（まき・しんじ）
SF研究家。1959年生まれ。大学在学中よりSFの書評を手がけ、SF書誌・作品紹介・文庫解説などで活躍。著書に『世界文学ワンダーランド』『JUST IN SF』訳書に『SF雑誌の歴史』（マイク・アシュリー著）がある。

●三村美衣（みむら・みい）
ジュヴナイルSF／ファンタジー研究家。1962年生まれ。書評や文庫解説で活躍。著書に『ライトノベル☆めった斬り！』（大森望との共著）、『大人だって読みたい！　少女小説ガイド』（共編著）がある。

●日下三蔵（くさか・さんぞう）
SF／ミステリ研究家・フリー編集者。1968年生まれ。著書に『日本SF全集・総解説』『ミステリ交差点』、編著に《山田風太郎ミステリー傑作選》『天城一の密室犯罪学教程』など。

本書は２０１０年10月徳間文庫として刊行された『読書会』を改題しました。

徳間文庫

SF読書会

2021年9月15日　初刷

著者　山田正紀（やまだまさき）　恩田陸（おんだりく）
発行者　小宮英行
発行所　株式会社徳間書店
東京都品川区上大崎三－一－一
目黒セントラルスクエア　〒141－8202
電話　編集〇三（五四〇三）四三四九
　　　販売〇四九（二九三）五五二一
振替　〇〇一四〇－〇－四四三九二
印刷
製本　大日本印刷株式会社

ISBN978-4-19-894675-3　（乱丁、落丁本はお取りかえいたします）